weissbooks.w

Vanessa F. Fogel
Hertzmann's Coffee
Roman

Aus dem Amerikanischen von Eva Bonné
unter Mitarbeit von Vanessa F. Fogel

weissbooks.w

Hertzmann's Coffee

NEW YORK, NY, USA

Nur wer über sich und seine Zeit schreibt,
schreibt über alle Menschen und alle Zeiten.
George Bernard Shaw

1

Hchchch – schsch – hchchch – schsch. Hchch – schsch – hchch – schsch. – A*hhhh* – plötzlich – *aahhhh* – schnappte ich nach Luft, als wäre es mein letzter Atemzug. Also. War es das? Nein. Oder doch? Nein. Ich war eben einfach nur aus dem Tiefschlaf aufgewacht.

Schnaufend fischte ich mein Gebiss aus dem Wasserglas, das neben dem Bett auf dem Nachttisch stand. Ich schob es mir in den Mund. Und schluckte meine Spucke.

»Ich kann nicht schlafen«, verkündete ich leise, als wäre es ein Geheimnis, das ich keinesfalls noch länger für mich behalten wollte. Ich hoffte, dass meine Frau ebenfalls wach war und mich hören konnte.

»Ich auch nicht«, klagte Dora müde.

Gut, dachte ich mir, immerhin sind wir zusammen wach.

Viele Männer meines Alters können nicht schlafen. Aber ich war immer anders. Zu schlafen, und noch gut dazu, war nie ein Problem für mich. Aber jetzt lag ich wach, wie alle anderen. Wollte die Zeit mir damit sagen, dass ich sie nicht länger mit Schlafen vergeuden sollte?

»Also. Warum kannst du nicht schlafen?«, fragte ich. Ich setzte mich mit knackenden Knochen im Bett auf.

Mein Körper tat mir nicht weh. Nichts schmerzte mich. Nur mein Arm. Da fühlte ich einen tiefen Schmerz, so durchdringend und bodenlos, wie sonst nur Hungerqualen sind. Außerdem juckte er, als wäre ein Dutzend gieriger Moskitos brutal über ihn hergefallen. Dennoch fühlte ich mich wie fast immer: gut, fit, dankbar.

Also schaltete ich die Nachttischlampe an. Sie erhellte meine Zimmerhälfte. An der nackten Wand neben mir tauchte mein großer Schatten auf. Ein Schatten, dachte ich mir, ist der beste Beweis dafür, dass man noch am Leben ist. Ich sah mich um. Wir hatten ein schönes Schlafzimmer. Bequem eingerichtet, gemütlich. Aber groß. Zu groß. Wer braucht einen so großen Raum? Gegenüber vom Bett befand sich ein hohes Fenster, mit schweren muschelgrauen Vorhängen davor. Dahinter lag der Central Park. Alles neben und alles vor mir sah verschwommen aus. Also, das hatte bestimmt mit meinem Alter von fünfundachtzig Jahren zu tun.

Schön wäre es, in den schlafenden Park zu blicken. Aber ich war zu müde, um bis ans Fenster zu gehen, die Vorhänge zu öffnen und mich auf den Rückweg zum Bett zu machen. Vor allem, weil es draußen noch dunkel war. Es gab nichts zu sehen. Weniger als nichts. Besonders mit meinen schwachen Augen. Selbst wenn die Sonne schon aufgegangen wäre, würde ich kaum mehr sehen als ein paar frühlingsfarbene Schlieren. Die auch ganz hübsch sind. Aber nicht so hübsch wie das Original. Das sind Kopien fast nie. Oder wäre das eine Interpretation? Also blieb ich einfach im Bett sitzen.

»Ich kann nie schlafen«, stellte Dora fest. Sie klang jetzt hellwach und dennoch lethargisch. »Du merkst das nie, weil du immer schläfst, wenn ich nicht schlafen kann, Yankele.«

»Ahhhh«, antwortete ich. Interessant.

Meine Gedanken wanderten zu meinen Kindern, die jetzt sicher tief und fest in ihren eigenen Betten, ihren eigenen Wohnungen schliefen. Und da fühlte ich es wieder. Genau das, was ich gestern gefühlt hatte. Ein Kneifen in der Brust, wie ein Taschenkrebs, der nicht loslässt. *Etwas* war dabei, zu Ende zu gehen.

Also beugte ich mich zur Seite und grapschte meine Brille und die Zeitung vom Nachttisch. Die Schlagzeile las ich laut vor: »Mindestens hundertvierzig Tote und achthundert Verletzte bei Krawallen am Wochenende.« Ich legte die Zeitung auf meinen Bauch. Auf das rostrote Federbett, das meinen Bauch bedeckte. Früher war mein Bauch nicht so groß. Aber jetzt malte er eine Linie an die Wand, die an den Umriss eines Bergs erinnerte.

Ich hörte das Zeitungspapier rascheln. Doras Hand tastete darauf herum. Ihre Finger schlenderten über ein Foto von Kindern in einem schäbigen, zellengleichen Klassenzimmer. Ihre Hand war so leicht. Ich spürte kaum deren Druck, der gegen meinen Bauch presste, als Dora sich aufstützte und zu mir heranrutschte. Sie näherte ihren Mund dem meinen und küsste mich. So viele Jahre wurde ich schon von ihr geküsst, und noch immer erregte mich das.

»Du hättest gestern eine Schokoladentorte bekommen sollen. Geformt wie zwei geröstete Kaffeebohnen.«

»Ich mag Schokoladentorte.«

»Also. Ich werde diesen Geburtstag nie vergessen«, sagte ich. »Ich werde mich immer daran erinnern, ihn nicht zu vergessen.«

»Geburtstage *Schmurtstage*«, sagte Dora. »Komm schon, Geburtstage sind nicht wichtig.«

»Doch, sind sie.«

»Unsinn! Geburtstage sind unwichtig. Nur die Familie und das Geschäft sind wichtig. Und natürlich ist es wichtig, einen ehrlichen und ebenbürtigen Tennispartner zu haben.« Also. Auch wenn Sie es auf den ersten Blick nie erraten würden: Meine zarte Dorale war eine große Tennisspielerin.

Dora stützte sich immer noch auf, und ihr Gesicht war immer noch dicht an meinem. Unsere Gesichter hingen nebeneinander wie zwei rote reife Kaffeekirschen an einem Zweig, die auf die Ernte warten und bereit sind, ihren Samen herzugeben, den wir so liebevoll Kaffeebohne nennen.

Ich schlang meinen Arm um sie. Und sie legte ihren Kopf auf meine Brust. Eine Brust, die auch schon alt war. Ich spürte mein Herz kräftig schlagen, als wollte es sich in ihren Gehörgang drängen. Es schlug, als wäre ich wieder so Mitte zwanzig. Nicht, dass ich mir das gewünscht hätte. Denn mir war nicht daran gelegen, die Zeit zurückzudrehen. Die Zeit war kein Hindernis. Das Netz beim Tennis – das war ein Hindernis.

»Vielleicht ist es nicht gut, unsere Geburtstage *immer noch* zusammen zu feiern«, sagte Dora.

»Aber so haben wir es immer gemacht.«

»Und?«, hauchte sie.

»Also. Geburtstage müssen gefeiert werden. Sie sind eine hervorragende Gelegenheit, sich ganz bewusst Zeit für die Familie zu nehmen.« So eine schöne Tradition, dachte ich mir. Und was machte es schon, dass Traditionen nur von symbolischem Wert sind? Immer noch besser, als keinen Wert zu haben.

Wir veranstalten vier Geburtstags-Geschäftstermine pro Jahr. Im Winter, im Frühling, im Sommer und im Herbst. Wir haben vier Kinder, und jedes davon ist in einer anderen Jahreszeit zur Welt gekommen, als hätten Dora und ich es so geplant.

Leonard, unser ältester Sohn, wurde im Hochsommer geboren. Jasmin, die zweitälteste und einzige Tochter, mitten im Winter. Unser drittes Kind Benjamin kam im Frühling zur Welt, und Eliot, unser Jüngster, an einem sehr frischen Tag im Herbst. Und so, wie sich die Jahreszeiten durch die Intensität des Sonnenlichts voneinander unterscheiden, unterscheiden sich unsere Kinder voneinander. Sie sind Pole für sich – mit eigenen Intensitäten. Mit bewundernswerten Fähigkeiten und beschämenden Fixierungen.

Wie eine glückliche Familie feiern wir die Geburtstage unserer Kinder gemeinsam. Außer dem von Benjamin. Der vierte

Geburtstags-Geschäftstermin findet an Doras Ehrentag statt. Am ersten April. Und das ist nun kein Scherz.

Also. Gestern haben wir Doras Geburtstag gefeiert. Wir haben es versucht. Versucht und nicht geschafft. Was mich betrifft, ist jeder Tag für mich wie mein Geburtstag. Ist jeder Tag ein Geschenk. Manche sind nur hübscher verpackt als andere.

Wir alle lieben und leben Kaffee. Mit jedem Atemzug. Andere Leute brauchen Sauerstoff, wir brauchen Kaffee. Kaffee, Kaffee, Kaffee. Lassen Sie sich nicht erzählen, dass Kaffee das Wachstum Ihrer Kinder hemmt oder ihrem Nervensystem schadet. Wir haben unseren Kindern Kaffee zu trinken gegeben, lange bevor sie erwachsen wurden, und alle sind sie doch gut geraten.

»Dorale«, sagte ich zerknirscht. »Wie konnte so etwas passieren? Es war nur eine Mitteilung.«

»Gestern habe ich unsere Kinder nicht wiedererkannt«, sagte Dora traurig. Sie stützte sich immer noch auf mich. Ich hielt sie im Arm und beschützte sie wie eine Glucke, die einen Flügel über ihre Küken breitet. »Das Treffen hätte so ein Erfolg werden können. So ein köstliches Essen. So eine wunderschöne Geburtstagsfeier.«

Dora seufzte, noch tiefer jetzt, ihr ganzer Körper seufzte.

»Aber sie mussten unbedingt ...« Ich schaffte es nicht, den Satz zu beenden, denn plötzlich erlebte ich alles, was gestern war, noch einmal. Plötzlich war ich wieder so wütend. Meine Stirn, meine Nase, meine Wangen wurden rot, und ich presste Ober- und Unterkiefer aufeinander. Ich nahm meine Goldrandbrille ab und legte sie zurück auf den Nachttisch.

2

Jeder Geburtstags-Geschäftstermin beginnt mit uns Fünfen – Leonard, Jasmin, Eliot, Dora und mir. Benjamin ist fast nie dabei. Wir diskutieren über die Bilanzen und über Kredite, und immer sitzt Dora am Kopf des langen Konferenztischs, und nie sagt sie ein Wort. Sie gibt nicht einmal einen Ton von sich. Aber sie hört angestrengter zu als wir alle zusammen, als hätte sie das Gehör eines Delfins.

Später kommen einige unserer Angestellten dazu und erstatten uns Bericht über den Stand unseres Kaffeeunternehmens. Sie zeigen uns Charts, stellen aktuelle Zahlen vor und verteilen bunte Grafiken mit Pfeilen. Sie halten uns Vorträge über weltweite Markttrends, neue Produktentwicklungen, die Konkurrenz, Gewinne und Verluste und so weiter. Also. Wenn wir das Geschäftliche hinter uns gebracht haben, kommen wir zum vergnüglichen Teil. Wir feiern den jeweiligen Geburtstag mit einem üppigen, köstlichen und nahrhaften Mahl. Und wir beschließen es mit Kaffee. Mit dem besten sortenreinen Kaffee unseres Familienunternehmens, so fein wie der erlesenste Wein. Zugegeben, wir sprechen auch während des vergnüglichen Teils über das Geschäft.

Zum Kaffee steuert jeder einen Toast bei: *Dieser Kaffee ist phänomenal ausbalanciert – Möge unsere Firma so reich sein wie dieser Kaffee – Ich wünschte, ich könnte in ihm baden!* Also. Dann kommt die Torte. Eine Schokoladentorte. Vorzugsweise mit Schokoladenglasur. Und darin stecken die Kerzen, die wir füreinander anzünden. Jedes Mal flüstert Dora dem Geburtstagskind ins Ohr: »Verschwende keinen einzigen deiner kostbaren Atemzüge auf dummes Zeug.« Aber jedes Mal bläst es die Kerzen mit dem unverwechselbaren Lächeln eines Geburtstagskindes aus.

»Wie kommt es, dass für *mich* kein Wein mehr übrig ist?«, rief Leonard in dem Moment, als er gestern den Konferenzraum betrat. Er griff sich einen Stuhl und zerrte ihn ans freie Kopfende des Tisches. Alle anderen hatten längst um den Tisch herum Platz genommen. In seiner Mitte stand ein Strauß aus roten Rosen, rotbraunen Schokoladen-Kosmeen und dunklen Calla-Lilien.

»Nimm mein Glas«, bot ich Leonard an und ging zu ihm hin. »Wir haben schon eine zweite Flasche bestellt.«

»Warum tust du das? Warum musst du immer Leonard gefällig sein, damit er bekommt, was er will?«, fragte Eliot.

»Glaubt mir«, antwortete Leonard, »ich bekomme nie, was ich will.« Er hob den Blick zur Decke und setzte ein künstlich trauriges Gesicht auf, als versuchte er Gefühle zu zeigen, die er in Wahrheit nicht hatte.

»Tja, ich auch nicht«, sagte Eliot mit Nachdruck, und dann sagte Leonard: »Dieser Wein ist absolut schrecklich.«

»Nein, das ist er nicht«, sagte Jasmin, während sie die drei schlafenden Miniaturhunde auf ihrem Schoß streichelte. Ihre Finger kämmten durch ihr honigbraunes, schwarzes und weißgraues Fell.

Über Jasmins Kommentar musste Leonard lachen. »Das sagst du nur, weil Dad ihn ausgesucht hat und du ihm immer nach dem Mund redest.« Also stand er auf und gab mir mein Glas zurück.

»Ich hätte von Anfang an den Pinot Blanc gewählt«, sagte Eliot, kippelte mit seinem Stuhl vor und zurück und trommelte auf die Armlehnen.

Daraufhin brach Jasmin in vulkanisches Gelächter aus. Was allerdings nicht lange dauerte, weil Eliot sein Rotweinglas über den Tisch auf Leonard zuschlittern ließ und es auf Jasmins weißer Designerjacke landete. Jetzt lachten Leonard und Eliot, und Jasmin kochte vor Wut. Ihr Gesicht war rot wie der Weinfleck auf ihrer Jacke.

»Das ist alles nur deinetwegen«, sagte sie und zeigte mit dem Finger auf Leonard. Dann verschränkte sie wütend die Arme vor der Brust. Sie war eine hübsche Frau, aber in dem Moment sah sie nicht sehr attraktiv aus. Also. Leonard antwortete lächelnd: »Nur meinetwegen läuft diese Firma so gut, und es ist für euch höchste Zeit, das endlich einzusehen.«

»Hallo? Wovon redest du? Wir sind beide Geschäftsführer«, sagte Jasmin. »Ich arbeite genauso viel wie du, wenn nicht noch mehr.« Ich traute meinen Ohren kaum. Und auch meinen Augen nicht.

»Seien wir ehrlich«, warf Eliot ein. Er schaute kopfschüttelnd nach rechts und links. »*So* gut läuft die Firma nun auch wieder nicht.«

»Was?«, schrie Leonard, »jetzt habe *ich* auch noch die Schuld an der Finanzkrise?«

Wie peinlich. *Wein.* Ich war beschämt. Ein alkoholisches Getränk. Darüber stritten *meine* Kinder. Ich konnte es nicht glauben. Dies sind, dachte ich ungläubig, die Gesellschafter meiner Firma, die ich aus dem Boden gestampft und jahrelang allein geleitet habe. Einer Firma, aus der ich mir nie etwas genommen, der ich immer nur gegeben, gegeben und gegeben habe. Ich war enttäuscht. Ich war schockiert. Ich war wütend. Mein Herz raste. Also das würde meinem Kardiologen ganz bestimmt nicht gefallen.

»Können wir uns nun endlich dem Geschäft zuwenden?«, fragte ich und zwang mich, ruhig zu bleiben. »Wie ihr wisst, habe ich euch etwas Wichtiges mitzuteilen.«

Bevor ich weitersprach, sah ich zu Dora hinüber. Aber sie hatte ihren Stuhl herumgedreht und kehrte mir und dem ovalen Konferenztisch den Rücken zu. »Meine Mitteilung betrifft Eliot«, sagte ich nervös. »Ich habe beschlossen, dass Eliot die Firma vom ersten Juli an leiten wird.«

Ich konnte die Verwirrung und das Entsetzen in Leonards und Jasmins Gesichtern sehen. Und ihre maßlose Überraschung. Aber sogar sie waren nicht so überrascht wie Eliot selbst. »Tja, dann«, sagte er schmunzelnd, »das Leben ist komisch.«

»Das ist doch ein Scherz, Daddy, oder?«, fragte Jasmin, und Leonard sagte: »Dad, wie kannst du so was tun? Erstens wohnt er nicht einmal hier, und zweitens ist er ein Drogendealer.«

»Ich zahle Steuern wie jeder andere fleißige Bürger«, sagte Eliot. »Und ich kann es gar nicht erwarten, in dieses schreckliche New York zu ziehen.« Er lehnte sich zurück und verschränkte die Hände hinter dem Kopf.

»Seht ihr, er bezahlt Steuern wie jeder anständige Bürger«, sagte ich, »also ist er kein Drogendealer.« Ich wusste, Eliot war eine ungewöhnliche Wahl, aber er war meine Wahl. Meine zweitbeste Wahl. Denn eigentlich hatte ich mir gewünscht, dass Benjamin das Geschäft übernähme. Aber der weigerte sich beharrlich.

»Eliot ist so unfähig, dass dein Vorschlag nicht einmal zum Aprilscherz taugt, Dad«, sagte Leonard.

»Sprich nicht so über deinen Bruder.«

»*Genau*, sprich nicht so über deinen Bruder«, wiederholte Eliot.

»Daddy, er schnorrt dich an, seit er von Zuhause ausgezogen ist«, sagte Jasmin.

»Ich habe mein ganzes Leben dieser Firma gewidmet«, rief Leonard und sprang auf. Sein Stuhl kippte um.

»Ich auch!«, fügte Jasmin hinzu. »Und wenn ich nicht mehr die Verantwortung trage, werde ich kündigen und meine Anteile verkaufen.«

Wie bitte? Ich war außer mir. Wie konnte sie an so etwas überhaupt nur denken? Schließlich hatte ich die Firma nicht für mich aufgebaut. Sondern für meine Kinder, immer nur für die Kinder. Damit sie ein sicheres und gutes Leben haben konnten. Eine Zukunft. Damit sie sich alles leisten konnten, was mit Geld zu kaufen ist. Damit sie alles unbelastet genießen konnten, anders als Dora und ich, für die es zu spät war. Vom Beginn unseres Lebens an war es immer schon zu spät für uns gewesen.

Also stand ich von meinem Stuhl auf und ging zu Dora. Dabei klang das Gezeter meiner Kinder in meinen Ohren so schief wie eine falsch orchestrierte Symphonie. Ihre Stimmen hörten sich bitter an. Nicht angenehm bitter wie das dunkle Schokoladenaroma eines hochwertigen Kaffees aus Guatemala. Nein, unangenehm bitter wie ein schlecht geratener Espresso. Sie waren in ihren Disput so vertieft, dass sie gar nicht bemerkt hatten, dass ich aufgestanden war. Und während ich mich Dora näherte, sah ich aus dem Augenwinkel, wie Leonard seinen Stuhl am Stuhlbein in die Luft hob. Ich ging hinter seinem Rücken an ihm vorbei, als ich einen Schrei hörte – »OH NEIN. ACHTUNG, PASS AUF, DAD. ES TUT MIR SOO LEIIIID!«, und schon spürte ich einen harten Schlag.

Ich ging zu Boden wie ein gefällter Baum. Der Stuhl, der mich erledigt hatte, landete direkt neben mir. Wir sahen einander an.

Mir war schwindlig, und alles ringsum war noch verschwommener als sonst. Dazu drehte es sich noch. Und zum ersten Mal seit einer halben Stunde waren sie alle still. Es war wunderbar friedlich. Mir wurde kalt.

Nichts außer meinem Arm tat mir weh. Sie standen um mich herum. Ich sah ihre drei besorgten Gesichter auf mich niederstarren. Wo war Dora? Ich war wie benebelt. Trotzdem schaffte ich es, den Kopf zu meinem Stuhl zu drehen. Ich rollte mich über Schulter und Hüfte auf die Seite. Sechs Arme reckten sich nach mir wie die Tentakel eines Kraken nach einem Seestern.

Ich holte tief Luft. »Ich kann alleine aufstehen«, sagte ich. Ich spürte keine außergewöhnlichen Schmerzen. Nur mein Arm fühlte sich an, als liefen alle Nerven meines Körpers in ihm zusammen.

Also. Ich hob den Kopf und harrte für einige Momente in dieser Position aus. Ich wartete darauf, dass mein Blutdruck sich wieder normalisierte. Als mir nicht mehr schwindlig war, erhob ich mich. Auf alle viere. Auf Knien und Händen kroch ich zum Stuhl und stützte meine Arme darauf. Der rechte schmerzte. Ich stellte erst ein Bein auf, dann das andere. Ich fühlte mich unstabil. Aber dann war Dora da. Sie griff mir unter den Arm, den schmerzfreien Arm, und sprach energisch zu unseren Kindern: »Lasst uns in Ruhe!« Ich klammerte mich fest an sie. Sie folgten uns. Dora wiederholte: »Lasst uns in Ruhe! Ich meine es ernst!« Also ließen sie uns in Ruhe. Alles war wieder normal verschwommen, als wir aus dem Konferenzraum heraus marschierten.

»Hast du dich verletzt?«, flüsterte sie. Ihre Stimme war so süß wie *café cubano*.

»Ein bisschen, glaube ich.«

Sie hielt mich noch stärker fest und sagte: »Nur ein bisschen? Du bist unglaublich.«

»Was soll ich sagen? Ich bin in Form.«

»Weil du positiv denkst.« Wir gingen langsam auf die Aufzüge zu.

»Weil ich mindestens acht Tassen Kaffee am Tag trinke. Und jeder weiß, dass Kaffeetrinker gute Chancen haben, jene zu überleben, die keinen Kaffee trinken.«

»Es liegt daran, dass du Tennis spielst, Yankele. Du bist ein Tennis-Champ, daran liegt es.«

Ich drückte zweimal auf den Aufzugknopf, drehte mich zu Dora um und konstatierte voller Überzeugung: »Es liegt daran, dass du mich liebst.«

Im Lennox Hill Hospital ließ ich mich röntgen. Der Doktor prüfte das Bild meiner Fraktur, wie Touristen die Karte einer fremden Stadt studieren. Dora saß neben mir, als meine Knochen wieder in ihre normale Position gebracht wurden. Wäre Dora nicht dabei gewesen, hätte ich vor Schmerzen gewinselt, denn es fühlte sich an, als würde jemand meinen Arm in Teile zerlegen, als wäre er ein Puzzle. Aber ich konnte es noch nie lassen, meine Frau beeindrucken zu wollen.

Danach kam der Castverband. Zunächst wickelte der Doktor mehrere Schichten aus weichem Mull um meinen Arm. Er tränkte Gewebe aus Kunststoffharz in Wasser, bevor er es Streifen für Streifen, Schicht für Schicht um meinen Arm legte. Während ich auf die Aushärtung wartete, erklärte man mir, dass ich diesen Verband für mehrere Monate tragen müsse. Bis alles verheilt sei. Es störte mich nicht, einen harten Panzer um den Arm zu tragen. Ich fühlte mich wie ein mittelalterlicher Ritter mit angewachsener Rüstung.

Als wir das Krankenhaus verließen, nahm Dora meine Hand. Sie hielt sie fest, als wäre sie so kostbar wie das dunkelste Geheimnis der Welt.

Das war nun einige Stunden her, dass das passiert war. Und Dora und ich waren jetzt zusammen wach. Wir teilten die Nacht. Ich spürte eine schwere Verzweiflung in mir. Schwer wie dieses Bett. Schwer wie die ganze Welt. Es war noch so früh am Morgen. Oder so spät in der Nacht. Ich wusste es nicht genau.

Dora hatte sich wieder auf ihre Bettseite zurückgerollt und sich die Decke bis ans Kinn gezogen. Sie sah aus wie ein Kind, das sich vor der Dunkelheit fürchtet. Sie war so klein. Viel kleiner als noch vor Jahren.

»Schlaf ein bisschen«, sagte Dora sanft. Sie sah mich nicht an. Aber ich sie.

»Warum streiten sie miteinander?«

»Hast du Hunger?«

»Sie haben alles. Was könnten sie sonst noch wollen?«, fragte ich, obwohl ich wusste, dass der menschliche Neid, wie auch die menschliche Gier, grenzenlos ist.

»Vielleicht ist die Matratze für deinen Rücken nicht mehr gut.«

»Eliot war die richtige Wahl. Und was hat so ein Titel schon zu bedeuten? Leonard und Jasmin gehören der Geschäftsleitung immer noch an.«

»Schließ deine Augen, Yankele.«

Also nahm ich mein Gebiss heraus und legte es wieder in das Wasserglas auf dem Nachttisch. Dann schloss ich die Augen. Ich stellte mir vor, wie ich unsere schweren Schlafzimmervorhänge beiseite zog. Die sattgrünen Bäume des Central Park tauchten vor mir auf und der blasse Mond, der sein letztes Licht auf sie warf. Und für einen kurzen Moment glaubte ein Teil von mir, dass der gestrige Tag überstanden war. Vergangen. Geschichte. Es war nur eine unbedeutende Streiterei gewesen, wie sie zwischen Schulkindern vermutlich manchmal vorkommt. Aber ein größerer Teil von mir wusste es besser. Diese Streiterei war nicht unbedeutend. Im Guten wie im Schlechten, meine Intuition täuschte mich nie.

Mit geschlossenen Augen hatte ich das Gefühl, als würde um mich herum die Erde beben, während ich nichts anderes tun konnte als stillzuhalten. Meine Füße waren wie angewurzelt, aber ich hatte es eilig. Ich musste mich sputen.

Denn ich hörte meinen Hausarzt flüstern: »Deine Zeit ist gekommen.«

3

Ich sah die Mittagsnachrichten in unserem neu angeschafften Fernsehgerät. Der große Bildschirm machte mich zufrieden. Ich konnte darauf fast alles erkennen. Was für ein Vergnügen. Aber warum wurden die Nachrichten so schnell vorgelesen und warum bewegten sich die Bilder so rasch? Kaum hatte ich eine Information verarbeitet, kam schon die nächste, die genauso wichtig war. Wollten die Leute vom Fernsehen nicht, dass ich verstand, was wirklich vor sich ging? Also schaltete ich um zu einem anderen Kanal und sah mir lieber eine Reality Show über das Leben der Tiere an.

Das Klingeln des Telefons unterbrach mich, also nahm ich den Hörer ab. »Hallo?«

»Hi, Dad.« Das war Leonard. »Wie geht es dir?«

Mir ging es gut, abgesehen von dem gebrochenen Arm und einer laufenden Nase. Aber ich wollte, dass er sich schuldig fühlt wegen dem, was kürzlich geschehen war. Also fragte ich: »Wie gut kann es mir schon gehen?«

»Ich weiß. Ich weiß.«

Nach einem Moment Stille fragte Leonard: »Hast du schon mit einem deiner Kinder gesprochen?«

»Worüber?« Ich wusste, dass ich mich dafür hinsetzen musste. Also tat ich das. Ich setzte mich hin, schaltete das Fernsehgerät aus und legte den verbundenen Arm auf meinem Schoß ab, als gehörte er nicht zu meinem Körper.

Meine Frau lief im Wohnzimmer auf und ab wie eine Barista, die darauf wartet, dass ihr nächster unentschlossener Gast einen Kaffee bestellt. Sie trug ein schwarz-weiß kariertes Kleid, das sie seit vielen Jahren besaß. Anders als sie habe ich mir nie viel aus Kleidung gemacht. Aber sie liebte Kleider, ganz besonders Kostüme. Sie war immer schon der Ansicht, ein klassisches elegantes Kostüm sei eine risikofreie Investition. In diesem Moment sah sie außergewöhnlich aus. Also musste sie Recht gehabt haben.

»Hast du ihnen gesagt, dass du noch einmal darüber nachgedacht hast?«

»Worüber?«

»Hast du ihnen gesagt, dass du dich letztendlich dafür entschieden hast, mich zu unterstützen?«

»Auch Eliot ist mein Sohn.«

»Ich bin dein ältester Sohn. Ich habe es verdient, und das weißt du. So wie ein Flugzeug nur einen Piloten braucht, braucht diese Firma *einen* Geschäftsführer, und diese Person bin ich.«

Ein Flugzeug braucht einen Piloten. Das stimmt. Aber war Leonard Pilot? Und brauchte ein Flugzeug nicht auch einen Navigator? »Leonard, kann das nicht warten? Wir werden nächstes oder übernächstes Jahr alles neu bewerten.«

»Nein.« Sein *Nein* war scharf wie eine tödliche Spritze. »Merke dir eins: Ich werde kündigen, wenn ich den Posten nicht kriege, und ich werde meine Anteile verkaufen«, sagte er unmissverständlich.

»Tu das nicht, Leonard.«

»Genau das ist der Punkt: Du brauchst mich.« Ich hörte ein zufriedenes Grinsen in seiner Stimme. Ich wollte es nicht hören. Ich hob die Hand, um mich an der Stirn zu kratzen. Selbst diese einfache Bewegung war mit einem verbundenen Arm schwer auszuführen.

»Dad, muss ich dich daran erinnern, dass Eliot mir eine Spenderniere verweigert hat? Er ist ein selbstsüchtiger, unmoralischer Mensch, von seiner Unzuverlässigkeit ganz zu schweigen. Wie konntest du ihn berufen?«

»Er ist dein Bruder, Leonard.«

»Na und?«

»Manchmal habe ich den Eindruck, dass du selbst zu deinen Feinden freundlicher bist als zu deinem eigenen – «

» – ich habe keine Feinde.«

»Wir sind doch ein Familienunternehmen.«

»Sogar Jasmin ist diesmal auf meiner Seite.«

»Ist sie?« Ich war überrascht, denn die beiden hatten sich doch erst letzten Monat wegen eines Trojanischen Pferdes gestritten. Der eine hatte dem anderen vorgeworfen, es installiert zu haben. Ich verstand beim besten Willen nicht, was ein Pferd im Stall mit dem Kaffeegeschäft zu tun haben sollte. Aber Leonard und Jasmin waren Profis. Also irgendetwas musste an der Sache dran gewesen sein.

Meine Frau verließ das Wohnzimmer. Wahrscheinlich ging sie ins Schlafzimmer, um dort den Hörer abzuheben und unser Gespräch zu belauschen. Dora tat das oft.

»Ich werde nicht aufgeben, Yankele. Diesmal nicht.« Der feindselige Unterton in Leonards aufgeregter Stimme gefiel mir gar nicht.

Ich hörte das Klicken eines Hörers, der abgehoben wurde. Dora.

»Einer muss flexibler sein«, ermahnte ich ihn. Ich musste dafür von meinem Platz aufstehen. »Es ist zum Wohle aller.«

»Warum bin mit *einer* immer *ich* gemeint?«, fragte er. In Wahrheit war fast nie er gemeint. »Rede mit ihnen allen, Dad«, drängte er, »und sag ihnen, dass es von nun an so läuft, wie es immer schon hätte laufen sollen. Ich, dein Ältester, übernehme die Firma. Endlich.«

Wieder klickte es, und ich wusste, dass Dora gleich wieder im Wohnzimmer stehen würde.

»*Oy*«, seufzte ich laut.

»Gut, dass wir diesen Punkt besprochen haben.«

»Nein. Es ist nicht gut. Ich – « Ich hatte ihm so viel zu sagen.

»Was soll ich sagen?«, unterbrach mich Leonard.

» – *Ich* kann nur sagen – « Ich hatte ihm und meinen anderen Kindern so viel zu erzählen über dieses Geschäft, um das sie nun stritten.

» – Es kann nicht immer alles gut sein im Leben«, sagte mein Sohn, und damit war die Unterhaltung beendet. Er hatte aufgelegt.

Ich hatte ihm so viel mehr zu sagen. Aber er hörte mir nicht zu.

»Was wollte Leonard?«, fragte Dora, als sie ins Wohnzimmer kam. In der Mitte des Raumes stand ich wie eine Tasse Kaffee-to-go, die auf ihren Besitzer wartet.

»Du weißt doch, was er wollte«, sagte ich, hob meinen unverletzten Arm und legte mir eine Hand an die Wange. Sie verharrte dort, während ich kopfschüttelnd auf Dora wartete.

Als sie bei mir war, fragte sie: »Wollte er noch etwas?«

Ich hasste meine Antwort, aber sagte trotzdem: »Nein, das war alles.«

»Er wollte nicht mit mir sprechen?«

»Nein«, sagte ich und fügte ein bisschen zu spät hinzu: »Er war in Eile, er hatte einen Geschäftstermin.«

Dora und ich beschlossen, in die Küche zu gehen, um Mittag zu essen, als das Telefon erneut klingelte. Also ging ich ins Wohnzimmer zurück. Ein Teil von mir hoffte, der Mensch am anderen Ende der Leitung würde aufgeben, bevor ich den Apparat erreichte. Es klingelte sieben Mal, bis ich beim Telefon war. Es war Jasmin. Auf eine Unterhaltung mit ihr hatte ich so viel Lust wie auf eine Operation am offenen Herz.

»Wie geht es dir?«

Sie antwortete nicht, sondern fragte aufgebracht zurück: »Daddy, wie geht es dir?«

»Wie gut kann es mir schon gehen?«

»Weiß ich nicht«, sagte sie, wie um klarzustellen, dass sie angesichts dessen, was vorgefallen war, weder Schuld noch Reue fühlte. Trotzdem fragte sie: »Soll ich vorbeikommen?«, und dann redete sie einfach weiter, ohne eine Antwort abzuwarten. »Lass meine Geschwister bitte wissen, dass ich die neue Geschäftsführerin bin«, sagte sie in forderndem Ton.

»Aber ich dachte, du unterstützt Leonard?«

»Woher weißt du das schon? Ich werde ihn erst unterstützen, nachdem ich an mich gedacht habe.«

»Kann das nicht warten? Warte doch ein kleines bisschen.«

»Daddy, entweder wir machen es so, oder ich steige aus und verkaufe meine Anteile.«

»Das Ganze ist komplizierter.« Ich musste mich wieder setzen.

»Nein, ist es nicht. Eigentlich ist alles ziemlich einfach. Bitte, sprich nicht mit mir, als wäre ich ein kleines Mädchen. Vergiss nicht, ich habe unser Geschäft jahrelang geleitet. Ich bin von deinen Kindern das qualifizierteste.«

»Jasmin, ich will nur Gutes für dich, für uns, für alle, und auch für das Geschäft.«

»Du weißt nicht, was gut für uns ist, und ganz sicher weißt du nicht, was gut für *mich* ist. Und was für mich gut ist, muss für meine Geschwister noch lange nicht gut sein. Schon okay, du hast einen Fehler gemacht, aber nun korrigiere ihn.«

Ihre Dreistigkeit überraschte mich immer wieder neu. »Jasmin, aber – «

»Mir ist egal, ob du – «

» – Aber – «

» – Es steht mir zu. Dürfte ich jetzt bitte mit meiner Mutter sprechen?«

»Sie ist beschäftigt«, sagte ich. Meine Dorale war auch beschäftigt. Sie belauschte uns.

»Aber ich möchte dir sagen – «, fing ich an, weil ich ihr so viel zu sagen hatte.

» – Schlechtes Timing, Daddy – «

» – Ich muss dir einfach sagen, dass – «

» – Daddy, ich muss jetzt losrennen. Wortwörtlich. Ich muss für den Seattle Marathon trainieren. Da ich im Büro offenbar nicht mehr erwünscht bin, kann ich nun auch tagsüber trainieren, oder?«, sagte sie und legte auf. Sie ließ mich nicht einmal ausreden. Ich hatte so viel zu sagen über das

Verhalten meiner Kinder. Ich hätte so viel zu sagen gehabt, wenn mir doch nur *jemand* zuhörte.

Nachdem ich den Hörer aufgelegt hatte, blieb ich noch für eine kleine Weile auf dem Sofa sitzen. Ich hatte eine bequeme Sitzhaltung gefunden, und bequeme Haltungen gibt man nicht so schnell auf. Ich war sicher, dass Dora mich auf ihrem Weg vom Schlafzimmer in die Küche einsammeln würde, wie eine Kaffeebäuerin, die Kirschen in ihren Körben sammelt. Aber unglücklicherweise rief in dem Moment Benjamin an. Telefonanrufe waren offenbar wie Bomben, immer kam einer und noch einer … und dann noch einer…

»Dad«, sagte er, »es ist an der Zeit, die Firma zu verkaufen.«

»Was?«, rief ich. Ich musste ihn falsch verstanden haben. »Was?«

»– Du hast mich sehr gut verstanden«, sagte er bestimmt. »Ich weiß, ich war nicht dabei, aber nachdem ich von eurem Treffen gehört habe, habe ich mir Gedanken gemacht und bin zu einem Schluss gekommen. Ich wünsche meinen Geschwistern nur das Beste, aber für *diese* Partnerschaft gibt es keine Basis mehr.«

»Wie kannst du so etwas sagen? Hast du deinen Verstand verloren? Diese Firma ist, sie ist – «

»– Geld und Gefühle passen nicht zusammen. Du solltest verkaufen, bevor eines nach dem anderen in die Luft fliegt.« Die Distanziertheit in seiner Stimme verwunderte mich. »Du solltest verkaufen, bevor sich eines deiner Kinder gegen dich wendet. Wir sollten alles auf einen Schlag verkaufen. Warum nicht das Beste aus den gegebenen Umständen machen?«

»Was?«

»Der beste Indikator für zukünftiges Verhalten ist vergangenes Verhalten.«

»Was willst du damit sagen?«

»Denk mal drüber nach.«

»Aber dieses Geschäft … Lass mich dir etwas über dieses Geschäft erzählen – «

»– Dad, tut mir leid, aber ich habe jetzt keine Zeit. Denk einfach darüber nach, und wir reden später«, sagte er und ließ mich sprachlos zurück. Nicht sprachlos in dem Sinne, dass ich nicht die richtigen Worte gefunden hätte. Sondern sprachlos, weil die richtigen Worte dafür noch nicht erfunden waren.

»Komm zum Essen«, hörte ich Dora im Vorbeigehen sagen. »Der Körper braucht Nahrung, so wie die Seele etwas, was sie liebt.«

»Komme schon.« Ich stand auf, schob mir die Brille auf dem Nasenrücken hoch und folgte meiner Dorale. Ich ging ihr hinterher wie ein gehorsames Kind. Mein Castverband zeigte zu Boden, mein rechter Arm fühlte sich dreimal so schwer an wie der linke. Ich trottete hinter Dora her, bis wir die Küche erreichten. Ich hatte weder Hunger noch Appetit. Ich war nur enttäuscht. Einfach enttäuscht. Meine Enttäuschung lastete wie ein schwerer Sack grüner Kaffeebohnen in mir. Meine Kinder hatten mich irritiert und verärgert. Warum hörten sie mir nicht zu, wo ich doch so viel zu sagen, so viel zu erzählen hatte? Ein Wirrwarr von Gefühlen flog durch meinen Kopf wie Kugeln durch eine Lotterietrommel.

Und das machte mich noch enttäuschter. Und noch wütender.

Also. Ich setzte mich an den Küchentisch, während Dora vor dem geöffneten Kühlschrank stand. Sie fragte: »Was möchtest du trinken?«

»*Oy*, Dora«, seufzte ich.

»*Oy* ist kein Getränk, das es in diesem Haushalt gibt.« Dora stellte sich auf die Zehenspitzen, um etwas aus dem obersten Fach zu grabschen. Also stand ich auf und ging zu ihr. Sie deutete auf – »den Orangensaft, bitte« – und ich streckte meinen unverletzten Arm aus und holte den Saftkarton heraus. Für eine kurze Sekunde genoss ich es, mich nützlich zu fühlen.

Vor dem geöffneten Kühlschrank standen wir dicht nebeneinander. Aus dem Kühlschrank entwich kalte Luft, aus Doras Körper Wärme.

»Wenn die Jungen nur wüssten. Wenn die Alten nur könnten.«

»Du sprichst die Wahrheit«, sagte ich. Wenn ich das doch nur meinen Kindern verständlich machen könnte, dachte ich mir. Aber dafür musste man wohl leider im letzten Viertel des Lebens sein.

Dora schloss die Kühlschranktür, und wir setzten uns an den Esstisch. Vor uns standen viele Porzellanschüsseln. Manche waren gefüllt mit Essen, das Dora am Vortag gekocht hatte – kleine Ofenkartoffeln, Erbsen, gewürfelte Hähnchenbrust. In anderen befanden sich Lebensmittel, die wir bei unserem letzten Ausflug zum Supermarkt gekauft hatten – Avocados, Kirschtomaten, Krautsalat.

»Gib mir deinen Teller, Yankele.«

Ich tat, was sie wollte. Dora platzierte ein paar Hühnerteile auf meinen Teller und Krautsalat dazu. »Was möchtest du noch?«

»Ich möchte, dass sie glücklich sind.«

»Ich meinte: Was möchtest du noch essen?«

Anscheinend wollte Dora nicht über dasselbe sprechen wie ich. Aber ich konnte mich nicht zurückhalten. »Also«, sagte ich. »Wie finde ich in so einem Durcheinander eine Lösung?«

»Sehe ich aus, als wüsste ich das? Was weiß ich schon über das Geschäft?«

Dora wusste alles über das Geschäft. Wenn sie nicht gewesen wäre, hätten wir niemals eine so erfolgreiche Firma aufbauen können. Gibt es da nicht ein Sprichwort über das, was hinter jedem erfolgreichen Mann ist? Und das bezieht sich gewiss nicht auf sein Hinterteil.

»Diese Situation. Am liebsten würde ich schreien«, sagte ich.

»Dann schrei.«

»Aaaaahhhhhhhhhh!«

»Psssssst, die Nachbarn können dich hören.«

4

Ich wollte der erste im Elektronikgeschäft sein, also verließ ich die Wohnung früh am Morgen. Ich winkte ein Taxi heran und kletterte hinein. Als das Auto sich in Bewegung setzte, ließ ich die Seitenscheibe herunter und sah hinaus. Alles glitt ein bisschen verschwommen vorbei – Menschen,

Tiere, Plätze. New York war überraschend heiter. Wir fuhren am East River entlang. Ich starrte auf das Wasser: Es lag so ruhig da, dass man es kaum als Wasser erkannte. Es schlug keine Wellen. Nur einige wenige Längsstreifen durchzogen die kleisterartige Masse. Zwei Brücken spannten sich über den Fluss. Eine in der Ferne. Und eine ziemlich nah.

Als ich den Laden erreichte, stellte ich fest, dass ich nicht der Erste war. Aber ich war einer der Ersten. Und das war gut genug. Man kann nicht immer alles haben. Oder? Also ging ich hinein. Drinnen war es eiskalt. Wer brauchte eine so heftige Klimaanlage? War das eine makabre Botschaft, die mich auf die Kälte im Leichenschauhaus vorzubereiten versuchte? Also ging ich so schnell ich konnte durch den Laden, um mich aufzuwärmen.

»Kann ich Ihnen helfen?« Eine Stimme hatte sich an mich herangepirscht. Ich drehte mich um. Vor mir stand ein gut aussehender Mann mit einem Pferdeschwanz und einem breiten Schnauzbart. »Ja, bitte«, sagte ich, »ich brauche eine Videokamera.«

»Nun, dann sind Sie hier genau richtig. Bitte folgen Sie mir.«

Also folgte ich ihm. Ich lief ihm hinterher, nahezu hypnotisiert von den vielen Gegenständen rechts und links. Ich hatte keinen Schimmer, was sie waren. Früher einmal wusste ich, wie solche Sachen funktionierten. Aber die Zeiten waren längst vorbei.

»Diese hier«, sagte er und griff zu einem kleinen eckigen Gerät, »ist hochauflösend.« Ich sah ihn an. »Sie ist natürlich digital.«

»Digital ist gut. Oder?«

Eintritt – die digitale Welt

Er kicherte wie ein kleiner Junge. »Sie hat einen guten Datenspeicher«, sagte er. In meinen Augen brannten tausend Fragen. »So etwas wie ein gutes Gedächtnis.« Und dann sagte er noch ein paar andere Sachen, aber nichts traf mich so seltsam wie dieser Kommentar. Also. Er redete immer weiter, auch von einem Ort im Computer, der YouTube heißt. Zuerst dachte ich, dass der Mann eine philosophische Debatte mit mir anfangen wollte. Dann dachte ich, er spricht von Science-Fiction. Aber als ich merkte, dass er eine Sache meinte, die tatsächlich im Computer drinsteckte, sagte ich zu ihm: »Genau das will ich haben!«

»Wenn Sie möchten, helfe ich Ihnen, Ihre Videoclips zu posten«, bot der Verkäufer an. Er zog das Gummiband straff, das seinen Pferdeschwanz zusammenhielt, und fixierte seine Haare hinter dem Ohr.

»Wo *genau* finde ich dieses YouTube?«

»Irgendwo in einer virtuellen Welt, deren Regeln Sie nicht verstehen, aber unbedingt respektieren müssen.« Sein Schnurrbart bewegte sich beim Sprechen keinen Millimeter.

»Bitte, sprechen Sie nicht in Rätseln. Bitte. Sagen Sie: Was muss ich *posten*? Es gibt ein Postamt ganz in der Nähe unserer Wohnung.«

»Sie brauchen nichts zu versenden. Es geht darum, Sachen ins Netz zu stellen. Obwohl Sie immer bedenken sollten, dass alle Videos, die Sie hochladen, von anderen gesehen werden können.«

»Jeder kann zu dieser Stelle gehen und sie sich ansehen?«

»Nein, jeder bleibt zu Hause, in seinem Land, und kann sich alles ansehen, solange er Zugang zum Internet hat und keine Zensur stattfindet.« Mein Gesicht muss einen verwirrten Ausdruck gehabt haben. »Stellen Sie es sich vor wie, na ja, wie einen eigenen Fernsehkanal.«

»Oh, *darüber* habe ich gelesen.«

»Sobald Sie *Content* ins Netz stellen, kann jeder von seinem Computer aus darauf zugreifen.«

Das war noch besser, als ich gedacht hatte. Das war revolutionär. Auf so etwas hatte ich gewartet. Meine Augen müssen vor Aufregung geleuchtet haben. »Um *jeden* kann ich mich nicht kümmern. In meinem Alter kann man sich derlei nicht leisten. Aber da gibt es eine Person, die mir nicht egal ist. Eine Person weit weg von hier, die mein Video sehen muss.«

»Gut, wie ich schon sagte, ich könnte Ihnen dabei behilflich sein. Ich werde Ihre Videos für Sie posten. Rufen Sie mich einfach an, wenn Sie mit der Aufnahme fertig sind, dann komme ich und hole sie ab.« Er zog einen Zettel aus der Hosentasche und notierte seine Mobiltelefonnummer darauf. Dann reichte er mir das Papier. »Die hier« – er hielt die Kamera immer noch in der Hand – »ist genau das richtige Baby für Sie. Sehen Sie.« Er klappte das Gerät auf und entnahm ihm mit zwei Fingern ein Stückchen Plastik, als wäre er ein Chirurg, der einen medizinischen Eingriff vornimmt. »Geben Sie einfach das hier Ihrem Portier – Sie haben doch einen Portier, stimmt's? –, und ich hole es ab und kümmere mich um den Rest. Wie wäre das?«

Ich nickte. »So können wir es gerne machen«. Zufrieden mit mir dachte ich: Also, auch alten Hunden kann man noch Neues beibringen. Nicht, dass ich ein Hund wäre. Man sollte einen Menschen nie mit einem Hund vergleichen. »Oh, und bevor ich es vergesse, da gibt es noch etwas, was ich brauche.«

Er gab mir, worum ich ihn gebeten hatte, und ich bedankte mich bei ihm. Wenn ich zwinkern könnte, hätte ich gezwinkert. Das kann ich aber nicht. Also ließ ich es bleiben. Stattdessen blinzelte ich ihn freundlich an und dachte: gut. Gut, dass es in dieser hektischen Welt immer noch Leute gibt, die sich die Zeit nehmen, anderen zu helfen.

Stolz und aufgeregt kehrte ich nach Hause zurück. Hastig verstaute ich die Videokamera im Safe in meinem Arbeitszimmer, verschloss ihn und machte mich auf die Suche nach Dora. Ich fand sie im Wohnzimmer, sie las eine Zeitschrift. Ich hielt ihr die Schachtel hin. Es fühlte sich unbequem an mit meinem gebrochenen Arm. »Hier ist dein Geburtstagsgeschenk«, sagte ich. »Es tut mir leid, dass es so spät kommt. Aber besser spät als nie. Nicht?«

»Nicht in unserem Alter«, sagte sie und lachte. Es war die Art von Lachen, die Traurigkeit verschleiert. »In unserem Alter, Yankele, bedeutet *spät* üblicherweise *nie.*« Sie nahm mir die Schachtel aus den Händen und zupfte vorsichtig am hellrosa Geschenkband. »Außerdem hasse ich solche Sprüche. Ich verabscheue Klischees«, sagte sie und schüttelte behutsam die Schachtel. Dann hielt sie sie sich ans Ohr.

»Ich auch«, pflichtete ich ihr bei. »Aber Klischees sind manchmal wahr.«

Dora zog das Geschenkband ab und entfernte das rote Packpapier. Sie tat alles mit solcher Geduld. Ich könnte nie ein Geschenk so langsam auspacken.

Als sie das Geschenk sah, weiteten sich ihre Augen. Sie war überrascht. Und verwirrt. Und auch fasziniert. »Grand Slam Tennis Wii?«

»Da ich nun ein verletzter Mann bin«, sagte ich, »praktisch unbrauchbar, habe ich dir einen neuen Tennispartner besorgt.«

5

In dieser Nacht schlug er wieder zu. Ein Albtraum. Wieder. Wieder hatte ich einen Albtraum. Ich hatte letzte Nacht einen durchgemacht und in der Nacht davor, und in der Nacht davor auch. Ich hatte jede Nacht einen, seit dem ersten April. Da hatte alles angefangen.

Ich konnte mich an den Albtraum nicht erinnern, aber ich wusste, er hatte mich heimgesucht. Ich fühlte mich furchtbar unwohl im Bett. So unwohl wie mein Arm. Eingezwängt. Heiß. Klaustrophobisch. Also riss ich die Decke beiseite. Der Wecker neben meinem Bett war verschwommen, es mochte kurz vor zwei Uhr nachts sein.

Meine Dorale lag neben mir. Ich starrte sie ein paar Minuten lang an, um herauszufinden, ob sie auch wach war. Ihr Mund war leicht geöffnet, ihre Augen sanft geschlossen. Sie sah ruhig aus, als schliefe sie schon tief. Immerzu behauptete sie, nicht schlafen zu können. Aber das stimmte nicht. Ich lag wach neben ihr, und sie lag schlafend neben mir.

Ich beobachtete sie.

Dora war immer schon eine zierliche Frau. Ihr Haar trug sie immer hochgesteckt, und ihr Gesicht bildete ein symmetrisches Oval, als hätte man es mit einer Schablone gezeichnet. So wie es jetzt ist. Ihre Lippen sind noch so schmal wie klar umrissen. Nur die Lider über ihren hellblauen Augen hängen ein bisschen mehr als noch vor Jahren.

Als junger Mann war ich kräftiger. Nicht kräftig, aber kräftiger. Und größer. Nicht groß, aber größer. Ich hatte dieselben dunklen Augen und dasselbe herzförmige Gesicht und dieselbe Nase mit einem Hubbel auf der Spitze. Nur, dass sie damals kürzer war. Ich kämmte mir das Haar genauso aus der Stirn wie heute. Nur dass es früher mehr zu kämmen gab.

Vor Jahren, dachte ich bei mir, waren wir beide noch nicht von hellbraunen Altersflecken übersät.

Ich rollte auf meine Seite und erhob mich mithilfe meines unverletzten linken Arms. Die Bewegung zeigte mir, wie stark ich noch war, und das machte mich stolz. Ich ließ die Beine über die Bettkante baumeln. Also. Dann stellte ich beide Füße auf und schlüpfte in meine weichen Hausschuhe. Über meinen türkisfarbenen Pyjama zog ich einen mokkasilber gestreiften Morgenmantel. Mit meinem verbundenen Arm fiel es mir schwer, den Gürtel zu verknoten. Selbst die einfachsten Handgriffe musste ich neu lernen. Also. Ich setzte meine Brille auf. Endlich kehrte ringsum Ordnung ein. Wenigstens sah es so aus.

Also nahm ich das Glas Wasser, in dem mein Gebiss lag, umklammerte es mit den Fingern und trug es ins Badezimmer. Ich fischte das Gebiss heraus. Und spülte es ab. Ich putzte es mit meiner Bürste. Und spülte es noch einmal ab. Ich spülte mir den Mund mit Wasser aus. Und noch einmal mit Mundspülung. Ich bürstete mein Zahnfleisch und meine Zunge. Ich setzte mir das Gebiss ein. Mein Mund fühlte sich sauber und frisch an.

Ich ging in mein Arbeitszimmer und öffnete den Safe. Seine dicke Metalltür sprang auf, und ich langte hinein, wie um einen Schatz zu bergen. Ich griff nach meiner nagelneuen Videokamera wie einer, der auf dem Weg zur Arbeit nach einem Becher Kaffee auf einem Tresen greift. Ohne zu zögern. Entschlossen. Sieh dir das an, dachte ich mir, was für ein leuchtendes Türkis. Und dieser Glanz. Offenbar war es mit Elektronischem umgekehrt: je kleiner, desto besser.

Lass das Abenteuer beginnen, dachte ich mir. Also. Ich drückte auf den grünen Knopf, so wie der Verkäufer es mir gezeigt hatte, und warf einen Blick durch den Sucher. Der Tennisball auf der Kommode wirkte übergroß. Also los, dachte ich.

Aber erst einmal spähte ich aus dem Fenster. Die Laternen zauberten ein gelbes Dreieck aus Licht auf die Straße. Abgesehen davon war alles mitternachtsblau. Und ein bisschen verschwommen. Aber das war egal. Denn es gab nichts, was ich hätte sehen müssen. Nur ich musste gesehen werden. Also zog ich die Fenstervorhänge zu, und in meinem Arbeitszimmer wurde es behaglich. Intim.

Nachdem ich die Kamera gegenüber von meinem Sessel aufgestellt hatte, setzte ich mich und ließ mich in das gegerbte Leder des Sessels sinken. Leder so weich und cremig wie ein perfekt zubereiteter Cappuccino. Ich legte meine Hände auf meine Knie und ließ die Schultern hängen.

Beginn seiner Videobotschaft

»Hrrmm. Hrrrmm.« Ich räusperte mich. »Wie sehe ich aus?«, fragte ich mich. Hoffentlich gut. Ich rückte mir die Brille zurecht. »Also.«

Voller Begeisterung legte ich los: »Bis vor ein paar Wochen glaubte ich, ich würde als glücklicher Mann sterben. Ich bin bei ausgezeichneter Gesundheit, abgesehen von meinen Zähnen und meiner zuweilen eingeschränkten Sicht. Aber das kommt auf alle alten Menschen zu. Und wenn ich mich selbst loben darf: Ich bin ein großartiger Tennisspieler. Meine Reaktionen sind blitzschnell. Ich habe eine solide Firma aufgebaut. Ich habe gesunde Kinder, Enkel und Urenkel und eine Frau, die auch in den wildesten Träumen eines Mannes nicht besser sein könnte. Also. Glück ist, wenn Vergnügen und Sinn sich treffen, und genau in dieser Schnittmenge habe ich versucht, mein Leben zu leben, so gut ich es konnte. Aber wie kann ich jetzt noch glücklich sterben?

Also. Alles hat mit einem unerheblichen Streit begonnen. Aber seither hat es sich nur verschlimmert. Früher war alles perfekt. Alle haben sich gut verstanden. Wir waren eine große, glückliche Familie. Immer.«

Vielleicht war das nicht die absolute Wahrheit, aber es war ziemlich nah dran. Nah genug. Außerdem, welche Familie war schon perfekt? Und was hatte ein Wort wie absolut in der Gesellschaft von heute zu bedeuten?

»Nun aber habe ich das Gefühl, noch einmal ein junger Vater von kleinen Kindern zu sein.« Ich hielt inne. »Also.« Und setzte von Neuem an. »Außer dass meine Kinder mächtiger sind als je zuvor. Und ichbezogener als jedes Kleinkind. Und so ist der Stolz, den mir meine Familie einst gegeben hat, verflogen. Wie der feine blumige Duft frisch gemahlenen Kaffees.«

Ich hielt wieder inne. Ich sah hinunter auf den grauen Teppich. Auf die sichtbaren Streifen, die der Staubsauger auf ihm hinterlassen hatte. Ich hob den Blick, schaute direkt in die Kamera und versuchte, mich auf die Linsenmitte zu konzentrieren.

»Wie konnte dies geschehen? Ich atme jeden Tag so viel Luft ein, wie ich mir diese Frage stelle. *Auch das wird zum Besten sein,* sage ich mir immer wieder. Mein Bauchgefühl ist überzeugt davon: Am Ende wird sich alles zum Guten wenden. Und mein Bauchgefühl war mir immer ein zuverlässiger innerer Kompass. Meine Rettungsweste. Aber.«

Ich atmete langsam ein – »Hrrrmmm, hrrmmm« – und räusperte mich noch einmal. »Hrrmm. Ich war immer stolz auf meine Familie. Auf diese Familie. Meine«, sagte ich – und hatte verstanden. Die Erkenntnis traf mich nicht wie ein Blitz aus heiterem Himmel, sondern eher wie ein gleißend heller Sonnenstrahl mitten in einem Schneesturmtag. Wie hatte ich es bis eben nicht begreifen können? Ich habe meine Intelligenz beleidigt. Auf einmal war mir quallenklar, dass ich *alles* würde erklären müssen. Alles. Dass ich bei Adam und Eva würde anfangen müssen, bei der Geschichte von dem Mann, der zum ersten Mal eine Frau kennenlernte, dem Mann, der zum ersten Mal seine Frau verlor.

Kurz vor dem Tod, sagt man, zieht das Leben vor deinen Augen blitzschnell vorbei. Ich weiß nicht, wer sich das ausgedacht hat, aber ich kann dazu eine Ergänzung liefern. Das Leben kann vor deinen Augen vorbeiziehen, auch wenn du nicht stirbst. Es sei denn, ich lag in genau diesem Moment im Sterben. Was nicht der Fall war. Zumindest glaube ich das nicht. Es sei denn, ich war doch am Sterben. Also sagte ich schnell und ohne weitere Verzögerung, ohne dass ein Zweifel sich hätte einschleichen können: »Ich war immer stolz auf, auf, auf *diese* Familie. Meine zweite Familie.«

Ich redete langsam und ruhig und bewegte alle zweiundsiebzig Muskeln, die man zum Sprechen braucht. »Ich werde meinen letzten Satz erklären.«

Zärtlich sagte ich: »Meine Familie, meine Kinder und meine Enkel und Urenkel sind meine zweite Familie.« Während ich sprach, erschienen *sie* vor meinen Augen. Sie waren verblüfft und zogen fragend die Augenbrauen zusammen. Ihre Augen waren groß und schienen in ihren Höhlen zu schwimmen. »Von der Familie, in die ich hineingeboren wurde, meiner ersten Familie, ist nichts mehr übrig. Meine erste Familie ist nicht mehr. Ein Nichts, eine Leere, aus der heraus ich meine zweite Familie gegründet habe, diese Familie, auf die ich stolz war. Bis jetzt.«

Während die vertrauten Gesichter meiner Familie verblassten, tauchte ein gesichtsloses Publikum auf. Es saß auf den roten Samtstühlen eines Theaters.

CARACAS, VENEZUELA

Nur wer über sich und seine Zeit schreibt,
schreibt über alle Menschen und alle Zeiten.
George Bernard Shaw

Wenn meine Mutter gestorben ist

Wenn meine Mutter gestorben ist, dann werde ich ganz allein sein auf der Welt. Der Satz läuft als Endlosschleife in meinem Kopf ab und klingt so zerkratzt wie eine alte Schallplatte von Oscar D'Leon. Heute Morgen habe ich ihn sogar aufgeschrieben. Während ich fein geschnittene Zwiebeln, Tomaten und Paprika andünstete, schrieb ich ihn in großen Buchstaben auf zwei gelbe Klebezettel. Den einen pappte ich an den Kühlschrank, dann stellte ich mich wieder an die Pfanne und verquirlte Eier unter das Gemüse.

Mein P*erico* gelingt mir fast immer, aber heute Morgen gelang er mir noch besser als sonst; er schmeckte würzig und herzhaft und erinnerte mich daran, wie sie das üblicherweise zubereitet hat. Als mein Teller leer war, ging ich ins Badezimmer und klebte den zweiten Zettel mitten auf den Spiegel über dem Waschbecken. Ich putzte mir die Zähne, während das gelbe Post-it mich widerwillig anstarrte. Drumherum spiegelte sich mein Gesicht; *ich* war der Rahmen, und *es* war das Bild. Als die Zahnpasta in meinem Mund schäumte, konnte ich *Mama* sagen hören: »Putz dir die Zähne, wenn du sie lange behalten willst«. Es war die Stimme, die sie vor über vierzig Jahren besaß, als ich noch ein Kind war.

Wenn meine Mutter gestorben ist, dann werde ich ganz allein sein auf der Welt. Mit diesem Gedanken wache ich auf und mit ihm schlafe ich ein, seit *es* passiert ist, vor wenigen Wochen, am ersten April.

Mit vollem Magen steige ich auf das mit roten Lehmziegeln gedeckte Dach meines Hauses. Ich stelle mich auf seine Plattform. Mein allerliebster Ort in ganz Caracas. Die Sonne ist untypisch heftig, und ich fühle, wie sich Schweiß auf meiner Stirn bildet. Ich trete an die Kante des Dachs und sehe mir die Nachbarhäuser an, kann aber kaum mehr erkennen als schützende Elektrozäune und himmelhohe Sicherheitstore.

Auf ihr Fenster habe ich eine uneingeschränkte Sicht; sie wohnt nur drei Häuser entfernt von mir und meinem Haus, das ich von meiner Großmutter geerbt habe, von *ihrer* Mutter, kurz nachdem meiner Großmutter zugestoßen war, was allen Menschen zustößt. *Mamás* Vorhänge sind fast komplett geschlossen, nur in der Mitte klafft ein schmaler Spalt, der den Anschein erweckt, als könne man durch ihn etwas

Verborgenes sehen. Aber da ist nichts verborgen; ich weiß genau, was hinter dem Vorhang los ist. Sie liegt im Bett, bis zu ihrem Kinn bedeckt von einem weißen Baumwolllaken mit roter Blumenstickerei. Sie ist gelähmt oder erstarrt oder so reg- und leblos wie jedes Möbelstück in ihrem Zimmer. Genauso leblos wie der Patientenmonitor zu ihrer Rechten und der Tropf zu ihrer Linken. Sie ist das genaue Gegenteil von Maria, der scharfen Maria, der lebhaften Krankenschwester, die um meine Mutter herumscharwenzelt und sie hingebungsvoll pflegt.

»José-Rafael, du bist alles, was ich mir immer gewünscht habe«, hatte sie am Tag von Alejandros Beerdigung zu mir gesagt. Ohne ein weiteres Wort zu sprechen, deckte *Mamá* mich zu. Sie saß auf der einen Seite meines Bettes, Vater auf der anderen. Keiner von beiden hatte bemerkt, dass ich keinen Pyjama trug, sondern ein ganz normales T-Shirt. Sie hatten nicht bemerkt, dass es *sein* T-Shirt war.

»*Du* bist mein liebes Kind«, sagte sie, bevor ich einschlief. Bei diesen Worten starrte *Papá* sie an, als hätte sie den Verstand verloren, und sie starrte zurück, als hätte sie ihn soeben gefunden. Ihre Blicke trafen sich irgendwo – in einer direkten Linie – über meinem Herzen. Ich liebte meine Mutter mehr für ihren Blick und Vater weniger für seinen.

Hier bin ich also und sammle meine Erinnerungen, wie wir als Kinder unsere Kronkorken gesammelt haben, und denke mir: *Mierda*, ein Mann in meinem Alter sollte seine Zeit nicht mit Kindheitserinnerungen verplempern, das ist nichts als lächerlich.

Meine Mutter meinte, was sie sagte, denn nachdem Alejandro nicht mehr da war, liebte sie mich noch stärker und kümmerte sich noch aufmerksamer um mich. Sie drückte mich öfter und fester an sich. Wann immer *Mamá* mich umarmte, stellte ich mir ihre Finger als Zauberstäbe vor, die mir alles gewährten, was ich mir wünschte: Brusthaar, einen unendlichen Vorrat an Taschenlampen, einen Bruder, der lebt.

Manche Leute haben, wenn sie an ihre Kindheit denken, einen bestimmten Geruch in der Nase; ich aber erinnere jene endlosen Umarmungen. In der Küche, wo der Reis auf dem Herd kochte, in der Warteschlange vor dem Kino, in der wir standen, um Karten für *El Pez que Fuma* zu kaufen, und unter den Palmen des *Parque del Este* – immerzu waren ihre Arme um mich geschlungen. *Mamá* hielt mich fest, als würde sie mich nie mehr loslassen; da fiel es mir leicht zu glauben, ich wäre alles, was sie sich je gewünscht hatte.

Ich schaue hinab auf eine Gruppe von Leuten, die einige Straßen weiter auf den Bus oder die *camionetica* warten. Zwischen ihnen stehen zwei Polizisten und ein paar Soldaten; ihre dunkelblauen und armeegrünen Uniformen bilden einen starken Kontrast zu den roten Hemden einiger Leute, die von hier oben aussehen wie blutige Striche. Eine verletzte Stadt; ich schüttele den Kopf. Ein Junge läuft barfuß durch die Menge bis zu einem Mangobaum, in dem andere Kinder herumklettern. Dann hält er an und versucht, auch eine Frucht zu schnappen.

Die meisten Menschen werden nie allein bleiben – nicht so wie ich. Sie haben einen entfernten Onkel, eine ungeliebte Schwester, ein Kind, das nicht mit ihnen spricht, oder eine liebevolle Großmutter; sie haben immerhin so viel. Oder vielleicht sogar eine gönnerhafte Tante, einen kleinen Bruder, der sie anhimmelt, oder einen Stiefcousin sechsten Grades. Irgendwen werden sie haben.

Der Mensch, auch wenn er noch so unabhängig ist, lebt vor allem für andere Menschen. Mit etwas Glück hat man mehr als eine Person, für die man lebt. »Das Leben will gelebt werden«, hat *Ma* immer gesagt. Aber leben ist nicht etwas, das du mit dir selbst tust; es ist keine Selbstbefriedigung.

In der Sekunde, in der es geschieht, werde ich allein bleiben wie ein ausgesetzter Welpe oder wie ein ins Heim abgeschobener Alzheimerpatient. *Mierda*; falls ich je Alzheimer bekomme, wird *nicht einer* da sein, der mich ins Heim abschiebt.

Zurück im Wohnzimmer kommt mir Carla in den Sinn. Ich gehe in mein Schlafzimmer, weil es mir naheliegender erscheint, hier an die schöne Carlita zu denken. Carla mit den Katzenaugen, den königlichen Wangenknochen und diesen Brüsten, die perfekt in meine Handflächen passten.

Es ist zehn Jahre her, dass sie mich verlassen hat. Nach ihr hat es andere Frauen gegeben, aber keine mehr, der ich so vertraute, die mich so faszinierte, und keine, die mich so erregte wie sie. Beim Gedanken an sie bekomme ich immer noch einen Steifen.

»Ich könnte dir das nie antun, José-Rafael«, sagte sie, während sie sich anzog. Ihre rosa Nippel stießen von innen gegen die hautfarbene Seide ihres Hemds.

»Ich tue es mir selbst an. Komm zurück ins Bett.«

»So einfach ist das nicht.« Sie steckte erst ein Bein in ihre Hose, dann das andere. Sie nahm den Reißverschluss fest zwischen Daumen und Zeigefinger und zog ihn hoch über den Unterleib. Während sie diese Bewegung ausführte, fragte ich mich, ob ich mir das nur einbildete oder ob sie tatsächlich körperliche Schmerzen hatte.

»Das ergibt doch keinen Sinn.« Ich setzte mich im Bett auf.

»Manchmal muss man das Jetzt der Zukunft opfern.«

»Manchmal auch nicht.«

Mit winzigen Schritten ging Carla am Fußende unseres Bettes auf und ab, dann blieb sie stehen. Sie hielt für ein paar Minuten inne, dann legte sie sich endlich wieder hin und kroch an mich heran. Nur ein paar Stunden später würde es nicht mehr *unser* Bett sein; es wäre wieder einmal nur meines.

Carla legte ihren Kopf auf meine Brust und schob ihre Hände unter den Kopf. Alles an ihren Bewegungen kam mir an jenem Tag intelligent vor.

»Ich könnte niemals leben mit dem Wissen, dich davon abgehalten zu haben, ein Kind zu haben.«

»Wir können adoptieren.«

»Du würdest es mir nie verzeihen. Auf lange Sicht würdest du mir vorwerfen, dir nicht *das* Kind geboren zu haben, das du wolltest. Ein eigenes Kind, dein Fleisch und Blut.«

»Aber ich will das nicht.« Was ich sagen wollte, war: Carlita, ich will dich noch viel mehr.

»Ich sehe doch, wie du kleine Jungs ansiehst.«

»Du weißt, warum ich sie so ansehe, mit diesem Blick«, sagte ich, »du weißt, dass es mehr mit Alejandro zu tun hat als mit meinem ungeborenen Kind.«

»Glaub mir, José-Rafael. Ich bin eine Frau, ich kenne diesen Blick.«

»Babys weinen die ganze Zeit«, sagte ich, »sie tun nichts anderes als zu essen, zu kacken und zu weinen.«

Da küsste Carla mich zum letzten Mal; ihre Zunge war feucht und angenehm in meinem Mund. Ein vertrauter Geschmack. Danach liebten wir uns. Ich liebte sie heftig, so heftig, dass ich, als ich in ihr war, darum betete, dass ein Wunder geschähe und ich sie schwängerte.

Vater

Vater starb vor zwanzig Jahren. Ein Schlaganfall streckte ihn nieder, wie der Blitz einen Baum fällt. Nach seinem Tod verließ *Mamá* für einen ganzen Monat nicht ihr Bett. Ich weiß nicht, ob es ihr Glück oder ihr Unglück war, dass Vater in den Schulferien starb und meine Mutter nicht unterrichten musste.

In diesem Monat kochte ich für sie, versuchte nachzuahmen, wie sie Töpfe und Schüsseln mit den ursprünglichen Aromen Venezuelas füllte. Ich trug das Essen die Treppe hinauf und an ihr Bett, und ihr Gesicht verriet mir, dass sie das Essen verweigern würde, wenn ich nicht versuchte, sie zu füttern. Denn *Ma* konnte nicht no sagen zu ihrem einzigen Sohn. Manchmal brachte ich ihr auch Blumen ans Bett.

»*Bendición*, *Mamá*«, sagte ich eines Tages, als ich in ihr Zimmer trat.

»*Bendición.*« Sie schien besonders trübsinnig zu sein, als sie anmerkte: »Mein Sohn, *mijo*, danke, dass du mir die *flor de mayo* gebracht hast.«

»Deine Lieblingsblume.«

»Weil sie eine spirituelle Bedeutung hat.«

»*Ma*, ich hoffe, dein Glaube kann die Schmerzen der Trauer lindern.«

»Für mein Leiden gibt es einen Grund«, sagte sie. Sie äußerte diesen Satz nicht zum ersten Mal; ich hatte ihn schon hin und wieder gehört, aber erst an jenem Tag berührte er mich und hallte in mir nach. »Diese *Maiblume* spielt auf die Leiden Jesu an.«

»Das ist mir egal, *Ma*. Mein einziger Wunsch ist es, dich mit der geheimnisvollen und heilenden Schönheit dieser Blume zu stärken.«

»*Por favor,* bitte nicht.«

In jenem Sommer erledigte ich auch die Wäsche. Die empfindlichen Kleider meiner Mutter wusch ich sorgsam mit der Hand. Ich hängte alles zum Trocknen auf die Wäscheleine in unserem Hinterhof; der Anblick der Hemden und Hosen, der Ärmel und Kragen – ohne menschliche Füllung hingen sie leblos von der Leine – verfolgte mich in jenen Tagen, als Vater starb.

In dieser Zeit schrubbte ich alle Böden, wischte die Schränke aus und putzte die Badezimmer. Ich kaufte Lebensmittel ein und wässerte die Pflanzen im Garten, und wenn ich einmal in Ruhe durchatmen wollte, ging ich bis ans Ende der Straße zu dem Einzelgänger *araguaney*. Er war mir der stille Kamerad, den ich jetzt brauchte. Der Goldbaum mit den Blütenkronen in verschiedenen Gelbtönen und dem leuchtenden Laub zog mich an, ich stand unter einem Blätterschirm und starrte hinauf, folgte mit Blicken den labyrinthischen Verzweigungen der Äste, bis ich mich in ihnen verlor.

Den erhabenen Baum hatte ich schon früher und in einer anderen traurigen Zeit kennengelernt. Als ich noch ein Kind war. Damals war mein Dialog mit ihm stark eingeschränkt; ich saß auf der Rückbank in Vaters Auto und starrte aus dem Fenster und bestaunte ihn, wann immer wir an ihm vorbeifuhren. Ganz besonders rührte mich sein Anblick, wenn er nackt war, wenn er seine goldenen Blätter abgeworfen hatte, die ihm wie ein königlicher Teppich zu Füßen lagen. Erst heute weiß ich, dass ich ihn bestaunte, wie ein Mann seine Geliebte bestaunt, nachdem sie Sex gehabt haben und bevor sich ihre Wege für immer trennen.

Nach dem Tod von *Pa* sah ich zum ersten Mal, wie meine Mutter zusammenbrach. Es rührte mich, dies zu sehen, weil ich erkannte, dass sie bei mir endlich loslassen und sich den Widrigkeiten des Lebens ergeben konnte. Damals verstand sie auch: sie hatte mich nicht zu einem abhängigen Muttersöhnchen erzogen, sondern zu einem Mann, auf den Verlass war.

Ich glaube, *Ma* war nicht einmal nach Alejandros Ermordung so zusammengebrochen wie nach *Pas* plötzlichem Tod. Damals hatte sie alle Kraft aufwenden müssen, um gefasst zu sein – mir und Vater zuliebe. Obwohl ich erst ein Junge von sechs Jahren war und meine Erinnerung an jene Zeit mehr als verschwommen ist, hatte der Tod meines Bruders meine Mutter scheinbar in eine stärkere Frau und meinen Vater in einen schwächeren Mann verwandelt. Sie war diejenige, die damals unsere Familie zusammenhielt; wir drei waren der Stoff, aber sie war darüber hinaus auch Nadel und Faden.

Anders als zu viele moderne Frauen ließ *Ma* nicht zu, dass ihre Stärke ihr Mitgefühl ersetzte. Diese besondere Eigentümlichkeit wurde mir erst vor einigen Jahren bewusst, als *vieles* plötzlich einen Sinn ergab; ich verstand, dass ich mir zur Partnerin eine Art Frau wünschte, wie meine Mutter sie großgezogen hätte. Unbewusst hatte ich hartnäckig nach der weiblichen Version meiner selbst gesucht.

Neunundzwanzig Tage nach Vaters Tod sagte *Ma*: »Im letzten Monat habe ich dich, ohne es zu wollen, gelehrt, später einmal ein guter Ehemann zu sein.« Ruhig hob sie die Schultern und näherte ihre geöffneten Hände ihrer Bluse, unter der ihre Brust war, unter der ihr Herz schlug.

»Das ist möglich«, antwortete ich.

Damals war ich Mitte zwanzig und als Doktorand völlig versunken in das Studium der Erdschichten. Ich war überzeugt, dass es weniger schwierig sei, eine Frau zu finden als den Zeitpunkt, den Ort und die Stärke des nächsten Erdbebens vorherzusagen. Erst Jahre später begriff ich, dass eine Person zu finden, die von mir geliebt werden wollte und von der ich geliebt werden wollte, mindestens so schwierig war wie die Kartografierung des Erdkerns.

»Es ist mehr als möglich«, erwiderte meine Mutter. »Dein Vater war kein besonders geschickter Verführer, aber ich war mit einem guten Ehemann gesegnet.« Zum ersten Mal seit bald einem Monat huschte ein müdes Lächeln über ihr Gesicht. »Wir waren ein paarmal ausgegangen, aber erst, als ich ihn im Unterricht erlebte und sah, mit welcher Leidenschaft und Begeisterung er zu seinen Studenten sprach, erkannte ich, was für einen ausgezeichneten Ehemann er abgeben würde.« Nach einer Weile, in der sich unser Schweigen im Zimmer ausdehnte, fügte sie hinzu: »Ich kannte die Mutter deines Vaters nicht, denn sie starb ein Jahr, bevor ich ihn traf. Aber ich bin mir sicher, es ist allein ihr zu verdanken, dass dein Vater ein so großzügiger Mann war – in Worten wie in Taten.«

Nicht, dass sein Tod mich nicht getroffen hätte; doch, das hatte er. Als Ergebnis dessen entwickelte ich eine Schlaganfallparanoia. In unzähligen Albträumen durchlitt ich den Verlust meiner Hirnfunktionen. Nachts konnte ich förmlich *sehen*, wie mein Blut gegen ein dammartiges Gebilde strömte und es traf und dann daran gehindert wurde, mein Gehirn zu erreichen. Nach *Pas* Tod suchte ich eineinhalb Jahre lang alle zwei Monate einen Neurologen auf und ging sogar gelegentlich in die Kirche, obwohl ich mich doch Jahre zuvor ganz klar dafür entschieden hatte, Professor der Geologie zu werden. Wissenschaft und Religion passen nicht zusammen, und es war klar, zu welcher Seite meine Neigung drängte.

Auch konnte ich niemals wieder *un pabellón criollo* genießen, welches bis dahin mein Leibgericht war. Auf einmal widerte es mich an. Vielleicht, weil *Pa* den Geschmack nicht hatte ausstehen können. Aber sein Tod zerstörte mich nicht.

Danach hatte ich nicht das Gefühl, allein auf der Welt zu sein; ich war es nicht.

Ein einziger von sechs Milliarden neunhundertsiebenundneunzig Millionen vierhundertneunundsechzig Tausend siebenhundertsiebenundachtzig Menschen auf dieser Erde reicht aus, um einem das Gefühl zu geben, nicht allein zu sein. Und was mich betrifft: Dieser Mensch war immer meine Mutter gewesen.

Ich respektierte Vater und ich mochte ihn, an vielen Tagen schaute ich zu ihm auf. Aber was ich für meine Mutter empfand und empfinde, war anders. Ich war immer *gerade ihr* Sohn, mehr als der seine.

Als ich zehn Jahre alt war und in meinem Baumhaus saß, entwickelte ich eine Theorie, derzufolge ich nur darum ein *niñito de mamá* war, weil ich drei Wochen zu früh geboren worden war. Als ich auf die Welt kam, brauchte ich sie mehr als ihn, und während sich viele anders entwickeln, änderte sich das für mich, ein wirkliches Muttersöhnchen, nicht mehr.

»Das ist völlig in Ordnung«, hatte *Papá* mir einmal gesagt. »Es ist, ganz unzynisch, sogar bezaubernd. Auch ich habe sehr an meiner Mutter gehangen. Sie war eine ausgesprochen eloquente und sanftmütige Respektsperson und eine Naturschönheit dazu.« *Pa* strich mir übers Haar, so wie die *viejas sifrinas* in der karibischen Hitze sich über den Pelzmantel streichen.

Vielleicht ist es das, was meine Mutter meinte, wenn sie von seiner Großzügigkeit in Worten wie in Taten sprach.

Sie wartet auf mich

Es muss so sein. Ich bin überzeugt davon, auch wenn der Arzt glaubt, dass das höchst unwahrscheinlich ist und dass es nicht ich bin, auf den sie wartet

»Aber was genau fehlt ihr, *medizinisch* betrachtet?«, fragte ich ihn gestern bei seinem routinemäßigen Hausbesuch. *El doctor* kommt täglich vorbei, um nach meiner Mutter zu sehen, was aber weniger mit *Mamá* zu tun hat und mehr mit der Pflegerin. Der scharfen Maria, deren Hintern die Form eines knackigen Apfels hat und deren Lachen nach frischen Mangos riecht. Maria, die ich mehr und mehr schätze, nachdem ich weiß, was für ein starker Ärztemagnet ihre so natürliche Attraktivität ist.

»Nichts. Nur das Alter und die damit einhergehenden Komplikationen«, erklärte er leichthin. Ich nahm ihn beim Ellenbogen und zog ihn in eine Ecke des Zimmers. Ich wollte nicht grob sein, aber ich wollte nicht, dass meine Mutter uns hörte. Das heißt: falls sie überhaupt noch etwas hörte. Ich beobachtete aufmerksam den Doktor, während er auf Maria glotzte und sagte: »Ich weiß, Sie sind gestresst. Ich weiß, was Sie durchmachen.«

Fast unhörbar fragte ich: »Seit wann verursacht hohes Alter ein Koma, und wie können Sie behaupten, ihr fehle nichts, wenn sie im Bett liegt und vor sich hinvegetiert?«

»Klinisch betrachtet liegt sie nicht im Koma.« Er sah nun mich an und fuhr fort: »Das *erste* Koma war ein richtiges Koma, soviel kann ich Ihnen versichern. Während jener sieben Stunden war Ihre Mutter völlig bewusstlos. Aber dann wachte sie wieder auf, wie Sie genau wissen, und dann veränderte sich ihr Zustand erneut. Auch das ist Ihnen bekannt.«

»Ja, ich weiß, natürlich ist mir all das bekannt.« Es war schmerzhaft und unter den gegebenen Umständen auch absurd, sich von einem Fachmann anhören zu müssen, was schon längst bekannt und erklärt worden war.

Ich drehte mich zu meiner Mutter um und sah sie an. Ihre Augen waren geschlossen und ihr Körper wirkte so hart wie ein Fels, der seit Anbeginn der Zeit ruht. »Als sie damals nach sieben Stunden aufwachte, ging es ihr gut. Sie war auf dem Weg der Besserung, es ging ihr gut …«

»Für Sie mochte es so ausgesehen haben, aber es war nicht so. Sie hat sich nie vollständig erholt. Irgendetwas war offenkundig nicht gut, als sie erneut ins Koma gefallen ist.«

Es sollte Ärzten verboten werden, das Wort *offenkundig* zu benutzen. »Aber Sie haben eben noch gesagt, es sei kein richtiges Koma.«

»Ist es auch nicht. Sie ist nicht bewusstlos. Sie reagiert auf Schmerzreize und auf Sprache. Sie kann die Augen öffnen. Sie haben es doch selbst gesehen.« Ich nickte stumm. »Sie ist schwach. Sie weigert sich zu reden. Sie will nicht essen. Sie wissen das. Sie liegt im Bett und möchte nicht aufstehen.«

»Aber was hat das zu bedeuten?«, fragte ich, getrieben weniger von Neugier, eher von Panik.

»Medizinisch betrachtet wäre eine Erkrankung des zentralen Nervensystems denkbar, auch wenn keinerlei Anzeichen für eine Infektion vorliegen.«

»Und?«

»Und spirituell betrachtet…«, sagte er gravitätisch und atmete geräuschvoll.

»Sie sind Mediziner, und ich bin Wissenschaftler – bitte kommen Sie mir jetzt nicht mit Spiritualität.« Die widerlichen Andeutungen des Arztes reizten mich; ich spürte, wie meine Körpertemperatur anstieg.

»In Zeiten von Verzweiflung fällt die Wissenschaft wie in ein Schwarzes Loch. Ich habe das schon oft erlebt. Spirituell betrachtet, befindet sich Ihre Mutter in einem Limbo.«

Meine Geduld war fast erschöpft: »Wie meinen Sie das?«

»Sie will nicht leben, aber genauso wenig will sie sterben. *Irgendetwas* hält sie im Diesseits fest, während *etwas anderes* sie ins Jenseits hinüberzieht.«

»Wovon reden Sie da?«

»Sie kann nicht loslassen. Wissen Sie, warum?«

War es inzwischen mit der Medizin so weit gekommen? *Mierda.*

»Wenn es noch nicht Erledigtes gibt, *wollen* oder *können* manche Patienten einfach noch nicht sterben. Das ist der Grund, warum ihre Mutter ins Koma gefallen ist – geleitet von ihrem Geist, nicht von ihrem Körper.«

»Jesus Christus«, keuchte ich leicht nervös, »*señor, dame paciencia.*«

Der Arzt maß die Körpertemperatur, den Blutdruck, checkte die Herz- und Lungenwerte meiner Mutter und kommentierte jeden Schritt – »ich muss mir einen Überblick verschaffen über ihren Stoffwechsel, die Flüssigkeitsversorgung, die Herzfunktionen und die Blutgefäße« –, als hakte er ganz lässig eine Einkaufsliste ab. Dann machte er sich daran, einen Zettel, vermutlich eine schwülstige Liebeserklärung samt Telefonnummer, in Marias zarte Hand zu schieben. Er tat das mit derselben Hand, an deren Ringfinger ein silberner Ehering steckte. Kein Wunder, dass so viele Frauen Männer hassen.

Meine Mutter hatte immer ein untrügliches Gefühl für das Leben um sie herum – dies strahlte leidenschaftlich aus auf alles, was sie tat. Es war Leben in ihrer Stimme, selbst wenn sie nur jemanden grüßte. Ihr »*Epa*« war wie das »*Was geht?*« eines von seiner Coolness überzeugten Teenagers. Aber *Ma* war tatsächlich cool. »Wenn du auf der Straße unerwartet einer Person begegnest, die du kennst oder nicht kennst oder kennenlernen möchtest, ist es so, als würdest du dich einfach selbst auf eine Party einladen. Du musst es immer genießen«, sagte sie mir aufgeregt. »Das Unerwartete geschieht, aber nur wenn man es zulässt.«

Ihr untrügliches Gefühl für das Leben strahlte jahrelang so leidenschaftlich, dass ich jetzt ihren leblosen Körper kaum wiedererkenne. Vielleicht gehört zu jedem untrüglichen Gefühl für das Leben ein ebensolches Gefühl für den Tod?

Die Haut an ihrer Stirn ist gespannt. Noch glatter ist ihr Gesicht, als wären ihre Falten ausgebügelt worden. Ich fahre mit meiner Hand über ihre Stirn und ihre Wangen. Sie fühlt sich anders an, so als habe jemand an der Zeit gedreht. Meine Mutter scheint jünger geworden zu sein, während ich im letzten Monat mehr als ein Jahr gealtert bin. Das letzte Mal bin ich so schnell gealtert, als Alejandro starb. Damals schien mehr als eine ganze Kindheit an einem einzigen Tag verstrichen.

Ich suche ihr Gesicht nach einer Regung ab. Ich wünsche, dass sie blinzelt, dass ihre Lider flattern. Ich bitte darum, dass das Unerwartete geschieht, genau so, wie sie es mir gesagt hat, aber nichts passiert. Als ich noch einmal ihre Haut berühre, blitzt das Wort *Zuhause* in meinen Gedanken auf; es wächst unaufhaltsam weiter wie ein Salzkristall. Dann rutscht es in mein Herz hinunter, und als Maria mit lieblicher Stimme ruft: »Ich gehe mal runter und koche uns etwas zu Mittag«, sackt das Wort *Zuhause* noch ein Stück tiefer und landet in meiner Leiste.

Ich betrachte *Mamá* und muss an den Zettel an der Kühlschranktür denken: »Wenn meine Mutter gestorben ist, dann werde ich ganz allein sein auf der Welt.« Es gibt keine Familie, die ich besuchen oder anrufen könnte, keine Familie, die mich besucht oder anruft.

Nicht, dass unsere Familie je groß gewesen wäre; aber wir haben außer uns niemanden gebraucht. Fast niemanden, denn ich habe meine Eltern nie wissen lassen, wie sehr ich Alejandro brauchte. Wir waren eine grundsolide Dreierfamilie: Vater, Mutter, Kind. Es war normal und es war gut.

Hände

»Du hast die Hände eines Bauern, obwohl du Akademiker bist, und dafür liebe ich dich«, sagte Carla drei Monate, nachdem wir zusammengekommen waren.

Wir hatten uns an der Universität bei einer Graduiertenfeier in meinem Fachbereich kennengelernt. Ich hatte eine Postdoktorandenstelle, sie studierte Archäologie und hatte noch drei Semester vor sich. An jenem Tag hatte die Neugier sie in meinen Fachbereich getrieben; wie ich später herausfinden sollte, war Neugier die Triebfeder all dessen, was sie tat.

Damals nahm ich nur an der Feier teil, weil ich das Mittagessen verpasst hatte. Ich kam um vor Hunger, und alles, einfach alles war besser als ein knurrender Magen, sogar die faden Snacks, die auf der Graduiertenfeier gereicht wurden.

Vom ersten Moment an, nachdem ich Carla zu Gesicht bekommen hatte, wollte ich sie entziffern. Hauptsächlich, weil sie so deplatziert wirkte. Verloren, aber auf selbstbewusste Art. Ich hatte es kurz für Liebe auf den ersten Blick gehalten, dann aber wurde mir klar, dass davon nicht die Rede sein konnte. Es war eher ein Cocktail aus Geilheit, Anziehung und Faszination, der uns zusammenbrachte. Ein Cocktail mit einem doppelten Schuss der erstgenannten Zutat.

»Der späte Nachmittag ist mir die liebste Tageszeit«, sagte Carla, als wir die Treppe hinabstiegen und das übertrieben moderne Gebäude verließen, in dem wir uns eben kennengelernt hatten. »Findest du nicht auch? Wenn der Wind die laue Luft vor sich hertreibt und der Himmel aussieht, als würde er sich gerade selbst malen. José-Rafael«, fragte sie zuversichtlich, »*tomarse unas birras?*«

»Ein Bier ist ein exzellenter Anfang«, antwortete ich fasziniert, überrascht und bezaubert. Nicht nur, weil sie ein *Bier*, ein untypisches Getränk für eine Frau, haben wollte, sondern auch, weil sie nicht darauf gewartet hatte, ob ich eine gemeinsame Unternehmung vorschlagen würde. Nicht, dass ich das nicht getan hätte, ganz sicher sogar, es war nur so, dass ich gedanklich für den Bruchteil einer Sekunde bei den

Wellengeschwindigkeiten im Erdinneren gewesen war. Carla war Frau genug, um zu tun, wonach ihr war, ohne auf Konventionen Rücksicht zu nehmen. Sie war Frau genug, sich nicht gleich von mir nehmen zu lassen, bis ich so verzweifelt war, dass ich mit lechzender Zunge hinter ihr hertrottete und aufmerksam auf jedes ihrer absichtlichen oder unabsichtlichen Zeichen lauerte.

Nachdem Carla und ich endlich miteinander geschlafen hatten, lag ich die ganze Nacht wach. Am Morgen sagte ich zu ihr: »Ich habe nicht eine Minute geschlafen, weil ich Angst hatte, ich könnte schnarchen. Was bin ich für ein Looser.« Carla antwortete mit einem Lächeln. Ihr Lächeln war ehrlich und verständnisvoll und kam aus tiefstem Herzen.

»Lass uns nach *Salto Ángel* fahren«, schlug ich Carla an einem Wochenende vor. Damals wohnten wir schon zusammen. »Nach den heftigen Regenfällen ist es besonders spektakulär.«

»Bitte, verwende den richtigen Namen. Sogar Chávez möchte, dass wir *Kerepakupai Vená* sagen.«

»Seit wann bist du einer Meinung mit Chávez?«

»Bin ich nicht«, sagte sie triumphierend. »Außerdem liebe ich den Ort nicht.«

»Aber es ist der höchste freifallende Wasserfall der Erde.«

»Dann sollte er einen Ehrenplatz im Guiness-Buch der Rekorde bekommen, aber nicht in meinem Herzen. Ich finde einzig den Nebel interessant, der sich dort bildet«, sagte sie, »denn ich weiß, dass er etwas verbirgt, was ich nicht sehen kann. Tausend uralte Geheimnisse. Aber als ich den Wasserfall das letzte Mal gesehen habe, hat das Staunen der anderen Besucher mein Staunen im Keim erstickt. Ich kann den Ort nicht lieben, weil jeder ihn liebt.«

»Liebe ist nicht weniger wertvoll, nur weil alle sie empfinden, und der Tod ist nicht weniger beängstigend, weil alle ihn fürchten.«

»Das ist nur deine persönliche, völlig unzutreffende Meinung, José-Rafael.«

Seither sind zehn Jahre vergangen, und obwohl ich immer noch denke, dass meine Meinung zutrifft, habe ich mein Leben scheinbar nicht danach ausgerichtet; dass die Liebe nicht der Liebe und der Tod des Fürchtens nicht wert ist. Erst heute, mit einer leblosen Mutter und einem leeren Zuhause, kann ich die Wahrheit meiner Worte *fühlen*.

Die ersten 25 Jahre meines Lebens habe ich im Haus meiner Mutter verbracht. Die folgenden 19 Jahre wohnte ich im Haus meiner Großmutter. Zunächst allein, später mit Carla. Nach Carlas Auszug habe ich wieder allein gelebt.

»Wollen wir aufs Dach gehen und deiner Mutter winken?«, fragte Carla mich eines Mittwochs.

»Es könnte ewig dauern, bis sie uns bemerkt.«

»Nein, nicht ewig, *mi hombre*. Sie kann nicht widerstehen. Es ist eine Frage der Entfernung. Eher früher als später wird sie einen Blick aus dem Fenster werfen.« Carla steckte sich die gemusterte Bluse in die plissierte Hose und fragte: »Hast du nie das Bedürfnis, woanders zu leben? Es gibt noch andere Großstädte und andere Universitäten, an denen du unterrichten könntest. Oder wie wäre es, wenn wir nach Puerto Ayacucho ziehen, an den Rand des Regenwaldes, den du so liebst?«

»Ich bin ein *caraqueño*. Wozu sollte ich Caracas verlassen?«

»Hast du nie den Wunsch, weiter als drei Häuser von deiner Mutter entfernt zu leben?«

»*No*, Carla.«

»Ich verstehe das nicht.«

»Manche Sachen kann man nicht erklären.« Wenn irgendjemand das hätte verstehen können, dann Carla. Denn hin und wieder erwischte ich sie dabei, wie sie zu meiner Mutter aufschaute. Manchmal kann man die Gedanken eines anderen Menschen lesen, und ich war überzeugt, die ihren genau gelesen zu haben, weil sie sich mehr als einmal wünschte, sie hätte, als sie aufwuchs, meine Mutter als Vorbild gehabt. Meine Mutter und nicht ihre, eine russische Schauspielerin, die Urlaub in Maracaibo gemacht, dort Carlas Vater kennengelernt hatte und daraufhin in Venezuela geblieben war. Aber aus irgendeinem Grund verstand Carla nicht. Sie konnte nicht begreifen, warum ich *Mamá* nicht im Stich lassen wollte.

»Ich habe nie an Geister geglaubt«, sagte sie, »bevor ich mit dir und deiner Mutter zusammen war.« Damals wusste ich nicht, wie sie das meinte, aber heute weiß ich es. Mit uns zusammen zu sein hieß, mit den Geistern unserer Verstorbenen zusammen zu sein, mit den Geistern unseres vergangenen Selbst, jener Version von uns, die wir einzig und allein im Familienkreis sind.

Wenn ich einmal allein und verlassen bin, werde ich heiraten müssen. Das denke ich insgeheim. Der Gedanke ist wenig tröstlich, aber ganz unangenehm ist er auch nicht. Ich werde mich überwinden müssen, aber immerhin werde ich dann jemanden haben, für den ich lebe. Während dieser Gedanke verblasst, nimmt ein zweiter seinen Platz ein: Ich hätte meiner Mutter ein Enkelkind schenken sollen.

Als Carla noch in meinem Leben war, unternahm ich morgens manchmal ausgedehnte Spaziergänge, wenn sie noch schlief. Auf dem Rückweg ging ich beim *abasto* in unserer Nachbarschaft vorbei und kaufte ein, was wir nicht mehr im Kühlschrank hatten. Ich nahm auch für *Mamá* Sachen mit, die sie besonders mochte – eine Flasche *malta*, eine Tüte frittierter Kochbananen, einen *cocosete*.

»Probieren Sie mal den anderen Käse, der ist aus Ziegenmilch«, sagte die Kassiererin an einem solchen Morgen zu mir. Ich hatte die Frau schon öfter gesehen, sie arbeitete seit einer ganzen Weile in dem Laden, aber abgesehen von einem knappen Nicken hatten wir nie miteinander kommuniziert.

»Ich mag Ziegenkäse nicht. Kann ich bitte bezahlen? Ich habe es eilig, nach Hause zu kommen.«

»Vergessen Sie den Käse. Wie wäre es, wenn ich Sie einer netten jungen Dame vorstelle?«

»Ich kenne schon eine nette junge Dame.«

»Was macht ein Mann wie Sie *con esa vaga*?«

»Meine Carla ist nicht faul.«

»Sie kocht nicht für Sie.«

»Sie ist nicht meine Köchin.«

»Vergessen Sie nicht, Ihrer Mutter ein paar *tajadas* mitzubringen. Die mag Magdalena am liebsten.«

Auf einmal vermisse ich Carla. Ich vermisse sie so, wie wir alle, alle Venezolaner, die guten alten Zeiten vermissen – in Träumen voller Nostalgie. Und zum ersten Mal frage ich mich, ob der Unterton in der Stimme meiner Mutter und ihre gut getarnte Abneigung gegenüber Carla so machtvoll wirkten wie eine tektonische Kraft, die es mir erleichterte, Carlita loszulassen, als sie mich schließlich verließ.

Es ist Nachmittag

Es ist Nachmittag. Ich habe Maria für ein paar Stunden freigegeben und sitze im Sessel in der Ecke und lese das EARTH-Magazin, als ich plötzlich *fühle*, wie die Wimpernkränze meiner Mutter sich voneinander lösen. Etwas geschieht mit ihr; ich kann es *spüren*. Ich sehe sie an. Ihre Augen brechen auf wie Krater an der Oberfläche eines Planeten, und ich springe an ihr Bett. Meine plötzliche Bewegung erschreckt sie nicht. Sie starrt unbeirrt an die Zimmerdecke. Es ist weder ein stumpfes noch ein absichtsvolles Starren. Weder nervös noch ängstlich oder melancholisch; es ist ein vernebelter Blick, den ich nicht entziffern kann. Ich spreche sie an. Ich sage: »*Ma*, was ist mit dir?« Ich nehme ihre Hand; sie fühlt sich an wie ein schlaffes Wasserspielzeug. »*Mia madre, el doctor* sagt, du liegst nicht im Koma, warum also wachst du nicht auf?« Die Venen auf ihrer Hand sind feingliedrige, blasslila Schattenlinien, die sich kreuzen, sich verzweigen und wieder zusammenlaufen. »*Por favor*, meine geliebte *Mamá*, bitte wach auf.«

So wie ein Paläontologe in der Erde Fossilien untersucht, suche ich in ihrem Gesicht nach einer Reaktion; aber ich sehe nichts, bis ich alles sehe: ihren Hals. Er ist nackt. Wo ist er? Wo ist der Rosenkranz? Und wo ist die Goldkette mit dem Anhänger der *la Virgen María*, ohne den ich sie nie gesehen habe? Obwohl er für mich keine religiöse Bedeutung hat, ist er untrennbar mit der Landschaft ihres Körpers verbunden und bedeutet mir daher so viel wie die ganze Welt.

Es war wohl kurz nach Einbruch der Dunkelheit, als ein Albtraum mich weckte. Ich lag in meinem Kinderbett und hörte das stakkatoartige Rufen eines Mähnenwolfs. Es war eine rätselhafte Mischung aus Jaulen und Bellen, die mich unerklärlich traurig machte. Ich zog die Knie an die Brust und stellte mir vor, wie das Tier mit dem goldbraunen Pelz unter der bananenförmigen Mondsichel durch unsere menschenleere Straße strich, um etwas zu jagen oder sein Revier zu markieren. Ich hörte Glas an der Kurve der Straße zerbrechen, ein martialisches Heulen und dann noch mehr Glas, das zerplatzte und in Splittern auf die Gehwege regnete. Ich fühlte mich in der Dunkelheit meines eigenen Zimmers nicht mehr sicher.

Ich lief ins Elternschlafzimmer, um *Mamá* zu suchen. Das war nicht ungewöhnlich. Ich kroch vorsichtig zu meinen Eltern ins Bett und tastete gedankenlos nach *Mamás* Rosenkranz. Selbst als ich älter wurde, ertappte ich mich oft dabei, wie meine Finger intuitiv zum Hals meiner Mutter wanderten.

Unbewusst zählte ich die Perlen, ließ meine Fingerspitzen über eine nach der anderen gleiten. Ich zählte ganz automatisch mit, obwohl ich wusste, wie viele es waren – fünf mal zehn Perlen –, bis meine Finger das Kreuz erreichten. »Ist es nicht unbequem, darauf zu schlafen?«, flüsterte ich.

»Meistens bemerke ich die Perlen gar nicht, und falls doch, ist es in Ordnung, wenn sie meine Haut drücken«, flüsterte meine Mutter zurück. Ihr Flüstern klang anders als meins; so friedlich wie bedeutungsvoll. Sie sagte: »Den Rosenkranz zu beten heißt, am Leben von Maria teilzuhaben.« Meine Finger strichen über die Perlen, wie die Finger eines Musikers über seine *cuatro*, bis sie dann nach der Goldkette und dem Anhänger der Heiligen Jungfrau Maria tasteten. Dort verharrten sie, und ich schlief ein, fühlte mich sicher.

Einige Jahre, nachdem ich aus dem Haus meiner Eltern ausgezogen war, sagte Mutter zu mir: »Obwohl ich mir etwas anderes für dich gewünscht hätte, mein Sohn, *mijo*, ist es in Ordnung, dass du ein Atheist bist. Aber habe es bitte nicht so eilig mit deiner ablehnenden Haltung.«

Ich erinnere mich an jenen Regentag im Juni, auch wenn er nicht ungewöhnlich war für die Jahreszeit. Wie so oft in der Regenzeit kam der Guss rasch und heftig, um ebenso schnell wieder aufzuhören. »Dein Herz ist stärker als das«, sagte sie, »das weiß ich.« Der Regen klopfte in einem gleichmäßigen Rhythmus ans Fenster, als würde er von einem menschlichen Wesen beherrscht, und während sie sprach, vermischte er sich mit ihren Worten in musikalischer Synchronie.

Ich betrachtete ihren Hals. Der Anhänger war nicht zu sehen; er versteckte sich unter ihrer Strickjacke. Nur die schlichte Goldkette blitzte hervor, die der Form ihrer zarten Schlüsselbeine folgte. Ich wollte die Hand ausstrecken und den Anhänger berühren, wie ich es früher als Kind getan hatte, aber das gehörte sich nicht für einen Mann meines Alters.

Ich halte es nicht für möglich, dass die Goldkette gestohlen oder von Maria entfernt wurde oder dass *Mamá* sie verloren hat. Aber warum hätte sie sie ablegen sollen? Ich versuche mich zu erinnern, ob sie die Kette während ihres ersten Komas trug. Ich suche in meiner Erinnerung nach Hinweisen, aber es fällt mir schwer, jene Stunden im Detail zu vergegenwärtigen.

Es ist der erste April, und ich halte eine Vorlesung. Ich höre den raschen Widerhall hoher Absätze. Die Sekretärin des Fachbereichs Geologie stürmt in den Seminarraum. Irgendwie schaffe ich den Weg zum *Hospital Clínicas Caracas*. Ich höre bohrende Maschinengeräusche. Hier drinnen ist alles weiß, ausgenommen die Maschinen mit dem unerträglichen Piepen. Sie piepen und piepen.

Sie fragen mich: *Nimmt sie regelmäßig Medikamente?* Ich betrachte meine liebe Mutter. Sie fragen: *Hat sie sich in jüngster Zeit am Kopf verletzt?* Sie fragen noch mehr, ich weiß nicht mehr, was.

Meine eigene Mutter liegt da wie ein Leichnam. Sie sagen: *Señor, bitte beruhigen Sie sich, möglicherweise ist das Koma die Folge einer Kopfverletzung. Es ermöglicht dem Körper, sich auszuruhen und zu heilen, bevor er wieder aufwacht.*

Manchmal *wacht er wieder auf*. Ich kann nur warten und warten und warten, kann nichts fühlen als Qual und Wut und Verzweiflung und warte darauf, dass sie wieder aufwacht.

Sie wird untersucht. Man beobachtet den Pupillenreflex und das Puppenkopf-Phänomen, den Hornhautreflex, den Würge- und Hustenreflex, und irgendwann wacht sie wieder auf. Während der nun folgenden Tage ist sie immer wieder minutenlang bei Bewusstsein. Sie wacht nach und nach auf. Bis sie sich schließlich voll und ganz erholt.

Ich habe ein deutliches Bild vor mir, wie sie im Krankenhaus liegt; der Anhänger ziert sehr wohl ihren Hals. Was bedeutet, dass sie ihn irgendwann zwischen dem echten und dem falschen Koma abgelegt hat. Ich versuche, mir die Zeremonie vorzustellen, mit der sie ihn abgenommen hat, habe aber nichts als den Meeresboden vor Augen. Ich sehe seine Berge und Ebenen, seine Täler, Grate und Vulkane. Ich sehe Korallenriffe, Algenwälder und Seegraspolster, und ich denke: Mit *Mamá* ist es wie mit meinem Beruf, am Ende bleiben mir nur Indizienbeweise.

BERLIN, DEUTSCHLAND

> Nur wer über sich und seine Zeit schreibt,
> schreibt über alle Menschen und alle Zeiten.
> *George Bernard Shaw*

Stopp

»Würdest du bitte aufhören, mich zu würgen? – Bitte. Stopp. Jetzt hör mal auf!«, sagte ich mit lauter Stimme, auch wenn ich zweifelte, dass mein Flehen seine fleischigen Ohren erreichte. Möglich, dass da zu viel gelber Ohrenschmalz drin ist und er deshalb nicht hören konnte, was ich sagte, aber ich wusste ja, dass das nicht ganz stimmte, weil Robin ein ziemlich reinlicher Typ war. Ehrlich gesagt: Er tat mir nicht einmal besonders weh, nur der Druck auf meinen Adamsapfel wurde langsam unangenehm. Außerdem hatte ich keine Lust, die verschwitzten, klebrigen Hände meines Bruders an meinem Hals und an meinen Schultern zu fühlen.

»Ich bin nicht das Versuchskaninchen für deine Selbstverteidigungsgriffe! Hör auf mich zu würgen!«, schrie ich schließlich, was ihn aber nur dazu brachte, noch fester zuzudrücken. So ein Typ ist er. Ganz schön daneben. Aber egal. Plötzlich kam ich auf die Idee, den Sterbenden zu markieren. Vielleicht würde er mich dann endlich loslassen. Ich holte rasselnd Luft, laut wie ein Seelöwe, sabberte auf Robins Arm und fing zu heulen an, auch wenn ich noch nie einen Sterbenden habe heulen sehen, ich meine, ich habe noch nie wirklich jemanden sterben sehen. In genau dem Moment kam Mom in die Küche, und Robin lockerte seinen Griff um meinen Hals.

»Was für ein Theater. Was für ein Lärm«, sagte Mom ruhig, »was ist denn hier los?«

»Dein Sohn versucht, mich umzubringen«.

»Sicher will dein Bruder dich nur umarmen, weil er dich liebt«, sagte Mom. »Er ›ringt‹ mit dir, weil er dich umarmen will.« Mom blieb mit ein paar Schritten Abstand stehen und prüfte uns, als wären wir eine Skulptur in einer dieser anspruchsvollen Kunstgalerien. Mom gefielen solche Galerien, und obwohl Kunst eigentlich nicht mein Ding war, mochte ich ihren Anspruch, weil sie nicht vorgaben, ohne Anspruch zu sein. Aber egal. Ich wollte Mom sagen, dass Robin mich nicht einmal mochte, wie sollte er mich da lieben? Aber dann hielt ich doch lieber den Mund, denn andernfalls hätte ich mir einen ihrer Endlosvorträge anhören müssen darüber, dass Rangeleien zwischen Jungs ein Ausdruck von Liebe undoder ganz wichtig und natürlich sind, und außerdem, was sind wir denn, wenn nicht Geschöpfe der Natur? Alle Tierkinder verhalten sich so, hätte sie gesagt – wie immer, wenn Robin höllisch fies zu mir war.

Ich hätte ihr entgegnen sollen, dass in der Natur das stärkste Haibaby noch im Bauch der Mutter seine Geschwister verschlingt, um die eigenen Überlebenschancen zu erhöhen, und dass das älteste Adlerjunge – in einem Horst in großer Höhe – oft seine Geschwister tötet, indem es die frischgeschlüpften Küken über die Nestkante stößt. Nach und nach stürzen sie in den Tod. So viel zum Thema Beispiele aus der Natur, Mom. Aber ich sagte nichts, weil sie mir, wie ich dachte, sowieso nicht zugehört hätte.

»Marc«, fuhr sie fort, »du weißt doch, dass wir heute Abend ins *Le Mekong* gehen. Würdest du dich bitte ein bisschen ordentlicher kleiden, weniger wie ein Anarchist?« Mom stemmte die Hände in die Hüften, fast schon die Karikatur einer Mom-Geste, und dann sagte sie wie zu sich selbst: »Wie konnte ich bloß ein Kind großziehen, das modisch dermaßen daneben liegt?«

»Mit Mode hat das nichts zu tun, Mom«, knurrte ich, »außerdem bin ich kein Anarchist, sondern allerhöchstens ein –«

» – ein Anarcho-Kommunist, ich weiß, ich weiß, ich weiß«, winkte Mom ungeduldig ab – was für Mütter, finde ich, verboten sein sollte. »Mein kleiner Astronaut, du bist gerade in deinen besten Jahren, vergeude sie nicht mit Nebensächlichkeiten.« Wie die Erwachsenen über die Jugend redeten, machte mich fertig, als wäre ihre eigene gut eine Million Jahre her. »Vergiss nicht, Kleider machen Leute«, sagte sie in einem liebevollen oder eher bemüht liebevollen Ton, »deswegen solltest du dir genau überlegen, was du anziehst«, und dann fügte sie ärgerlich hinzu, »und kannst du nicht ein bisschen weniger zornig aussehen«, und blinzelte, »und überhaupt ein wenig mehr *vorzeigbar* sein?«

Mom schwebte hinüber zu Robin und richtete ihm beiläufig den gebügelten Hemdkragen. Dabei zwinkerte sie ihm zu, als teilten die beiden ein irres Geheimnis. Ich schätze, Mom hätte es wohl gern, dass auch ich so ein Typ werde, der gebügelte Hemden trägt.

»Ich bin nicht zornig«, sagte ich, obwohl ich schon irgendwie zornig war, nicht bloß auf sie, sondern auf alles und jeden. »Mom, wenn du nicht planst, mich irgendwo vorzuzeigen, warum sollte ich dann mehr vorzeigbar sein?« Ich steckte die rechte Hand in meine Hosentasche und fuhr mit dem Zeigefinger das kleine, seltsam geformte Stückchen Pappe darin nach. Seine Kanten streichelten meine Fingerkuppen.

Mom und ich starrten einander direkt in die Augen. Wir waren wie zwei Cowboys, die dabei waren, mit ihren Revolvern ins Duell zu ziehen. Aus den Augenwinkeln behielt ich Robin misstrauisch im Blick, der auf einmal ganz harmlos tat, dass du denken konntest, er hätte eine gespaltene Persönlichkeit. Ich fragte mich, ob er sich über meinen Streit mit Mom hämisch freute, ganz bestimmt, und trotzdem war ihm nichts anzumerken. In seinem Gesicht war kein diabolisches Lächeln zu sehen.

»Das sagt man nur so«, betonte Mom. »Ich möchte diese Debatte wirklich nicht noch einmal führen.«

Ich ehrlich gesagt auch nicht, denn sie war irgendwie albern – aber nicht wirklich. Das Ding war, dass meine Eltern großen Wert auf ordentliche Kleidung legten, ich aber nicht. Mir war das Gegenteil wichtig. Ich wollte *nicht* ordentlich gekleidet sein. Abgesehen davon, hatte unser Streit längst existenzielle Züge angenommen. Mal ehrlich: Sollen sich Eltern ab einem gewissen Zeitpunkt denn nicht einfach aus dem Leben ihrer Kinder raushalten? In Schottland hätte ich mit 16, wenn ich dort adoptiert worden wäre und leben würde, das Recht, in meine Adoptionsakte Einblick zu nehmen, in Kanada dürfte ich meinen Führerschein machen und in Österreich sogar wählen gehen – nur meine Eltern waren aus irgendwelchen Gründen der Meinung, dass ich mit 16 noch nicht einmal alt genug war, mir mein T-Shirt selbst auszusuchen.

»Zunächst einmal weiß man nie, wem man über den Weg läuft, und zweitens werden alle anderen dort dem Anlass entsprechend gekleidet sein. Du wirst dir vorkommen wie ein komischer Vogel.«

Komischer Vogel?, dachte ich. Im Ernst, Mom, wer redet heute noch so? Ich tat, als müsste ich gähnen, und sagte: »Wenn sich alle Drogen reinziehen, heißt das denn, dass ich auch welche nehmen soll?«

»Ich hätte dich für origineller gehalten, Marc«, sagte Mom mit einem flüchtigen Nicken. Ihre Hände hatte sie immer noch in die Hüften gestemmt. »Glaub mir, es gibt dir ein besseres Gefühl.«

Ich wollte sagen, dass ich mich ganz bestimmt mies fühlen würde, wenn ich vorgab, jemand zu sein, der ich nicht war, aber ich hielt die Klappe und sagte nur: »Es geht mir total gut.«

»Dann wird es auch *mir* ein besseres Gefühl geben«, atmete Mom geräuschvoll aus.

»Aber Mom, ich hasse solche Plätze« – und dann, als wäre sie plötzlich total erschöpft, sagte sie: »Du musst nicht aus jeder Mücke einen Elefanten machen«, und fügte hinzu, als ruhte auf dieser Frage das Fundament der Welt: »Kannst du es nicht einfach mir zuliebe tun?«

Darauf entgegnete ich nur: »GRRR«, denn manchmal gibt es einfach keine Worte, die so richtig zu einer Situation passen.

Abendessen

An dem Abend fuhren wir – Dad, Mom, Robin, die Zwillinge und ich – zu diesem angesagten Restaurant in einer uralten Fabrikhalle in Friedrichshain, bekannt auch als »Im tiefsten Ostberlin«, so jedenfalls nannte es Dad, der unfassbar altmodisch ist. Ich schwöre, er ist halt analog unterwegs. Ja, er ist eineinhalb Mal so alt wie Mom, und als er hier aufgewachsen ist, war die Stadt wirklich noch in Ost und West unterteilt.

Ich kam in diese Welt sieben Jahre nach dem Abriss der Mauer und wünsche mir oft, ich wäre früher geboren, dann hätte ich wenigstens den Mauerfall miterlebt. Ich wusste nie so genau, was mich daran so faszinierte, aber die Mauer hatte was – mit diesem riesigen Graffiti auf der Westseite, und den Löchern, durch die die Gerüche aus Ost und West ungehindert durchgewabert sind. Da war *etwas,* womit die Mauer Leute und Ideologien und Standpunkte auf eine Weise getrennt hatte, die ganz und gar unkitschig war und einfach nur total romantisch. Und mit romantisch meine ich jetzt nicht »Junge küsst Mädchen« oder so.

Teufel, manchmal wünschte ich mir sogar, ich hätte in der DDR gelebt, wo die Leute einander halfen und sich nicht wegen Religion undoder Geld stritten. Im Ernst, ich wünschte, ich wäre in eine Welt hineingeboren worden, in der es noch einen Rest von Unschuld gab, eine Welt, in der alle Dinge so waren, wie sie sein *sollten*.

Das Restaurant war eine riesige Halle mit klobigen Holztischen. Es sollte so aussehen wie ein buddhistischer Tempel voller Orchideen, alle möglichen Sorten, in Minzgrün, Orangerot, sogar in Silber. Der ganze Laden wirkte, als hätte man ihn aus einer dieser super-hippen Designzeitschriften ausgeschnitten, die Mom so gerne las.

»Kinder, ich muss euch etwas sagen«, verkündete Dad förmlich. Wie blöde, dachte ich, es ist doch total überflüssig zu sagen, dass man etwas zu sagen hat. »Diesen Sommer fliegt ihr nicht nach New York, um Omi und Opi zu besuchen«, er sprach ruhig und gefasst, und dann sagte er nichts mehr, sondern winkte den Kellner heran und bestellte die Speisekarte rauf und runter.

»Aber wir fliegen jedes Jahr hin«, sagte Robin, und ich fragte: »Warum nicht?«

Dad zog die Schultern hoch und kniff die Lippen zusammen. »Es ist kompliziert«, sagte er, und Mom schob ihre Hand sanft wie eine Kletterranke an seinem Arm hoch. Dann nahm sie seine Hand und zog sie an sich, als wollte sie sie beschützen.

»Warum können wir nicht hinfliegen?«, wiederholte ich, lauter diesmal, denn Dads Ankündigung hatte mich wirklich überrascht, nein, mehr noch: höllisch deprimiert. Ich hatte ja schon Pläne für New York gemacht, und diese Pläne waren mein ein und alles. Ich habe es immer gehasst, wenn ich mich total für etwas begeistert habe und meine Eltern die Sache mit einem wie auch immer gearteten NEIN einfach killten.

Lounge-Musik und Stimmengewirr hingen in der Luft und zwischen den Gästen, als Dad sagte: »Robin, die Schulzeit geht schneller vorbei, als du denkst. Es ist an der Zeit, über deine berufliche Zukunft nachzudenken. Deine Mutter und ich halten es für das Beste, wenn du Betriebswirtschaft studierst.«

»Außerdem«, warf Mom begeistert ein, »möchten wir, dass du in Berlin zur Uni gehst. Wenn du damit einverstanden bist, kaufen wir dir ein neues Auto.«

Das ist Erpressung, dachte ich.

»Bleib in Berlin!«, rief Michelle, und Nathalie fiel ein: »Ja, bleib hier!« – ich aber hätte am liebsten geschrien: »Bitte geh, geh einfach weg, BITTE.«

Michelle und Nathalie sind meine achtjährigen Zwillingsschwestern. Nichts im Klang ihrer Stimmen hätte vermuten lassen, dass sie miteinander verwandt, sogar eineiige Zwillinge sind, aber das sind sie nunmal. Ich meine, Michelles Stimme ist viel tiefer als die von Nathalie, sie klingt fast wie eine Erwachsene – ja, so ist es, ich schwöre. Zum Gruseln. Aber egal. Die Zwillinge waren gerade dabei, mit den Essstäbchen zu fechten, als Robin fragte: »Dad, kann ich diesen Sommer bei dir arbeiten?«

»Was sage ich immer? Verbinde nie Arbeit und Familie.«

»Aber Robin«, warf Mom ein, »du kannst sicher Geschäftsmann werden wie dein Vater«, und dann schenkte sie Robin ein stolzes Lächeln, das zu verstehen gab, wie besonders er ist, was wohl auch stimmt, ich meine, jeder Mensch ist was Besonderes, weil es ihn nur einmal gibt. Aber Mom sah Robin an, als wäre er ihr ganzer Stolz und ihre ganze Freude. Sie zog die Augenbrauen hoch und fragte: »Was sagst du zu unseren Plänen für dich?«, wobei sich ihre Wangen zärtlich rundeten, so wie immer, wenn sie schmunzelte, und hastig warf ich ein: »Ich habe überhaupt nicht vor zu studieren« – auch wenn das vielleicht gar nicht der Wahrheit entsprach.

»Verzeihung?« Auf einmal klang Dads Stimme so hoch wie die einer Giraffe. Nicht, dass ich gewusst hätte, wie eine Giraffe sich anhört, ich konnte mir aber gut vorstellen, wie ihre Stimme in dem langen Hals nach oben gepresst wird.

»Ich verzeihe dir. Ich habe vor, nach Afrika zu reisen. Ihr seid doch immer dafür, dass man sich engagiert, und in Afrika hätte ich die Möglichkeit zu helfen, wo es am dringendsten gebraucht wird.« Mein Märchen kam mir mühelos über die Lippen, und ich liebte nicht nur die Aufmerksamkeit, die es mir verschaffte – sondern ich liebte vor allem die Aufmerksamkeit, die es von Robin abzog.

»Aber egal. Nach meiner Rückkehr mache ich Karriere bei einem Dönerstand oder einer Currywurstbude.«

»Oh nein. Nein, das tust du nicht. Keiner unserer Söhne wird seinen Lebensunterhalt damit verdienen, Lammfleisch von einem Drehgrill zu schneiden!« Mom stellte das wie eine Tatsache fest, was mich irgendwie umhaute – ich meine, wie konnte sie so tun, als wäre es eine Tatsache, wo es keine war?

»Robin, warum bittest du deinen Bruder nicht, sich ein wenig erwachsener zu verhalten«, drängte Dad seinen Ältesten – »Robin, warum erzählst du meinem Vater nicht, dass ich kein Erwachsener bin?«, sagte ich und wünschte mir heftig, ganz schnell einer zu werden, um endlich in Ruhe gelassen zu werden. Ich meine, was wollen Eltern von uns? Sie behandeln uns wie Kinder, erwarten aber, dass wir uns wie Erwachsene verhalten. Aber Robin sagte nichts, wofür ich ihm sehr dankbar war. »Soll ich auch BWL studieren?«, fragte ich. Es war keine richtige Frage, ich meine, ich hatte zwar keinen Plan von der Zukunft, würde aber garantiert nie und nimmer BWL studieren undoder mit *ihnen* über so Zeug reden, weil mir sowieso alles sinnlos erschien. Für Robin schien nichts sinnlos.

»Jeder hat seine Stärken und Schwächen«, sagte Dad irgendwie mitfühlend, »und je schneller du deine kennst, um so besser.« Ich wünschte, ich hätte die Enttäuschung in seiner Stimme nicht gehört.

Schon klar, ich hab's kapiert. Ich bin nicht dein erfolgreicher Sohn. Ich werde nie wie Robin sein. »Aber ich würde auch ein eigenes Auto kriegen, wenn ich in Berlin bliebe, oder?« Es interessierte mich kein bisschen, ein eigenes Auto zu haben, ich meine, es war mir mehr als egal, ich wollte einfach nur genauso erpresst werden wie mein Bruder.

»Vielleicht wäre es an der Zeit, ein wenig mehr für die Schule zu tun, Marc?«, sagte Dad. »Ich spreche nicht einmal von guten Noten. Wie wäre es, wenn du einfach nur *nicht* sitzenbleiben würdest?« Und Mom sagte: »Lasst uns jetzt nicht über Autos reden. Bis zum Schulabschluss hast du noch zwei Jahre, und außerdem sagst du diese unerhörten Sachen doch nur, um Aufmerksamkeit zu bekommen, und davon hast du fürs Erste von unserer Seite genug gehabt.«

Moms Bemerkung machte mich traurig. Ich meine, klar, ich verhielt mich hart kindisch, aber wie konnte sie mir ihre Aufmerksamkeit bewusst entziehen, wenn sie doch messerscharf erkannt hatte, dass ich sie dringend brauchte?

»Okay«, sagte ich laut und schaute nach rechts, wo Nathalie ein Essstäbchen zu Südseemusik im Hintergrund schwang, als dirigiere sie das Orchester. Dann schaute ich geradeaus und an meinem Vater vorbei auf einen riesigen Buddha. Er wirkte so zufrieden, nicht nur, weil er aus Stein war, sondern auch, weil niemand auf ihm herumhackte, und obwohl es doof klingt, für eine Sekunde war ich eifersüchtig auf ihn. Im Ernst, ich war eifersüchtig auf einen blöden Stein.

Nach dem Essen musterte Mom mich und Robin eindringlich und stieß ein verdruckst wehmütiges »*Ohhhh*«, aus, »dabei wart ihr doch gestern noch kleine süße Babies. Weißt du, Robin, als Marc auf die Welt kam und ich ihn im Arm hielt, hast du immer versucht, ihm mit dem Finger in die Augen zu stechen.«

Das glaube ich sofort, dachte ich.

»Du hast immer gedacht, Marc wäre eine Puppe. Weil du wie eine ausgesehen hast, Marc. Du hattest blonde Haare und so eine helle Haut, und dazu riesige, dunkle Augen. Du hast mit geschlossenen Augen in meinem Arm gelegen wie eine Puppe, und Robin wollte deine Lider hochschieben, wie er es bei seiner Puppe gemacht hat.«

»*Ich* hatte eine Puppe?«, fragte Robin.

»Was soll ich sagen? Ich hatte mir immer ein Mädchen gewünscht, aber zu dem Zeitpunkt hatte ich nur euch beide, zwei Jungs.«

Moms Worte deprimierten mich höllisch, zumal sie bedeuteten, dass Robin und ich nicht einmal Freunde waren, als ich noch ein Baby war. Vermutlich hat er mich schon damals nicht gemocht. In Wahrheit jedoch konnte ich mich *sehr wohl* daran erinnern, wie gut wir uns verstanden haben, und ich wusste sehr wohl noch, wie es sich angefühlt hatte, einen *richtigen* großen Bruder zu haben.

Fahren

Ich wachte am frühen Morgen auf und fand unsere Wohnung so unheimlich still, dass ich mich fragte, ob absolute Stille noch steigerungsfähig war und ob sie vielleicht gar keine Grenzen kannte. Es war fast noch dunkel, nur ein paar frühmorgendliche Lichtstrahlen fielen durch die nahezu geschlossenen Vorhänge und warfen ein Schattenmuster auf das Wohnzimmerparkett. Ich starrte darauf, bis mir einfiel, dass immer noch Wochenende war, und ich wurde plötzlich ganz aufgeregt, weil ich frei über meine Zeit verfügen konnte.

Ich beschloss, mit der U-Bahn zu fahren, das machte ich gern. Ich fahre Bahn. Ich meine, mir ist schon klar, dass U-Bahnfahren für alle außer für mich etwas total Banales ist. Aber ich liebe U-Bahnfahren. Ich kenne praktisch jede Haltestelle jeder Linie auswendig, und wenn ich irgendwas auf eine einsame Insel mitnehmen dürfte, dann wäre es die Berliner U-Bahn, und wenn das nicht ginge, würde ich einfach eine Karte vom Liniennetz mitnehmen.

Mein Ding mit der U-Bahn war nämlich so: Es gab keinen besseren Ort, um alle möglichen Leute zu beobachten, um zu sehen, dass hier total viele unterschiedliche Schicksale für einen kurzen Moment zusammenkamen – man konnte sogar Gesprächsfetzen aufschnappen und wie durch ein Guckloch in fremde Leben schauen. Die U-Bahn war der fantastische Mikrokosmos dieser Stadt, wenn nicht dieser Welt. Zudem haute mich die Vorstellung, in von Menschen verbundenen Röhren *unter* der Stadt durchzufahren, immer wieder um, im Ernst, das hatte was Magisches, und unheimlich war es auch.

Als ich den Bahnsteig erreichte, waren dort drei Leute, die auf den nächsten Zug warteten – ein knutschendes Pärchen und ich, der verzweifelt versuchte, die beiden zu ignorieren. Der Typ hatte so eine komische Art, das Mädchen, das an einer pommesgelben Wand lehnte, auf den Hals zu küssen, sodass mir dabei ganz unbehaglich wurde, und ungeduldig studierte ich die Anzeigen auf einer Reklametafel. ***IMMER DIE RUHE***. Was zum Teufel sollte damit verkauft werden? Diese ganzen Slogans machen mich fertig. Ich meine, dass diese Konzerne versuchen, uns Träume zu verkaufen, das haut mich einfach um – und davon mal abgesehen, man hat seine Ruhe erst dann, wenn man das Leben insgesamt vermeidet, das weiß ja sogar ich.

Die U-Bahn fuhr ein und spuckte Fahrgäste aus, wie das Meer Plastikflaschen ans Land spült – eine Gruppe bekiffter hippiemäßiger Typen, die wahrscheinlich von einem Rave am Ostbahnhof kamen, ein Punkerpärchen mit Pitbullalbino, zwei Männer mit grauen Nadelstreifenanzügen, Westen und dunkelrosa Seidenkrawatten. Ich sprang in den Zug und setzte mich auf einen freien Platz. Mir gegenüber saß eine kräftige Mittvierzigerin und ein Mädchen mit Haarband. Ich lehnte die Stirn an die kalte Fensterscheibe und steckte eine Hand in die Hosentasche. Mit den Fingerkuppen fuhr ich über die Kanten des Puzzleteils darin. Ich liebte das Gefühl, wie das Stückchen Pappe meine Haut streichelte.

Während die Bahn durch die unterirdischen Tunnel von Berlin schoss, erinnerte ich mich daran, wie ärgerlich Mom war, als sie neulich in mein Zimmer gekommen war und gefragt hatte: »Marc, wäre es nicht besser, du würdest dir ein Hobby zulegen, das deinem Alter angemessen ist?« Ich war gerade dabei, meine Zeit beim Lösen eines gigantischen Puzzles zu stoppen, und war ziemlich unglücklich über ihr plötzliches Erscheinen.

»Manche Leute brauchen eben länger, um erwachsen zu werden. Na, glücklich?«, maulte ich. Typisch Eltern, haben einfach von nichts eine Ahnung.

Es war nämlich so, ich hatte mich vor einigen Wochen – am ersten April – zu einem Puzzle-Turnier angemeldet und seither täglich geübt, denn für mich kam nichts anderes in Frage als der erste Platz, ich schwöre, nichts anderes. Manchmal glaube ich, ich bin nur auf der Welt, um Puzzlechampion zu werden. Ich weiß, das klingt ziemlich dramatisch, aber ich bin überzeugt davon, dass ich hier bin, um etwas

Sinnvolles zu tun, und in meinen Augen sind Puzzles sinnvoll – und Wettbewerbe ja auch.

»Marc, ich bin alles andere als glücklich darüber«, sagte Mom ziemlich außer sich, aber total theatralisch.

Am liebsten hätte ich ihr gesagt, dass ich ihr, wenn sie unglücklich sei, nicht weiterhelfen könne, aber ich wollte nicht grob sein. Ich hätte ihr auch gerne gesagt, sie solle doch bitte stolz auf mich sein, weil ich mich mit dem Puzzle beschäftigte, statt den ganzen Tag zu onanieren oder Pornos zu gucken und in irgendwelchen Stripclubs abzuhängen, aber ich wollte sie nicht schockieren und machte mir außerdem überhaupt nichts aus solchen Sachen.

»Kannst du dir nicht ein geselligeres Hobby aussuchen?«

»Ich bin wohl nicht so der gesellige Typ«, antwortete ich mit gespielter Gelassenheit, obwohl ich kein bisschen gelassen war, eher aufgebracht, ich meine, ich konnte einfach nicht verstehen, warum Mom mich so haben wollte, wie ich nicht war, jemand, der keine Puzzles mochte, gebügelte Hemden trug und BWL studierte.

»Marc, ich bin auf deiner Seite«, sagte sie, bevor sie schließlich ging, aber alles, was ich antworten konnte, war: »Nein, Mom, das bist du nicht!«

Ich stieg aus der U-Bahn aus und rief Tarek an, um ihm zu sagen, dass wir uns vor seinem Haus treffen. Tarek war so ziemlich mein bester Freund in der Internationalen Schule – und außerhalb auch. Sein Vater war der türkische Botschafter und seine Mutter Künstlerin, wahrscheinlich eine von denen, deren Kunst in den piekfeinen Galerien ausgestellt wird, die Mom so liebt. Aber egal. Tarek war stark, ich meine, er hatte praktisch überall Muskeln, das war cool. Er war wie ich ein eingefleischter U-Bahnfan, und wie alle Wissenschaften bestand auch die von der U-Bahn aus Theorie und Praxis. Er war der belesene Theoretiker, ich der fahrende Praktiker. Er war es, der mir beigebracht hatte, dass die Westberliner Züge zu Mauerzeiten nicht in den Ostberliner Bahnhöfen halten durften, dass man deshalb von Geisterbahnhöfen gesprochen hatte, durch die der DDR-Grenzschutz patrouillierte. Schon ihre Namen verrieten uns, wie spärlich beleuchtet und gruselig die Haltestellen gewesen sein mussten. Tarek hatte mir auch erzählt, dass diese Bahnhöfe in den Ostberliner Karten nicht eingezeichnet waren, was mich echt umhaute. Ich meine, wie konnten zwei Teile, die einmal ein Ganzes waren, sich von einem Moment auf den anderen so voneinander entfremden, dass jede Erinnerung an die gemeinsame Geschichte ausgelöscht wurde?

Als ich vor seinem Haus stand, rief ich Tarek an und sagte ihm, er solle jetzt runterkommen. Ich hätte genausogut klingeln können, aber meine Generation tut so was nicht. Als er die Tür öffnete, sagte ich: »Diesen Sommer fliege ich nicht nach New York.«

Tarek trat in einer Pyjamahose und einem neongelben Hoodie auf die Straße und schaute sich suchend um. Ich setzte mich auf die Bordsteinkante und er sich daneben.

»Was ein Mist«, sagte er mitfühlend. Seine Stimme war rau und heiser, als hätte er die Nacht noch nicht ganz hinter sich, als wäre er noch gar nicht richtig wach.

»Ich weiß. Dabei habe ich mich als Achtzehnjähriger ausgegeben und die Teilnahmegebühr schon bezahlt. Immerhin geht es um *Razzle-The-Puzzle*!«

Razzle-The-Puzzle war Teil der weltgrößten Puzzlemesse. Sie fand alle zwei Jahre in Lancaster, Pennsylvania, statt, und ich hatte mir vorgenommen, das diesjährige Puzzleturnier zu gewinnen. Ich schwöre. Da meine Familie ohnehin in New York sein würde, wäre es ein Leichtes, mich für einen Tag abzusetzen, ohne dass es jemand bemerkte. Ich würde allen einfach sagen, dass ich den Tag im Metropolitan Museum verbringen wollte, und dann würde ich entweder den Zug nehmen, der mich zwei Stunden und 36 Minuten später und um 51,99 Dollar ärmer nach Lancaster bringen würde. Oder den Bus, der drei Stunden, 20 Minuten brauchte und 39,25 Dollar kostete. Wie auch immer, ich würde zum Convention Center finden, wo *Razzle-The-Puzzle* im Erdgeschoss der Freedom Hall an Stand B 3 stattfand, und spät am Abend würde ich wieder in New York sein und jedem erzählen, wie schön es im Museum gewesen war. Tut mir leid, dass ich so spät komme, würde ich hinzufügen, aber das Museum ist so enorm groß undoder unübersichtlich, dass ich mich immer wieder verlaufen habe.

Tarek fingerte eine Zigarettenschachtel aus der Hoodietasche, öffnete sie und zog eine Zigarette heraus. Er hielt sie für eine Weile in der Hand, als könnte er so die Zeit anhalten. Dann zog er ein Feuerzeug aus der anderen Tasche, starrte beim Anzünden der Zigarette in die Flamme und nahm einen tiefen Zug. Seine Art, den Qualm einzuatmen, steigerte augenblicklich die Tiefgründigkeit des Moments.

»Mann, du hast dir das schon so lange gewünscht. Du musst da absolut hin.« Er blies den Qualm durch die Nase aus.

»Wahrscheinlich könnte ich mit der Kreditkarte meiner Eltern ein Last-Minute-Flugticket nach New York buchen. Ich meine, bis die was merken, bin ich längst in der Luft und schon so gut wie da. Hölle, sie würden wahrscheinlich zuerst das Geld vermissen und dann mich.« Ich hob einen kleinen Brocken Asphalt von der Straße auf, schmiss ihn in die Luft und schaute zu, wie er auf den Boden fiel. Tarek tat es mir gleich, aber anstatt auf nichts zu zielen, zielte er auf das Stoppschild auf der anderen Straßenseite.

»Klau nicht ihr Geld. Deine Eltern sind in Ordnung«, sagte er und tippte mit dem Mittelfinger auf die Zigarette, bis Asche auf den Gehsteig fiel.

In Wahrheit fühlte ich mich mit meiner Idee schrecklich schlecht. Nicht bloß wegen des – möglicherweise – Stehlens, sondern auch deshalb, weil ich Geld brauchte, um meinen Traum zu erfüllen. »Aber es ist so was wie ein Notfall«, sagte ich und wünschte mir, ich könnte meinen Eltern irgendwie begreiflich machen, wie wichtig mir die Sache war. Doch ich konnte das nicht, denn sie hielten meine Puzzelei für reine Zeitverschwendung, auch wenn ich es besser wusste. Ich wusste, sie lagen so was von total daneben. Manchmal setzen Eltern einfach die falschen Prioritäten. »Wie sonst könnte ich in so kurzer Zeit an die Kohle für ein Ticket kommen?«

Berlin wachte langsam auf. Die wenigen Menschen, die durch die leeren Straßen tapsten, wirkten müde und übervorsichtig, wie Keimlinge, die zum ersten Mal ans Licht kommen. Es war eine außergewöhnliche Stunde, und seltsamerweise hatte ich das Gefühl, dass jede einzelne Minute länger dauerte als sonst. Der Himmel war grau getüncht und die Sonne kam heraus und ließ uns in zartgelbem Morgenlicht baden.

»Von den Airlines stellt dich keine an«, sagte Tarek und schirmte sich mit einer Hand die blinzelnden Augen ab, »aber warum heuerst du nicht einfach auf einem dieser Kreuzfahrtschiffe an? So würdest du nach New York kommen.«

»Du bist genial!« –, ich kreischte – »genial!« – und auf einen Schlag sahen mein Leben und meine Zukunft nicht mehr so düster aus. Ich meine, ich war glücklich, echt glücklich, und höllisch aufgeregt.

»Ich weiß, Mann, ich weiß. Und wenn wir schon bei meiner Brillanz sind, ich habe dir was mitgebracht«, sagte Tarek lässig und überreichte mir ein Miniaturpuzzle. Das Bild auf der Schachtel zeigte eine Frau, die, abgesehen von einem islamischen Kopftuch, nackt war. Total nackt. »Wenn du dich schon mit Puzzles beschäftigst, kannst du gleich das hier nehmen«, sagte Tarek, und wir lachten. Ich weiß nicht, wie ich sein Lachen deuten sollte, aber meines war irgendwie verlegen. »Hör mal«, sagte er, »kannst du mir, wenn du da bist, einen Plan von der New Yorker U-Bahn mitbringen?«

»Klar«, antwortete ich und beobachtete einen alten Mann, der an uns vorbeischlenderte. Er ging so zögerlich, fand ich, wie einer, der sich verlaufen hat, aber dann kam ein jüngerer Mann vorbei, der viel schneller lief und sich dennoch verlaufen zu haben schien. Vermutlich sehen die Leute alle so verloren aus.

»Aber bitte einen historischen«, fuhr Tarek eifrig fort. »Ich möchte sehen, wo die Linien früher verliefen und wie sie sich seither verändert haben. Könntest du mir so einen Plan besorgen?«

»Mach ich, versprochen«. Ich wusste nicht, wozu er einen alten Plan brauchte, ich meine, einen Plan, der zeigte, wie es *früher* war, aber ich habe es jetzt, glaube ich, kapiert: Manche Sachen kann man erst so richtig verstehen, wenn sie nicht mehr da sind.

»Ich habe nachgedacht«, sagte Tarek noch, »wir gehören in einen Film.«

Auf der U-Bahnfahrt nach Hause war ich glücklich und daher dankbar, am Leben zu sein. Ich betrachtete mein Gesicht, das sich im schwarzen Fenster spiegelte und sah, wie es durch die unterirdischen Tunnel glitt, und fragte mich, was die anderen Passagiere wohl über mich dachten. Hielten sie mich für älter? Für cool? Ja, hoffentlich.

Die U-Bahn ratterte und schüttelte mich durch, und aus allen Richtungen kamen die Geräusche – jedes auf einer bestimmten Frequenz, wie von einem eigenen Radiokanal gesendet. Da war der Waggon, der nach brodelndem Wasser klang, und der Fahrtwind, der an den Fenstern rüttelte, und dann noch das schrille Schaben der Geleise. Ein Pärchen stritt lautlos, ein Hund bellte wütend, eine Mutter unterhielt sich mit ihrer Tochter. Ich beobachtete die beiden. Sie trugen jeweils ein rosa Kleid, wenn auch in unterschiedlichen Farbtönen, und das Mädchen legte den Kopf an die Schulter der Mutter. »Ich bringe dich zu meiner Schwester, da kannst du heute und morgen übernachten. Endlich macht Mama Urlaub. Freust du dich nicht für mich?«

»Wie kann ich mich für dich freuen, wenn ich für mich traurig sein muss?«, fragte das Mädchen. Sie war total schlau, ich schwöre.

Ich fühlte mich wie eine Maschine, die Signale sammelt, wie eine Laune der Natur mit hyperausgeprägtem Gehör. Ich hörte einen Mann sagen: »Wenn alle schuld sind, ist keiner schuldig.« Ein uninteressanter Typ Mitte zwanzig, der sich wohl interessant machen wollte. Er lehnte an der Waggontür und redete auf seinen Nebenmann ein, einen genauso uninteressanten Typen, der immerhin nicht an der Illusion zu leiden schien, irgendwann interessant wirken zu können. »Da bin ich mir so sicher, wie Stalin paranoid war«, antwortete er, und der erste Typ fügte hinzu: »Das ist rationaler Egoismus«, und dann lachten beide, als wäre das der witzigste Spruch aller Zeiten, was definitiv nicht stimmte. Auch wenn ich ihn nicht verstand, war ich mir höllisch sicher, dass es nicht der ultrawitzige Spruch war.

Der Zug erreichte die Haltestelle Moritzplatz, und da passierte es. Ich erhaschte mit einem kurzen Blick – **ANGST IST DEINE SCHULD**. Das haute mich um. Aus irgendeinem Grund haute es mich echt um. Ich hatte immer schon mal eine Wand besprayen wollen, aber mir war nie etwas Gescheites eingefallen, ich meine, etwas, das es wert war, mein Erkennungszeichen zu sein. Aber *das hier* erschien mir so überragend wie die ägyptischen Hieroglyphen, der erste Versuch der Menschheit, sprachliche Äußerungen aufzuschreiben.

Berlin war mit Graffiti besprenkelt, aber kein einziges kam so direkt auf den Punkt wie dieses hier. Dieses war anders, es war ehrlich, es tat nicht so als ob, es *war* einfach. Ganz unverfroren stand es da. Die Buchstaben leuchteten wie ein Sternbild, und ich fühlte mich so inspiriert, dass ich gleich wieder an *Razzle-The-Puzzle* denken musste, und auf einmal war mir klar: Der 500-Teile-Einzelwettbewerb war die große Chance, meiner Familie zu beweisen, dass ich der Beste war – in *irgendwas*.

Zuhause

Als ich nach Hause kam, ging ich direkt in die Küche, hoffte, dort jemanden zu treffen, und weil da niemand war, sah ich im Zimmer der Zwillinge nach und dann in Robins. Aber überall war nichts als Dunkelheit und Stille. Ich ging zum Schlafzimmer meiner Eltern und presste mein Ohr an die Tür.

»Ich vertraue von Herzen darauf, dass du die richtige Lösung finden wirst«, hörte ich Mom flüstern. Ihre Morgenstimme klang ganz friedlich, und ihre Worte waren offenbar für Dad – und Dad allein – bestimmt.

Es wäre wahrscheinlich das Beste, mich einfach wegzuschleichen, dachte ich, dann wiederum wäre es vielleicht *noch* besser, das Ohr an die Tür zu halten und wirklich angestrengt zu lauschen. Ich meine, am Ende würde ich vielleicht irgendein gigantisches Geheimnis erfahren, und schließlich weiß jeder, dass es bei Geheimnissen auf die Größe ankommt. Je größer, umso besser, umso wichtiger kommt man sich vor, umso mehr Macht hat man, umso wichtiger ist man.

»*Babe*, wie lieb von dir, das zu sagen«, meinte Dad und er klang dabei so niedergeschlagen, dass ich seine Stimme kaum erkannte. »Ich bin mir nur leider nicht sicher, ob das stimmt, nicht dieses Mal …« Und dann war nichts mehr zu hören als ein ausgedehntes ödes Schweigen.

Ich ging zurück in die Küche, setzte mich an den Esstisch und wartete auf die anderen. Währenddessen *hörte* ich schon den donnernden Applaus der Puzzlefans, den ich bekäme, wenn ich den ersten Preis entgegennähme. Ich meine, ich *sah* mich wirklich schon da oben auf der Bühne, ich verbeugte mich mit dem Pokal in der Hand, vielleicht würde ich sogar in einen verrückten Tanz verfallen, einfach nur so. Ich würde tanzen, als schaute keiner zu, außer dass jeder zuschaute. Vielleicht würde ich sogar einen Stagedive wagen. Aber egal. Ich hörte leises Barfußgetrappel hinter mir. Ich drehte mich nicht um, sondern wartete, bis kleine Finger sich in meine Seiten bohrten, um mich zu kitzeln – begleitet von einem gackernden »Nieheheheheh« – Michelles und Nathalies Lachen. Ich wand mich von ihren Fingern weg und packte ihre Hände. Ich hielt Michelle mit rechts und Nathalie mit links und rief grimmig: »*Muahaha*. Ihr seid meine Gefangenen. Ergebt ihr euch?«

»Niemals«, schrien sie wie aus einem Mund, und Michelle kreischte noch ein höllisch lautes »nie!« hinterher. Auf einmal hatte ich Dads prickelnd-holziges Aftershave in der Nase und merkte, dass er direkt hinter uns stand.

»Das einzige Zahlungsmittel, das ich akzeptiere, ist *Hanuta*. Nur damit könnt ihr euch freikaufen«, rief ich so theatralisch wie möglich. Ich weiß auch nicht, warum ich nicht nach was Besserem verlangte, ich fand diese Schokoladen-Haselnuss-Mischung nicht mal lecker.

»Wir haben kein Hanuta«, sagte Michelle enttäuscht, während Nathalie schrie: »Wie wäre es, wenn wir dir stattdessen zehn Küsse geben?«

»Zehn ist sehr viel!«, rief Michelle.

»Prima«, sagte ich und fügte ein piratenhaft-knisterndes »Yarrrrgh« hinzu. Ich war schon 16 und sollte eigentlich nicht so kindisch sein, das war mir klar, aber ich liebte es, mit den Zwillingen zu spielen, und ich war mir sicher, dass sie es sogar noch mehr liebten. Mindestens sind sie genauso, wie kleine Schwestern zu sein haben, dachte ich, und ich bin der große Bruder, so wie er sein soll.

Dad setzte sich, stützte die Ellenbogen auf die gläserne Tischplatte und stieß eine Mischung aus Lachen und Seufzen aus. Dann lächelte er über das ganze Gesicht, und eine Träne kullerte ihm über die Wange, winzig klein wie ein Sesamsamen. Ich schwöre, so war es. Das war höllisch seltsam, ich meine, ich hatte Dad noch nie weinen sehen. Irgendwas muss mit ihm geschehen sein. Nathalie gab mir schnell ein, zwei, drei, vier, fünf flüchtige, schmatzende Küsschen und fragte: »Genug?«

»Netter Versuch, aber nein«, sagte ich, gerade als Mom in die Küche kam und Dad ihre Lippen auf die Stirn drückte, wobei ihre Lippen viel länger an seiner Haut blieben, als beim Küssen – oder was man Küssen nennt – nötig ist. In diesen Momenten schloss Dad die Augen. Dann nahm Mom die Kaffeemühle heraus, holte das Glas mit den Kaffeebohnen und stellte alles auf die Arbeitsplatte. Sie schüttete Kaffeebohnen in die Mühle, schaltete das Gerät ein und ließ mit dem Krachen und Splittern der Bohnen verlauten, dass der Morgen nun offiziell angefangen hatte.

»Könnte ich auch einen Kaffee haben?«, fragte ich, während Michelle es Nathalie gleichtat und mir – eins, zwei, drei, vier – noch verhuschtere Küsschen gab.

»Bist du sicher?«, fragte Mom über den Krach der Kaffeemühle hinweg.

Ich stellte mir den Weg der Bohnen vor, die so weit gereist waren – aus Kolumbien und Äthiopien und Indonesien – ,und alle Stationen, die sie unterwegs passiert hatten, bis sie schließlich unser Zuhause am Kollwitzplatz erreichten. Natürlich musste ich auch an den ausgekackten Kaffee denken. *Kopi Luwak*, meine ich. Asiatische Schleichkatzen fressen Kaffeefrüchte, die durch ihren Magen- und Darmtrakt wandern und hinten als die so ziemlich teuerste Kaffeesorte der Welt wieder rauskommen. Kack-Kaffee. Das hat mich echt gekillt. Aber egal. Nathalie gab mir Kuss Nummer sieben, acht, neun, zehn – »fertig« – und dann kam Michelle. »Auch fertig«, schrie sie genau in dem Moment, als die Kaffeemühle verstummte, sodass die folgende Stille besonders bemerkbar war. Ich ließ Michelles und Nathalies Hände los. »War mir ein Vergnügen, mit Ihnen Geschäfte zu machen«, sagte ich und zwinkerte übertrieben. So sehr ich auch erwachsen sein will, macht es doch unheimlich Spaß, Kind zu spielen.

Die Zwillinge rannten davon und verwandelten eine Ecke des Esstisches in eine Bastelwerkstatt. Mom reichte mir eine

Tasse und sagte: »Heute sind die brasilianischen Bohnen dran.«

Ich wiegte die Tasse mit beiden Händen, hielt die Nase darüber und erschnüffelte das erwartete Nussaroma. Dann löffelte ich Zucker hinein, denn obwohl ich den Geruch liebte, konnte ich den Geschmack von Kaffee kaum ertragen. Er war höllisch bitter.

»Marc, du ruinierst den Kaffee mit all diesem Zucker«, sagte Dad.

Ich kippte noch einen Löffel hinterher und nippte. Es schmeckte furchtbar. Ich muss das Gesicht verzogen haben, schätze ich, denn Dad fügte eilig hinzu: »Keine Sorge. Eines Tages wirst du ihn lieben.« Aber darauf warte ich schon seit Ewigkeiten, dachte ich, und dann fiel mir plötzlich Voltaire ein, dieser französische Kerl, der angeblich siebzig Tassen Kaffee am Tag getrunken hat, ich meine, das ist verteufelt viel Bitterkeit für ein einziges Leben.

»Das wird noch. Irgendwann kommst du auf den Geschmack. Das verspreche ich dir«, sagte Dad beruhigend, als hätte er gemerkt, wie enttäuscht ich von mir war, und als wollte er den schmerzlichen Nachgeschmack meiner Enttäuschung lindern.

Ich blickte ihn und auch Mom mit großen Augen an und fragte: »Darf ich allein nach New York?« – aber keiner der beiden antwortete mir. Sie ignorierten meine Frage, was so ziemlich das Schlimmste ist, was einem angetan werden kann. »Dad, ich möchte unbedingt zu deinen Eltern. Darf ich Omi und Opi denn nicht alleine besuchen?«

»Das ist keine gute Idee.« Dad trank noch einen Schluck, bevor er langsam seine Tasse absetzte – nicht auf die Untertasse, die auf einem Fußballplatz-Set stand, sondern auf die *International Herald Tribune.*

»Ich weiß, dass das keine *gute* Idee ist, Dad, sie ist *ausgezeichnet«,* rief ich und schwang mich auf einen der Barhocker am Küchentresen.

Dad hob erneut die Tasse an, die jetzt einen Dreiviertelring aus braunem Kaffee auf der Zeitung hinterließ. Es sah hübscher aus als Tinte auf Leinwand.

»Marc, würdest du bitte gerade sitzen?«, sagte Mom. »Und wann willst du den Saustall in deinem Zimmer beseitigen?«

»Mein Zimmer ist kein Saustall. Ich hab alles auf dem Schirm.«

»Marc, schau«, sagte Dad, »deine Großeltern haben im Moment andere Sorgen. Sie wären gar nicht in der Lage, richtig auf dich aufzupassen.«

»Dann lenke ich sie von ihren Sorgen ab, und außerdem kann ich gut auf mich selber aufpassen.«

»Es ist komplizierter, als du denkst«, sagte Dad und warf sich eine Cashewnuss in den Mund. »Der Zeitpunkt ist ungünstig.«

»Was ist an dem Zeitpunkt nicht in Ordnung, und warum sagt ihr mir nie etwas?«, fragte ich, als mir in den Sinn kam, dass *dies* mit dem Geheimnis von heute Morgen zu tun hatte und vielleicht sogar mit der winzigen Träne, die Dad eben vergossen hatte.

Die Zwillinge saßen hinter ihren Materialbergen – einem aus Perlen unterschiedlicher Größe, einem aus verschieden geformten Stickern, einem aus stern- und schneeflockenförmigem Konfetti in den Regenbogenfarben. Sie verstreuten glitzerndes Zeug auf Karten, die sie anschließend mit neonfarbenen Buntstiften bemalten.

»Also schön. Ich werde darüber nachdenken. Aber wenn überhaupt, wirst du zusammen mit Robin fliegen.«

»Ich BRAUCHE keinen Babysitter.«

»Verdreh nicht die Augen, Marc«, sagte Mom mit einem milden Lächeln, »sonst bleiben sie noch stehen, pass auf.« Und dann sagte sie noch etwas: »Ich weiß, dass Robin dich manchmal auf die Palme bringt, Marc. So ist das unter Geschwistern. Sie zwingen uns ein Verhalten auf, das wir längst schon überwunden glaubten.« Mom lächelte mich so zärtlich an, wie sie sonst nur Robin anlächelte, und fügte hinzu: »Wie kommt es eigentlich, dass du mir kaum noch etwas erzählst?« – und genau in dem Moment tauchte Robin in der Küche auf und versetzte mir einen harten Stoß gegen die Brust, so dass ich grantig davon marschierte, in mein Zimmer ging und mir dabei dachte, dass Robin genau der Typ ist, der seine Geschwister für immer und ewig quält. Wird denn aus einer schlechten Angewohnheit nicht immer ein Suchtverhalten? Als ich in meinem Zimmer war, knallte ich die Tür zu, damit jeder es kapierte: Ich kochte vor Wut.

Nahaufnahme

Ich lag flach auf dem Bett und starrte an die Decke, und dann passierte *es*.

Ich sah meinen Kopf in Nahaufnahme. Ich sah, wie mein Hals anschwoll und weiter anschwoll und wie mein Mund aufriss, weit und weiter, viel weiter, als ich es in Wirklichkeit konnte, beinahe rissen meine Mundwinkel ein, und Bohnen kamen heraus, geröstete Kaffeebohnen. Zuerst eine, dann mehrere, und zum Schluss strömten sie durch meinen dicken Hals und spritzten aus mir raus, immer schneller und druckvoller, bis sich ringsum Haufen bildeten und ich mich nicht mehr bewegen konnte – ich war besiegt, unter Bohnenbergen begraben –, und die Bohnen strömten immer weiter aus mir raus, in den Flur und die ganze Wohnung. Geröstete Kaffeebohnen, wohin man sah. Der Pegel stieg und stieg, der Kaffee schwappte aus unserer Wohnung auf die Straße, so schnell und wuchtig, dass er alles aus dem Weg fegte – parkende Autos, Fahrräder, Laternenpfähle. Er wälzte sich durch Berlin, floss in die U-Bahntunnel, überflutete die Stadt, zerstörte alles wie eine wütende Naturgewalt.

Eine schrecklich-schöne Vision war das. Eine Rückblende oder Halluzination, eine Erinnerung an einen Traum oder eine Voraussage der Zukunft. Vor allem fühlte sie sich an wie ein Zeichen, ich schwöre.

Als ich mich wieder gefangen hatte, rief ich bei der *Hamburg-Atlantic III* an. »Ich möchte auf Ihrem Kreuzfahrtschiff arbeiten«, verkündete ich, sobald jemand den Hörer am anderen Ende der Leitung abgenommen hatte.

»Vielen Dank für Ihr Interesse, aber wir stellen derzeit nicht ein«, sagte eine Frau.

»Ich arbeite gratis«, antwortete ich mit hyperfreundlicher Erwachsenenstimme.

»In dem Fall haben wir definitiv noch weniger Interesse.« In der Stimme der Frau schwang ein Hauch von Bosheit mit, was ich gar nicht mochte, also sagte ich nicht »auf Wiederhören« oder »danke« oder »wenn Sie unbedingt wollen, arbeite ich für Geld«, nein, ich legte einfach auf und rief Peter's Traumlinie an.

»Perfektes Timing«, sagte eine junge Frau, »wir sind auf der Suche nach einem Kabinensteward und einer Aushilfe im Verkauf – für den Geschenke-Shop. Der Steward ist für die Sauberkeit und Ausstattung der Passagierkabinen zuständig«, erklärte sie sanft, »und die Aushilfe im Verkauf muss Andenken verkaufen, die Auslage gestalten, Zahlungen entgegennehmen und Ware auffüllen.« Die Stimme der Frau verriet mir, dass sie nicht besonders attraktiv war, aber auch nicht unattraktiv – sie sah ganz hübsch aus. Sie war nicht besonders verkopft, nicht besonders selbstbewusst oder extrovertiert, man konnte hören, dass sie in so ziemlich allem Durchschnitt war und nicht einmal so tun wollte, als wäre sie anders. Sie gefiel mir. Ich würde sie flachlegen.

»Ich wäre für beide Stellen geeignet, im Ernst.«

»Sie klingen recht jung. Darf ich fragen, wie alt Sie sind?«

»Ich bin achtzehn und habe vor zwei Jahren Abitur gemacht. Ich bin hochbegabt.«

»Wie schön für Sie«, sagte sie, und ich glaube, sie meinte es auch so. »Gut«, fügte sie hinzu, »warum füllen Sie dann nicht unseren Online-Bewerbungsbogen aus?«

»Okay.«

»Bitte schicken Sie uns den Bogen zusammen mit einem Empfehlungsschreiben Ihres früheren Arbeitgebers.«

»Okay«, sagte ich noch einmal, auch wenn ich das unmöglich tun konnte. Ja, natürlich hatte ich schon mal gearbeitet – als Aushilfe im Supermarkt, ich hatte sogar eine eigene Preisschildpistole, echt cool, und als Müllsammler im Park und einmal sogar im Pergamonmuseum als derjenige, der die Gäste zu begrüßen hatte. Ich war aber ein grottenschlechter Begrüßer gewesen, hauptsächlich weil ich zu faul war, irgendwen zu begrüßen. Um die Wahrheit zu sagen: Ich habe in keinem der genannten Jobs länger als zwei Wochen durchgehalten.

»Wir brauchen auch eine Kopie Ihres Reisepasses«, fuhr die Frau am Telefon fort, also bedankte ich mich und marschierte wild entschlossen in die Küche zurück, wo es nach warmen Brötchen roch und meine Familie glücklich beisammensaß. Anscheinend vermissten sie mich kein bisschen, ich war hier nicht einmal besonders willkommen, was irgendwie ein mieses Gefühl war.

»Dad, liegt mein Impfpass im Safe?«, fragte ich mürrisch.

Dad ließ sein Besteck sinken, und ein aufgespießtes Kiwistück fiel auf seinen Teller zurück. »Ja, warum?«

»Kann ich ihn bitte haben? Darf ich ihn mir holen? Wie lautet der Code?« Ich weiß nicht, warum ich nicht gleich nach dem Reisepass gefragt habe, wahrscheinlich fand ich es unverdächtiger, zuerst nach dem Impfpass zu fragen, der mir ebenfalls Zugang zum Safe meiner Eltern verschaffen würde.

»Mein kleiner Astronaut, hast du denn einen Arzttermin?«, fragte Mom besorgt, als hätte sie gerade erfahren, dass ich an einer seltenen Krankheit litt, und so fing ich an, mich wie verrückt an Gesicht und Hals zu kratzen, ich meine, ich tat so, als würde es mich überall jucken, und um den dramatischen Effekt zu steigern, legte ich noch ein paar Kopfzuckungen obendrauf. »Ich glaube, ich werde senil«, sagte Mom. Es machte mich fertig, dass sie ständig irgendwelche

Alterserscheinungen an sich beobachtete, bloß weil sie mit einem älteren Mann verheiratet war.

»Weißt du«, fuhr sie nachdenklich fort und sah dabei Dad an, nicht mich, »in Wahrheit sind Beziehungsstrukturen unsichtbar. Beziehungen sind wie Spinnweben. Man kann immer nur einzelne Fäden, die Spinnenseide, aus einem bestimmten Winkel in einem bestimmten Licht erkennen.« Ich verstand nicht, wovon sie da zum Teufel redete, aber ich nickte ihr nett zu.

»Hast du nachher schon was vor?«, fragte Robin. Ich stellte mich an den Küchentresen, nahm mir eine Erdbeere und schenkte mir ein Glas Orangensaft ein. »Marc, ich rede mit dir.«

»Was?« Hatte Robin tatsächlich meine Existenz wahrgenommen? »Was?«

»Hast du für nachher schon was vor?«

»Ich muss zu einem Meeting von Occupy Berlin.«

»Kapitalismus, Kapitalismus, Kapitalismus. Das ist kein Schimpfwort, weißt du«, sagte Dad. »Du wirst es verstehen, wenn du älter bist und dein eigenes Geld verdienst. Dann wirst du es mit so wenigen Menschen wie möglich teilen wollen. Es stimmt, Geld regiert die Welt.«

»Ja, schon, die Schwerkraft«, sagte ich und konzentrierte mich auf Robins schadenfrohes Grinsen. »Warum fragst du?«

»Ich dachte nur, vielleicht hilfst du mir, Lebensmittel fürs Obdachlosenheim zu sammeln?«

In Wahrheit war Robin, wenn man von allem anderen absah, irgendwie ein guter Typ, denn er war hilfsbereit und setzte sich für andere ein, das war ihm echt wichtig. Ich meine, er tat das nicht nur, um sich beliebt zu machen oder um mit sich selbst zufrieden zu sein. Trotzdem war ich schlau genug zu wissen, dass er nicht einfach bloß nett sein wollte, und so beschloss ich, mich taub zu stellen oder so ähnlich, nur um ihn abzuwimmeln, aber dann mischte Mom sich ein und sagte: »Wer gibt und anderen hilft, lebt länger und glücklicher.«

Ist ja nicht so, dass ich so viel länger leben möchte, dachte ich, mir würde es schon reichen, endlich mal überhaupt zu *leben*.

»Marc«, sagte Dad, »ich bringe dir deinen Impfpass.« Er stand auf, und ich sprang an die Tür. »Ich kann ihn mir selber holen, du musst meinetwegen nicht ins Schlafzimmer, wie ist der Code?«

»Keine Ursache«, sagte Dad liebevoll, als kümmerte er sich total um mich.

»Nein, echt, Dad, *ich* hole ihn mir selbst.«

»Marc, ich mag alt sein, aber ich bin nicht zu alt, um meinem lieben Sohn etwas aus dem Schlafzimmer zu bringen.«

Na toll, dachte ich, jetzt bin ich keinen Schritt weiter.

Sterben

Ich suchte nach Teilchen der dunkelblauen Nord-Süd-Linie U8 und der leuchtend grünen, kürzeren Ost-West-Linie U1, und wann immer ich eins gefunden hatte, legte ich es an und lauschte auf das zarte Geräusch der einrastenden Teile. Es war, als käme alles Schöne dieser Welt in diesem einen Geräusch zusammen, ja wirklich.

Das U-Bahn-Puzzle lag halbfertig auf dem Boden in einer Ecke meines Zimmers, und wann immer ich daran arbeitete, hatte ich das Gefühl, mein Ziel gefunden und dabei den ganzen Schwung der Evolution im Rücken zu haben – so ähnlich wie vielleicht eine Bakterie, die in einer Petrischale Kolonien bildet. Ein Puzzle zusammenzusetzen, ist eine gute Übung fürs spätere Leben, ich schwöre. Ich genoss es zu wissen, dass jedes Teilchen einen festen Platz hatte, ich genoss die Herausforderung und das Rätsel und auch den Umstand, dass man sich kein Gesamtbild machen konnte, bis alle Teilchen an ihrem Platz lagen – und wenn auch nur ein einziges fehlte, blieb das Bild unvollständig und die Geschichte offen.

»Machst du schon wieder so ein doofes Puzzle? Wie öde«, lästerte Robin, der plötzlich in der Tür stand.

»Du bist öde, und was machst du überhaupt in meinem Zimmer?«, rief ich, aber ihm war es egal, er kam einfach immer näher, er trat sogar auf einen Haufen weißer Puzzleteile, die ich aussortiert hatte, und murmelte: »Ups, sorry.«

»Ja, klar.«

»Du bist so ein Idiot.«

Nein, bin ich nicht, ich meine, kann sein, vielleicht, aber eigentlich bin ich keiner – dachte ich und merkte, wie gefährlich es war, sich mit den Augen seines Bruders zu sehen. »Wenn überhaupt, Robin, bin ich ein Fachidiot«, sagte ich und bereute es noch in derselben Sekunde, ich meine, es war ja fast so, als hätte ich Robin persönlich die Munition überreicht, mit der er mich umlegen würde.

»Ach, Marc, dein Hobby ist einfach öde«, sagte er und verließ mein Zimmer, und ich rief ihm nach: »Meine Puzzles sind kein Hobby, sie sind das Ergebnis von Arbeit und

Liebe«, und im selben Moment platzte ein unangenehmer Wunsch in meine Gedanken hinein, wie ein Himmelskörper auf der Erdoberfläche einschlägt: Komm schon, Robin, du bist der Ältere, kannst du nicht einfach sterben? Ich rannte zur Tür – ich war mir sicher, in der Hölle ist eine Extra-Abteilung reserviert für Leute, die, wenn sie mein Zimmer verlassen, die Tür nicht hinter sich schließen –, knallte sie zu, warf mich aufs Bett und fühlte, wie die Traurigkeit durch meine Knochen und in alle meine Zellen kroch. Es lief mir kalt den Rücken herunter. Ich war höllisch beschämt, dass Robin so eine Macht über mich hatte, aber so war es nun mal. Etwas daran, nicht mehr den großen Bruder von früher zu haben, gab mir das Gefühl, *ganz allein auf der Welt* zu sein.

Ich vergrub mein Gesicht in den Kissen und dachte an bessere Zeiten, an Zeiten, in denen ich noch überzeugt war, dass man niemandem näher stehen kann als den eigenen Geschwistern, weil sie diejenigen sind, die dich am besten kennen – sie wissen, wer du zu werden wünschst, wer du Angst hast zu werden und wer du dringlich werden willst –, und da ging mir auf, dass wir aus Erinnerungen bestehen, ich meine, ja wir sind aus Knochen und Muskeln und auch aus Schleim und so, aber innen sind wir aus Erinnerungen gemacht, und jede Erinnerung ist wie ein einzelnes Teil im Puzzle deines Lebens.

Es gibt einen Tag, den ich nie vergessen werde. Es war vor vielen Jahren, als wir noch in Charlottenburg wohnten und Mom es noch nicht geschafft hatte, Dad zum Umzug in den

Prenzlauer Berg zu überreden, der, wie sie begeistert behauptete, einfach der angesagteste Berliner Stadtteil war.

Damals teilten Robin und ich uns ein Zimmer, und an dem Tag wachten wir so früh auf, dass es draußen noch nicht mal hell war. Weder die Sonne noch die Vögel waren auf, selbst die Müllwagen schliefen noch tief und fest und schnarchten wahrscheinlich. Draußen war es so dunkel, dass sogar die Luft, die ins Zimmer wehte, noch ganz schwarz war und nach einem frühen Sommerende und nach dem ersten Herbstregen roch. An dem Morgen hatte ich ein Kribbeln im Magen, weil ich wusste, dass der Tag ganz besonders werden würde. Manchmal weiß man es einfach. Und manchmal sagt es dir dein Dad: »Morgen wird ein ganz besonderer Tag für uns.«

Ich lag hellwach im Bett. Ich wälzte mich nach links, klammerte mich am Geländer unseres Stockbetts fest, beugte mich über die Kante und schaute zu Robin hinunter. Da er der Ältere war, hatte er sich ein Bett aussuchen dürfen und glücklicherweise das untere gewählt. Ich fragte mich immer wieder, wie man so eine falsche Wahl treffen konnte, aber ich kam nie auf die Antwort. Manchmal ergab die Welt keinen Sinn.

»Guten Morgen«, flüsterte ich Robin zu, der komisch verkehrt herum aussah. Seine Augen waren weit aufgerissen, und er starrte ausdruckslos in die Luft.

»*Buenos dias, Señor Marc*«, antwortete er.

»*Bünnossdees*?«, wiederholte ich. Robins Pyjama passte farblich zum Bettbezug, und er sah aus wie ein Baum mitten im Regenwald.

»Das bedeutet ›guten Morgen‹ auf Spanisch.« Er grinste mich an.

Ich kicherte und schloss schnell meinen Mund, um Robin nicht versehentlich anzusabbern.

»Siehst du, Marc, es ist besser, älter zu sein. Dann weiß man mehr.«

Zu jener Zeit debattierten Robin und ich andauernd darüber, was besser sei: älter zu sein oder jünger. Es war eine philosophische Diskussion, die ich immer mit derselben Floskel beendete. Es war wie ein Fazit, eine Pointe, es wurde *unser* Satz, der, kaum hatte ich ihn gesagt, die Diskussion zumindest vorläufig abschloss: »ABER es ist nicht so gut, älter zu sein, denn dann STIRBT man als erster«, erklärte ich voller Inbrunst, und Robin und ich fingen an zu lachen. Robin hatte ein ansteckendes Lachen, das zu meinen drei Lieblingsgeräuschen auf der Welt zählte – neben platzendem Popcorn und zwei sanft einrastenden Puzzleteilen. Wobei ich zugeben muss, dass die Puzzleteile meine Nummer-eins-Melodie waren.

Als unser Wecker piepte, kletterte ich vorsichtig die Leiter runter, um nicht an den langen Beinen meiner Pyjamahose – zu lang, weil ich sie von Robin geerbt hatte – hängen zu bleiben.

An jenem Morgen kamen unsere Eltern anders als üblich nicht ins Kinderzimmer, also folgte ich Robin ins Bad, und weil er sich die Zähne putzte, putzte ich sie auch. Ich stand auf einem Hocker, um mein Gesicht im Spiegel über dem Waschbecken sehen zu können, hatte aber nur Augen für Robin – sein ovales Gesicht, die dunklen Knopfaugen. Robins gespiegelte Augen musterten mich – das herzförmige Gesicht, die gleichen dunklen Knopfaugen.

Dad kam ins Bad und stellte sich hinter uns, und Robin und ich drehten uns zu ihm um. Lächelnd sagte er: »Ratet mal?«, und Robin kreischte: »Ich weiß es!«, und ich fragte laut: »Was denn?«, aber Dad ignorierte meine Frage, drehte sich zu Robin um und sagte: »Du weißt es?«, und Robin rief stolz: »Ja!«, und Dad umarmte ihn mit gigantisch-enormer Kraft, indem er seine muskulösen Arme um Robins Körper schlang, und ich fragte immer wieder dazwischen: »Was ist denn?«, weil ich den Zusammenhang zwischen Schwangerschaft, Geburt, Babys und allem Drumherum noch nicht kapiert hatte. »WAAAS?«, schrie ich, aber die beiden übersahen mich, und deshalb schleuderte ich meine Zahnbürste mit aller Kraft ins Waschbecken – sie prallte ab wie ein Tennisball und flog aus dem Becken heraus – und hüpfte von meinem Hocker runter, den Mund voll Zahnpastaschaum, als Dad endlich seinen langen Arm nach mir ausstreckte. Als auch ich in seinen Armen lag, sagte er: »Ihr habt Zwillingsschwestern bekommen. Zwei winzig kleine Mädchen«, und ich war so glücklich, dass ich Dad mit meinem Zahnpastamund auf die Stirn küsste.

Robin sah mich herausfordernd an und sagte: »Siehst du, wenn man älter ist, weiß man einfach mehr«. Ich runzelte kurz die Stirn und stichelte zurück, indem ich feststellte: »Ja, aber dafür STIRBST du zuerst.«

Kaum eine Stunde später besuchten wir Mom im Krankenhaus Waldfriede. Ich sah Michelle und Nathalie zum ersten Mal, sie lagen hinter einer Glasscheibe. Rote Gesichter und winzige Körper, in rosa Decken eingewickelt. Sie sahen klein und zusammengedrückt aus, und ich wollte sie sofort kennenlernen. Ich wollte, dass sie mich kennenlernten. Selbst, wenn ich eines Tages alles vergesse, alles, alles, alles, wenn ich an Demenz leide, dachte ich, werde ich mich an diesen Augenblick immer erinnern, weil ich soeben zwei zusätzliche Robins geschenkt bekommen habe.

Ein paar Tage später saß ich auf dem Boden meines Kinderzimmers und träumte mit offenen Augen von meinem ersten Schultag, der kurz bevorstand. Ich blätterte in den noch unbeschriebenen Heften, inspizierte meine neue Buntstiftsammlung, schnüffelte an meinem Radiergummi, der wie ein Hamburger aussah, zählte die Wachsmalstifte in ihrer Dose und probierte die blaue Bastelschere aus, als Mom den Kopf zur Tür reinsteckte und rief: »Ich muss los. Zum Friseur.«

»Tschüss«, rief ich, »bye-bye«, und hörte ihre Absätze durch den Flur klackern und die Tür zufallen, und dann erst hob ich den Kopf und entdeckte Robin auf der Schwelle.

»Mom geht zum Friseur«, sagte er, »möchtest du auch einen Haarschnitt?«

»Was?«, fragte ich. Robin kam näher. Er setzte sich im Schneidersitz neben mich, tippte auf meine noch unbeschriebenen Schulhefte, als wären es Synthesizertasten, und fragte: »Willst du einen neuen Haarschnitt?«

»Klar! Wieso nicht?«

»Dann rufen wir den Friseur an«, sagte Robin und drückte den rechten Zeigefinger in die linke Handfläche, »und bitten ihn, vorbeizukommen.«

»Ja!«, rief ich ganz aufgeregt.

Robin sprang auf und breitete die Arme aus, als würde er einen Magier auf der Bühne vorstellen – »Hokuspokus!«

»Was?«

»Ich bin der Friseur.«

»Aber – du bist acht!«

»Na und?«

»O-kay.«

Robin und ich blickten einander in die gleich runden, gleich dunklen Augen. Wir wussten beide, dass das, was wir vorhatten, verboten war, aber uns kümmerte das nicht weiter. Ich vertraute ihm, er war mein großer Bruder, und ich fühlte mich sicher mit ihm.

Robin schob seine Finger zwischen meine und führte mich ins Badezimmer. Er nahm mich bei den Schultern und stellte mich auf den Hocker, ließ mich stehen und eilte wieder hinaus. Ich betrachtete mich im Spiegel – durch meine dunklen Pupillen nahm ich meine geröteten Wangen und den schmächtigen Körper wahr. Ich sprang auf und ab und schüttelte den Kopf nach links und rechts, sodass meine Haare flogen. Dann griff ich zu einer Bürste, nahm sie in meine rechte Hand, hielt sie mir wie ein Mikrofon vor den Mund und sang *Funkytown*. Der Song war aus einer Zeit, als ich noch nicht geboren war, aber ich hatte gehört, wie Mom ihn gesungen hat, und so hatte er sich mir ins Gedächtnis eingeprägt – *Won't you take me to, Funkytown.*

Robin kam zurück, hielt meine blaue Bastelschere in der Hand und sagte: »*All right*.«

»*All right*!«, wiederholte ich.

»Halt still, Marc.«

Das tat ich auch. Ich hielt absolut still, so wie Robin es angeordnet hatte.

Weil ich auf dem Hocker stand, waren Robin und ich gleich groß, worauf ich furchtbar stolz war. Mein Spiegelbild lächelte mich an, und ich lächelte zurück, wobei ich hauptsächlich auf meine fehlenden Schneidezähne achtete. Und dann fing Robin ohne jede weitere Vorwarnung zu schneiden an. Ich hörte die Schere knirschen – schnipp, schnapp, schwupp, ab –, es klang so friedlich wie Schnee, der auf eine Wiese fällt.

Robin hielt inne, musterte mich und stellte fest: »Sehr gut, das ist gut«, und dann machte er noch einmal eine Runde um mich rum, bis er vor mir stand und mir die Sicht auf den Spiegel und mein sich verwandelndes Ich versperrte. Ich senkte den Kopf. Der Badezimmerfußboden war unter einem Teppich aus blonden Haaren verschwunden. Robin kämmte meine Haare nach vorne und packte sie büschelweise. Er zog leicht an den Haarspitzen und schnitt, bis ich das Ziehen plötzlich nicht mehr spürte. Ich sah nur Robins Hand, die sich nun wieder seinem Körper näherte und in der meine Haare lagen. Meine Augen suchten den Spiegel – ich hatte einige fast kahle Stellen am Kopf. Überall. Sie gefielen mir. Sehr gut sogar. Und so lächelte ich mich zufrieden an, mit meinen fehlenden Schneidezähnen und einer Frisur, die an einen deformierten Pilz erinnerte.

»Perfekt! Jetzt siehst du nicht mehr aus wie ein kleiner Junge, sondern wie ein richtiger Mann«, rief Robin, und ich schrie: »Oh JA. COOL!«

Am nächsten Tag versuchte Mom, mich zu ihrem Friseur zu schleppen, aber ich weigerte mich. Sie und Dad waren nicht böse, weder auf Robin noch auf mich, aber genauso wenig konnten sie verstehen, warum ich mit so einer, wie sie es nannten, schrecklichen und abscheulichen Frisur rumlaufen wollte. Aber ich wusste es besser. Meine Frisur war fantastisch originell. Ich hätte nicht stolzer sein können, mein erstes Schuljahr mit dem neuen Haarschnitt zu beginnen, den *mein* großer Bruder mir verpasst hatte.

NEW YORK, NY, USA

6

Also. Also, wo habe ich einen Fehler gemacht? Diese ungeduldige Frage konnte es nicht erwarten, mich zu wecken, genau wie ein Neugeborenes seine Mutter. Seine einzige Nahrungsquelle. Die Uhr neben meinem Bett zeigte 2:14 nachts an. Also, wo habe ich einen Fehler gemacht? Die Frage ließ mich nicht wieder einschlafen. Sie klopfte mir an den Kopf, wie ein Arzt an das Knie klopft, um eine Reaktion zu bekommen. Ich sah zu Dora hinüber. Sie schien zu schlafen. Aber ich war mir nicht sicher. Sie war still. Machte kein einziges Geräusch.

Verschiedene Antworten auf diese Frage drehten sich in meinem Kopf, wirbelten durcheinander wie Bohnen in der Rösttrommel. Ich habe es ihnen zu leicht gemacht, aber sollte das alles andere als ein Segen gewesen sein? Sie haben alles für selbstverständlich genommen, aber warum hätte ich ihnen auch nicht geben sollen, was ich geben konnte? Ich habe sie verwöhnt, aber ist das nicht ein Zeichen von Wohlstand? Schließlich war der einzige Grund, *haben* zu wollen, der, geben zu können. Damit sich keiner je sorgen müsste.

Die Antworten veränderten sich ständig, aber die Frage blieb dieselbe – wo habe ich einen Fehler gemacht? Sie haben einander nie vertraut, sich nie respektiert, jeder war auf den anderen neidisch – aber warum? Mich haben sie nie respektiert. Wie konnten sie mich nicht respektieren? Die Antwort, die auf eines meiner Kinder zutraf, traf auf die anderen nicht zu. Als der Morgen seine ersten Zeichen zeigte, ließ mich die Frage noch immer nicht los. Sie klebte an mir wie mein eigenes Fleisch.

Ein Monat war vergangen seit unserem Geburtstags-Geschäftstermin. Seit meiner Mitteilung. Seit meine Kinder mit dem Streit begonnen haben. Eine Zeit, die normalerweise verflogen wäre wie ein einziger Herzschlag und die sich stattdessen hinzog wie die Genesung nach einer Bypass-Operation. Wenigstens bin ich gesund, tröstete ich mich. Und vielleicht wird heute noch ein schöner Tag werden. Ich hörte Dora gähnen. Also sah ich zu ihr hinüber. Ihre Augen waren geöffnet. »Also«, sagte ich. »Sonnenschein.«

Mit müder Stimme fragte sie: »Die Sonne scheint?«

»Du bist mein Sonnenschein.« Ich nahm die Zeitung vom Nachttisch. Dora tat es mir gleich. In der Mittagspause lasen Dora und ich immer Zeitung. Manchmal lasen wir sie auch beim Frühstück. Aber meistens in der Mittagspause. Einen

Artikel heben wir uns immer für den Abend auf. Oder für den nächsten Morgen. Dann liest mir Dora im Bett den Artikel ihrer Wahl laut vor. Manchmal lese ich ihr laut vor. Wir können beide nicht sehr gut lesen. Schon gar nicht laut.

Also. Als wir mit dem Lesen fertig waren, nahmen wir unsere Goldrandbrillen ab und stiegen aus dem Bett. Hand in Hand gingen wir ins Bad. Ich sah Dora zu, wie sie sich das Gesicht wusch. Sie macht alles viel langsamer als früher. So wie ich auch. Jetzt bin ich alt, dachte ich mir. Auch wenn ich mich in vielen Momenten noch jung fühle. Jung, als könnte ich noch immer viel kontrollieren. Jung, als könnte ich noch immer viel bewegen. Aber auch diese Momente sind seltener geworden. Ganz besonders, seit Dora und ich nicht mehr Tennis spielen. Wer hätte das gedacht, dass Spielen jung hält?

Während ich mein Gebiss spülte, dachte ich darüber nach, dass die Zähne unser einziger Körperteil sind, der noch zu Lebzeiten verrottet. Faszinierend. Gemächlich wusch ich mir das Gesicht. So gemächlich, wie ich meinen Kaffee trinke. Mein Kreislauf kam in Gang und gab mir eine gesunde Gesichtsfarbe. In meinem Innern arbeitete immer noch alles ganz manierlich. Und wenn Sie mich fragen: Das ist doch fantastisch.

Dora setzte sich auf den Rand der Badewanne und sagte: »Heute ist Freitag, und ich würde den Abend gern mit unseren Kindern verbringen. Aber wenn ich sie zum Essen einlade, werden sie *hier* weiterstreiten.«

Ich nickte und fragte: »Warum kochen wir dann nicht ein schönes Essen nur für uns zwei?« Ich bewegte meinen Blick weg von meinem Gesicht mit der gesunden Hautfarbe hin zu Dora. Ihre wunderschönen Augen waren geöffnet wie der Blaue Lotus am frühen Morgen, bevor er am Nachmittag wieder seine Blüte schließt. »Nur für dich und mich.« Ich lächelte sie zärtlich an.

»Ja, Yankele. Genauso werden wir es machen. Ich werde etwas ganz Besonderes für uns kochen«, rief Dora so aufgeregt wie eine Frau, die zum zweiten Mal hintereinander im Lotto gewonnen hat. »Und wir werden keinen von ihnen einladen.«

»Das wird ihnen eine Lehre sein«, sagte ich, und so grinsten Dora und ich uns an – freudig und schmerzvoll zugleich. Und gingen zurück ins Schlafzimmer, Hand in Hand, wie ein junges Liebespaar an einem abgelegenen Strand.

Wir standen vor dem offenen Kleiderschrank und suchten etwas zum Anziehen heraus. Ich entschied mich dafür, noch einmal die dunkelblaue Hose und das Hemd von gestern – weiß mit hellblauen Pünktchen – zu tragen. 15 Minuten später beschloss Dora, den knielangen flaschengrünen Rock und den pastellgrünen dünnen Wollpullover mit V-Ausschnitt noch einmal – wie gestern – zu tragen.

Für unseren besonderen Abend wollte Dora eine neue Tischdecke kaufen. Also gingen wir zum nächsten Haushaltswarenladen, wo Dora alle Tischdecken äußerst gründlich unter die Lupe nahm und mehrfach wiederholte: »Ich brauche nur noch eine Minute.«

»Nimm dir alle Zeit der Welt«, sagte ich. Worauf sie antwortete: »Mein lieber Yankele, du kannst mir nicht geben, was du nicht hast.«

Als Dora sich schließlich für eine Tischdecke entschieden hatte, bemerkte ich: »Wenn du dir nicht sicher bist, können wir in ein anderes Geschäft gehen und weitersuchen.« Aber sie sagte: »Eine hübschere als die, die ich eben gefunden habe, gibt es nirgendwo.« Also klemmte ich mir die Tischdecke unter den Arm, und wir marschierten zur Kasse.

Dora zog ein braun-oranges Seidentuch aus ihrer Handtasche und glättete es. Ihr Geld, gefaltet wie Origami, war darin versteckt. Sie bezahlte, legte das Wechselgeld in das Tuch, faltete es wieder zusammen und steckte es in die Handtasche.

In einem Laden um die Ecke kauften wir Heringe, Zwiebeln, Rindfleisch und Kartoffeln. Und eine Flasche San Pellegrino. Dann noch Petersilie, Getreideflocken und Karotten. Eine Flasche Evian. Naturjoghurt, Mehl, Milch und Eier. Eine Flasche Limonade. Honig, Cracker und zwei Tafeln einer Sonderedition Zartbitterschokolade mit 85% Kakao. Der Geschmack dieser Schokolade in Kombination mit unserem äthiopischen Kaffee, blumig wie ein Earl Grey, schmeckte tröstlich wie nichts sonst auf dieser Welt. Diesmal bezahlte Dora mit Geld, das in ihrem Büstenhalter versteckt war.

Wir verließen den Supermarkt mit zwei Papiertüten, aus denen die Lebensmittel quollen. Dora weigerte sich hartnäckig, mich die Tüten tragen zu lassen. Weil ich nicht in der Stimmung war, mit ihr darüber zu streiten, ließ ich sie eine tragen. Es ist schon wahr, was die Leute sagen: Geteilte Last ist halbe Last.

»Hast du dich umgesehen?«, fragte Dora, als wir an der Straßenecke standen. »Niemand in dem Laden war über achtzig. Wir waren die Ältesten.«

Wenn nicht in unserem Alter, wann hört man denn auf damit, sich mit anderen zu vergleichen? Also antwortete ich: »Du schaust auf die alten Menschen, Dorale, und ich auf die jungen.«

Als wir nach Hause kamen, klingelte das Telefon. Ich nahm den Hörer ab. Auch Dora musste einen Hörer abgenommen haben, denn ich hörte sie atmen.

»Die Situation ist unmöglich«, rief Jasmin. »Unmöglich. Eliot weigert sich, den Vertrag mit einem unserer mexikanischen Zwischenhändler zu verlängern, weil er Angst hat, ich könnte meine Anteile verkaufen, *bevor er an die Macht kommt*, und Leonard hat sich in sein Schneckenhaus verkrochen und weigert sich, da wieder rauszukommen. Er hat sich seit Tagen in seinem Büro eingeschlossen, um Klavier zu spielen. Klavier! Ist das zu glauben? Egal, was passiert, wir haben immer noch eine Firma zu leiten.«

Ich verstand nicht. Warum sollten meine Kinder alles ruinieren, was ich aufgebaut habe?

»Daddy, ich habe ein Angebot von Portland's Finest. Ich habe heute ein Meeting mit denen. Ich sage es dir nur der Fairness halber und damit du deine Pläne noch einmal überdenken kannst.«

Diese Kinder, dachte ich kopfschüttelnd. Verstehen sie denn nicht, dass wir auf der Welt sind, um aufzubauen, nicht um zu zerstören? Ich schwieg.

»Aber zurück zu Eliot und Leonard. Sie sind so egoistisch, als würden sie stündlich neue Maßstäbe für Egoismus setzen. Sie sind egoistisch und überschwemmt von Testosteron. Daddy, so kann es nicht weitergehen.«

Ich schwieg weiter. Sie hatte Recht. So konnte es nicht weitergehen. Und auf einmal begriff ich: Auch *ich* könnte einfach auflegen. Also tat ich das. Ich knallte ihr sozusagen die Tür vor der Nase zu. Vor dem Ohr, besser gesagt. Es war ein mächtiges Gefühl.

»Sie nehmen die Firma als Geisel!«, rief Dora, als sie wieder im Wohnzimmer erschien. Ihr Gesicht sah ungewohnt verzerrt aus vor Wut und Enttäuschung, wie das einer Mutter, die ihre Kinder nicht mehr beschützen kann. »Als Geisel!«, rief sie. Und schon kam die penetrante Frage zu mir zurück wie ein Bumerang: Wo habe ich einen Fehler gemacht? Die Frage schlug mir gegen die Stirn. Wo lag mein Fehler? Sie kreiste als Endlosschleife in meinem Kopf herum. Wenn doch nur der Kaffeekonsum der Leute so beständig wäre wie diese Frage.

Also schloss ich die Augen und stellte mir vor, Tennis zu spielen. Ich drehte mein Handgelenk, um damit den Schläger zu drehen. Und schlug ein paar Bälle. Je mehr Bälle ich über das Netz schlug, desto entspannter fühlte ich mich. Ich holte tief Luft und murmelte: *Gam zu le'toyveh*. Auch das wird zum Guten sein. *Gam zu le'toyveh*. Es *muss* so sein, dachte ich und spürte, wie neue Hoffnung aufkam und sich in mir ausbreitete wie Milch, die man in eine Tasse Kaffee gießt. Sanft und vielversprechend. Das Wochenende konnte kommen.

7

Meine Frau deckte für unser *Kabbalat Schabbat*-Rendezvous den Tisch festlich ein. Sie nahm die neue Spitzendecke und stellte eine Vase aus Muranoglas auf die Mitte des Tischs. Wir hatten vergessen, Blumen zu besorgen. Aber eine leere Vase war immer noch besser als überhaupt keine Vase. Nein? Dora holte unser Tafelsilber von Christofle heraus, unser Porzellan von Herend, unsere Kristallgläser – all das, was wir kaum noch benutzen. Was soll der Quatsch? Wir benutzen es *nie.*

Also zündeten wir die Kerzen an und sagten eine *Bracha*. Wir machten den *Kiddusch* über den Wein und *Moytze* über die *Challa* und setzten uns an den Tisch in dem Augenblick, als das letzte Tageslicht schwand. Es schien es eilig zu haben. Und so schauten wir mit sonderbarem Vergnügen zu, wie der Tag die Nacht gebar. Es war lange her, dass Dora richtig gekocht hatte, und ich hatte fast vergessen, dass ihre Gerichte so ähnlich schmeckten wie die meiner Mutter. Sie bereitete Gulasch und Kartoffeln zu, und ich aß mit großem Genuss, labte mich am vertrauten Duft und an der Würze der Speisen, die mir auf der Zunge zergingen und Erinnerungen hervorriefen. Erzählen Sie das keinem Börsenmakler, aber wenn Sie mich fragen: Das, was unsere liebsten Erinnerungen freisetzt, ist die wertvollste Handelsware der Welt.

Wir aßen bei Kerzenlicht, als Dora sagte: »Ich möchte die romantische Stimmung nicht verderben, aber – «

» – Es geht mir wie dir.«

»Wirklich?«

»Ganz ehrlich.« Also schaltete ich das Deckenlicht an. In diesem Halbdunkel war es unmöglich, etwas zu erkennen. Wir aßen im hell erleuchteten Zimmer weiter und freuten uns, eine perfekte Sicht auf das gute Essen und aufeinander zu haben. Auf unsere redlich verdienten Falten und unsere sich gegenseitig ergänzenden Altersflecken.

Nur ein Mal sprachen wir die unglückselige Lage an, den erbärmlichen und selbstgerechten Streit unserer Kinder. »Jede Geschichte hat viele Seiten«, sagte Dora. »Und dennoch entscheidet man sich oft dafür, nur die eigene Seite zu sehen.«

Ich spürte mein Herz schneller schlagen. Beruhige dich. Du bist nicht mehr jung. Du bist schon lange nicht mehr jung. Ganz ruhig. Also. Leise sagte ich: »Ich habe es nicht geschafft, für freundliche Beziehungen zu sorgen. Ich bin ein gescheiterter Diplomat. Denn ist es nicht die Aufgabe eines Vaters, so wie die eines Diplomaten, Vermittler zu sein, damit die Menschen sich verstehen?«

»Yankele, sag so etwas nicht. Du bist ein großartiger Diplomat.«

»Ja, als Diplomat bei *Risiko*.«

»Ich hasse Brettspiele.«

»Du hasst es zu verlieren.«

»Welcher vernünftige Mensch verliert schon gern?«

»Dorale, ich versuche, Informationen zu sammeln. Ich versuche, nationale Interessen zu wahren. Ich versuche zu verhandeln. Ich versuche, die Meinung meiner Regierung möglichst überzeugend zu vertreten. Ich versuche, Frieden zu stiften. Ich versuche es, und ich scheitere.« Ein bizarres, beunruhigendes Bild blitzte in meinen Gedanken auf: meine Kinder als Tiere. Die vielen Reality-Naturfilme, die ich in letzter Zeit gesehen habe, mussten in mein Unterbewusstsein eingedrungen sein. Mit Diplomatie kommt man nicht weiter, wenn man zwischen einer Giraffe und einem Löwen vermitteln will. Oder? Also. Oder? Wir waren ein Zoo, dachte ich mir. Und dann dämmerte es mir: Welches Tier war dann meine geliebte Dorale? Und welches war ich?

Wir aßen Doras wunderbaren Marmorkuchen mit Rumaroma, und ich sagte: »Also. Vielleicht hätte ich mich nicht aus dem Geschäft zurückziehen sollen.«

»Ach.« Dora schüttelte ihren Kopf.

»Ich hätte alles weitermachen sollen, bis ich sterbe – «

» – Sprich nicht davon!« Dora klopfte dreimal fest auf die Tischplatte, obwohl sie nicht im geringsten abergläubisch war. Und trotzdem, dachte ich mir, will kein Mensch das Schicksal freiwillig herausfordern.

»Aber – «

Dora schlug noch einmal mit der Handfläche auf den Tisch. »Sprich *nie* davon.«

»Also gut.«

»Vielleicht solltest du sie alle feuern?«, neckte sie mich. Wir wussten beide, dass sie es nicht so meinte, und selbst wenn sie es so gemeint hätte, wären mir die Hände gebunden gewesen. Aber in ihrer Stimme klang so etwas wie ein aufrichtiger Wunsch mit. Also sahen Dora und ich einander an. Die v-förmigen Adern an ihrer Stirn standen hervor. Und plötzlich mussten wir lachen. Wir lachten schallend. Lachten, als hätten wir soeben eine Million lustiger Witze gehört und dann noch eine Million dazu. *Oy*, wie wunderbar es sich anfühlte: so hilflos, so unkontrolliert, so hemmungslos zu lachen.

Nach diesem befreienden Ausbruch senkte sich Schweigen über den Tisch.

Erst als wir vom Tisch aufstanden, bemerkte ich die Wii-Box neben Doras Stuhl. Sie war wieder mit dem rosa Geschenkband verschnürt. »Hat dir mein Geburtstagsgeschenk nicht gefallen?«

»Ob es mir nicht gefallen hat? Es hat mich *begeistert.*«

»Warum benutzt du es dann nicht?«

»*Oy*, Yankele. Am Altern ist nichts romantisch. Ich möchte keinen neuen Tennispartner, ich möchte, dass du gesund bist.«

Ich streckte den Arm aus und berührte Doras Hand. Ihre Haut war so dünn. Durchscheinend. So weich und so liebevoll. Wie ein Kaminfeuer an einem eisigen Januartag.

»Siehst du, Dorale, es war nicht das schlechteste Freitagabendessen.«

»Aber auch nicht das beste«, antwortete sie.

»Aber du musst zugeben, Dorale: Es war nicht das schlechteste.«

»Und auch nicht das beste.«

»Gut«, stimmte ich ihr schließlich zu. »Es war nicht das beste.« Also stimmte sie mir auch zu: »Und genauso wenig das schlechteste, mein Yankele.«

8

So war es wieder Nacht geworden und ich saß erneut in meinem Arbeitszimmer. Erneut in meinem braunen Ledersessel. Vor der türkis glänzenden Videokamera. »Hrrmm.« Ich räusperte mich. »Wie ich schon sagte. Hrrmm. Hrrmm. Ich habe begonnen, von meiner Familie zu erzählen. Nicht wahr?« Ich nahm mir die Brille ab und putzte die Gläser.

»Ich habe meine Frau im Lager Düppel kennengelernt, dem Flüchtlingslager für ›Displaced Persons‹ in Schlachtensee. Noch bevor ich überhaupt ein Wort mit ihr gewechselt hatte, wusste ich, dass ich sie eines Tages heiraten würde. Intuitiv wusste ich das. Alles, was in meinem Leben gut gelaufen ist, habe ich meiner Intuition zu verdanken.

Ich sah sie. Sie war nur eine halbe Person. Ich war noch weniger als eine halbe Person. Wir waren beide fast verhungert. Wir steckten in verdreckten *schmattes* und waren gerade erst von der amerikanischen Armee befreit worden. Wir hatten beide nichts, wohin wir hätten gehen können.« Beim Reden merkte ich, dass ich mich an alles, einfach an *alles* von damals erinnern konnte. Ich hatte es so frisch in meinem Gedächtnis, als passierte es in dieser Sekunde. Als wäre es noch nicht einmal eine Erinnerung. Und ich fragte mich, ob mein Gesicht – da ich nun sprach – eher weniger wie ein ganzes Herz aussah und mehr wie ein gebrochenes.

»Das Leben im DP-Lager wurde für uns schnell Alltag. Man kam zusammen, um etwas zu unternehmen, man hielt Versammlungen ab, auf denen über das Zusammenleben debattiert wurde, einige druckten eine Zeitung. Man verzehrte sich danach, wieder einer Gemeinschaft anzugehören.

Man arbeitete.

Man ging miteinander aus und heiratete.

Ich machte ihr den Hof.

Denn was sonst hätte ich mit meinem Bauchgefühl anfangen sollen, das in mir glühte? Ich wusste, ich hatte den Menschen gefunden, den ich heiraten würde, die Frau, die die Mutter meiner Kinder werden würde.«

Hier saß ich also. Fest in einem Zimmer, während ich mich rasend schnell in der Zeit zurückbewegte. Und die Zeit selbst schien bedeutungslos zu sein. So wie beim Tennistraining mit Dora.

»Nach dem Krieg kehrten die Menschen in ihre alte Heimat zurück. Nach Polen und Österreich und Ungarn und in die Tschechoslowakei, um nachzusehen, ob irgendwas übriggeblieben war. Manche fuhren in Deutschland herum. Sie besuchten andere DP-Lager und schrieben ihre Namen an die Wände. Sie schrieben: Ich bin Avrum, ich suche meine Schwester Miriam. Überall hingen hunderte kleine Zettel: Ich suche meine Mutter Surale, sie hat eine halbmondförmige Narbe über ihrer rechten Augenbraue. Es gab Zettel mit Namen, Spitznamen, Personenbeschreibungen, Nachrichten für den Fall, irgendwer könnte irgendeinen kennen, der etwas über irgendjemanden wissen könnte.«

Ich hielt abermals inne. Die Vorstellung, jemand würde diesen Worten von mir zuhören, hatte etwas Herzerwärmendes. Etwas Bittersüßes. Wie der Geschmack unserer Kontinentalröstung – dunkel im Aroma, vollmundig und bittersüß auf der Zunge.

»Also. Das muss ich sagen: *Diese* Geschichte handelt *nicht* vom Krieg. Diese Geschichte handelt von etwas anderem. Der Krieg ist nur ein unvermeidlicher Teil davon. Wie es mit der Vergangenheit immer ist. Wie es mit dem Krieg immer ist.« Ich nahm die Hände von meinen Knien. Und klatschte sie zusammen. »Nach Jahren der Todesnähe schenkte einem die Hoffnung, ein Familienmitglied wiederzufinden, neuen Lebensmut. Nach Jahren der Gefangenschaft war nichts befreiender als die Vorstellung, ein Familienmitglied in die Arme zu schließen. Ich wollte dieses Gefühl noch eine ganze Weile auskosten, aber noch dringender wollte ich meine Familie finden. Also suchte ich überall. Aber ich fand nichts – keine Mutter, keinen Vater, keine Schwestern. Ich fand keine Beweise für ihren Tod, von Lebenszeichen ganz zu schweigen. Und so war ich überzeugt davon, mehr denn je, allein auf dieser Welt zu sein.

Damals blühte der Schwarzmarkt. Und ich kaufte und verkaufte alles. Auch Kaffee. Im Krieg war Kaffee ein knappes Gut gewesen. Er war fast überhaupt nicht zu kriegen, weil er aus Übersee importiert werden musste. Also ersetzten die Leute ihn durch geröstetes Getreide, gemahlene Gerstenkörner und Eicheln. Nach dem Krieg war Kaffee immer noch knapp. Und immer noch begehrt.

Also. Ich kaufte von Schmugglern und Importeuren, die weniger deklarierten, als sie aktuell einführten. Ich kaufte auch von den in Deutschland stationierten Amerikanern. Ich kaufte nie zu viel, immer nur so viel, wie ich brauchte. Plus ein kleines bisschen dazu. Weil man immer ein kleines bisschen extra braucht. Und bald hatte ich mir den Ruf als Nummer-eins-Kaffeehändler erarbeitet, da ich immer Kaffee im Angebot hatte und alles in Zahlung nahm: Zigaretten, Fleisch, Spielzeug, Metalle. So überlebte ich am Anfang. Aber nach einer Weile wollte ich mehr. Ich dachte an die Zukunft und wünschte mir, meinen Kindern eines Tages alles geben zu können, was sie brauchten und sich erhofften. Und auch das, wovon sie nicht einmal träumten, auch das wollte ich ihnen geben. Ich erinnere mich, wie ich dachte, dass mit Wohlstand auch Freiheit kommt, Unabhängigkeit, weniger Leid und bessere Überlebenschancen. Dass mit ihm *Leben* kommt. Leben.

Ich wollte meiner noch ungeborenen Familie alles geben. Erdbeereis mit Schlagsahne und bunten Streuseln. Ein warmes Bett, wenn es draußen hagelt. Unterricht im Lesen. Und unbegrenzte beruhigende Arztbesuche.«

»Etwas in mir sagte mir, dass, solange ich mich fest an den Kaffee hielte, alles gut würde. Heute zählt Kaffee zu den wichtigsten Handelsgütern weltweit. Logisch. Kaffee ist wunderbar. Klassisch und magisch. Kein Wunder, dass der weise Franzose Voltaire ein passionierter Kaffeetrinker war. Beweist das nicht seine Großartigkeit?

Hrrmm. Hrrmm.

Zudem ist er vorteilhaft für die Gesundheit. Kaffee zu trinken, schützt vor dem Herztod. Er senkt das Risiko, an Atemwegserkrankungen, Schlaganfall oder Diabetes zu sterben. Das einzige, was er nicht kann, ist, das Risiko des Sterbens zu senken. Punkt.«

»Also. Dora und ich versprachen einander …« – ich legte meine Hände wieder auf die Knie und entspannte mich. Der

Castverband lag auf meinem Oberschenkel, wie ein Briefbeschwerer auf einem einzelnen Blatt Papier. Langsam und bedächtig fuhr ich fort: »Wir versprachen einander, mit *keinem Menschen* über den Krieg zu reden. Ich werde dieses Versprechen nicht brechen.

Wir haben immer geglaubt: Warum die jungen Leute damit belasten, da sie noch ihr Leben leben müssen? Kinder, auf die noch ein ganzes Leben wartet. Aus diesem Grund haben wir beide unsere Geschichten unseren Kindern nie erzählt.«

Ich stand auf und trat ans Fenster. Ich zog die Vorhänge so schwungvoll auf wie ein Quizshow-Moderator, der den Hauptgewinn präsentiert. Danach ging ich zurück zu meinem Sessel. Aber dann stand ich noch einmal auf und stellte mich vor die Kamera. Ich drückte auf den Knopf und freute mich über die eigenartigen Geräusche. Ich nahm die Kamera von ihrem Platz.

Wie ein Raucher, der mit der Zigarette spielt, bevor er sie anzündet, spielte ich mit der Kamera. Wie dankbar bin ich, dich zu haben, dachte ich mir. Nun kann ich alles erzählen, ohne meine Dorale zu hintergehen. Denn du bist kein Mensch. Oder? Ich folgte der Anweisung des Verkäufers und ließ eine Klappe an der Kamera aufschnappen. Ich zog heraus, was er »so etwas wie ein gutes Gedächtnis« genannt hatte. Zu behaupten, dass ein Plastikstück ein gutes Gedächtnis hat – was soll ich dazu sagen? Andere Läden, andere Sitten.

9

»Guten Morgen, Mrs. Hertzmann.«

»Guten Morgen. Guten Morgen. Guten Morgen.«

»Du weißt, dass ein Morgengruß nichts anderes sagen will als: Ich denke schon an dich, wenn ich aufwache, ja?«

»Yankele.« Dorale rollte sich auf die Seite, um mich anzusehen. »Wie kannst du nach all den Jahren noch so ein Romantiker sein?« Nur *wegen* all der Jahre, dachte ich mir, kann ich so ein Romantiker sein. Also sagte ich: »Anders als alte Gegenstände rostet alte Liebe nicht.« Lächelnd antwortete Dora: »Nun, dann möchte ich Ihnen auch einen guten Morgen wünschen, Mr. Hertzmann«, und ich spürte, wie ihre Zehen meinen Fuß kitzelten. Dora strich mit ihrer Hand über meinen Verband. Und ich fühlte die Berührung meines gebrochenen Arms. Als wären es heilende Kräfte.

Wir standen auf und widmeten uns in aller Ruhe dem Morgenritual. Also. Wir putzten uns die Zähne, wuschen uns das Gesicht, kämmten uns das Haar aus der Stirn. Und wir zogen uns an. Dann verließ ich das Haus. Ich ging zur nächsten Bäckerei und kaufte zwei Vollkornbrötchen, eine Brioche und ein Marzipancroissant, weil der Mensch etwas Süßes braucht. Nicht wahr? Der Frühlingsmorgen war knusperfrisch und wunderschön, und ich dachte an meine erfolgreiche Sitzung vor der Kamera. Auf dem Rückweg kaufte ich zwei Ausgaben derselben Zeitung. Eine für Dora und eine für mich. Wie immer übermannte mich meine Ungeduld. Also fing ich noch auf dem Nachhauseweg zu lesen an.

Wird 2012 das Aus für das Familienunternehmen »Hertzmann's Coffee« bringen?

Gerüchten zufolge anerkennt das Unternehmen einen Vertrag nicht, der es zum Erwerb verlustbringender Kaffeeoptionen verpflichtet hätte. Hertzmanns wichtigster Konkurrent, Portland's Finest, hat trotz Einhaltung gleichlautender Verträge Gewinne erzielen können.

Desweiteren droht interner Ärger: Die Kinder des Firmengründers, Herr Hertzmann, hatten jahrelang eine gemeinsame Vision für das Unternehmen, weigern sich nun angeblich aber sogar, den firmeneigenen Fahrstuhl miteinander zu teilen. Berichten zufolge benutzen sie getrennte Aufzüge, um sich auf dem Weg ins Büro aus dem Weg zu gehen. Dieses Gerücht wurde vom Unternehmenssprecher nicht bestätigt.

Immer wieder werden wir Zeugen des Paradoxons aller Familienunternehmen: Die Familie ist ein stabiles soziales, auf Emotionen basierendes Gefüge, während Wirtschaftsunternehmen kompetitiv-antagonistisch ausgerichtet sind und auf der Distanz zwischen den Beteiligten beruhen. Wie bringt man diese Gegensätze unter einen Hut? Nur mit großer Mühe, Tränen und kostspieligen Gerichtsverhandlungen.

Offenbar kam es innerhalb des Unternehmens zur Unruhe, als Herrn Hertzmanns dritter Sohn Benjamin seinen ältesten Spross in der Firma unterbringen wollte – ein Vorstoß, den die beiden Geschäftsführer ablehnten, obwohl sie selbst ihre Kinder beschäftigen. Für eine erfolgreiche Firma in Familienbesitz gelten ähnliche Regeln wie für eine gute Seifenoper – sie kommt einfach nicht ohne ein gewisses Maß an Vetternwirtschaft aus. Der verärgerte Benjamin Hertzmann soll Unterlagen an die Steuerbehörden verschickt haben, aus denen angeblich hervorgeht, dass seine Geschwister sich der Steuerhinterziehung schuldig gemacht haben. Sicherlich hat er diesbezüglich etwas von der Familie Gucci gelernt.

Was ist das denn? Ich war schockiert. Das Geschäft ging außer uns niemanden etwas an. Das war eine Beleidigung, ungeheuerlich. Nichts als Lügen. Aber warum sollte jemand solche Unwahrheiten verbreiten? Dies war ein Angriff auf unsere Privatsphäre. Reiner Voyeurismus. Eine *Chuzpe.* Lügen! Ausgemachte, handfeste Lügen, Produkte des Hirns eines gelangweilten Journalisten.

Also betrat ich wütend den nächstbesten Laden und bat den Verkäufer um eine Schere. Ich schnitt den Artikel aus beiden Zeitungen heraus. Das war gar nicht so einfach, mit einem verbundenen Arm. Den einen Ausschnitt steckte ich in meine Jackentasche. Den anderen warf ich weg.

Dora und ich waren fertig mit dem Frühstück und griffen zu den Zeitungen. Wir saßen und lasen, bis Dora fragte: »Wünscht der Herr noch eine Tasse dieses höchst aromatischen Kaffees?«

Ich wollte immer noch eine Tasse, und Dora wusste das. Also sagte ich: »Wie kann ich nein sagen, wo ich doch ein Hertzmann bin?« Dora stand auf und wog das Kaffeepulver genau aus. Es war ein Vergnügen, ihr zuzusehen, wie hingebungsvoll sie die Aufgabe erledigte. Es war überhaupt ein Vergnügen, ihr zuzusehen.

Also. Wir tranken Kaffee und lasen die Zeitung. Ich ließ mir jeden einzelnen Tropfen auf der Zunge zergehen. Was für ein erschwinglicher Luxus, dachte ich mir. Und nie verliert er seinen Reiz. Man trinkt Kaffee einmal, zweimal, man trinkt ihn tausendmal und genießt ihn deswegen kein bisschen weniger. Ich war stolz darauf, derjenige zu sein, der es so vielen Menschen möglich macht, dieses Gefühl zu haben.

»Dieser köstliche schwarze Kaffee ist so anregend wie ein gutes Gespräch«, sagte Dora und blätterte eine Seite um. »Oh. *Oy.* Sieh dir das an.« Ich hob den Kopf. Doras Gesicht blickte mich aus einem Zeitungsrahmen an. »In meiner Zeitung fehlt ein Artikel.«

Also riss ich die Augen auf. Würde es ein überraschter Mensch nicht genauso machen? Ich blätterte ebenfalls um und sagte: »Oh. *Oy.* Sieh dir das an. In meiner auch. Wie seltsam, Dora, wie ausgesprochen seltsam.«

Also. Ich verließ die Küche und ging in mein Arbeitszimmer, wo ich mir einen einstündigen Naturfilm über den Oktopus ansah. Auf dem flachen Fernsehschirm wirkte alles herrlich, aber Nahaufnahmen dieses faszinierenden Tieres zu sehen, das keine sechs Monate lebt, dafür aber drei Herzen hat, war weit mehr als herrlich.

Danach ging ich durch die Regale meiner Bibliothek. Und alle Schubladen und Ordner. Ich stapelte alle Bücher auf, die ich geschenkt bekommen hatte. Alles, was die Zeit selbst gesammelt hatte. Eine Skulptur, deren Form mir nichts sagte, aber phallisch war sie, soviel stand fest. Alte Unterlagen, die nicht mehr von Bedeutung waren. Dankesbriefe von Spendenempfängern. Drei alte Wandkalender und ein altes Telefon. Erinnerungsstücke, die sich angesammelt hatten – eine Silberdose, zwei Duftkerzen und ein abgestorbener Kaktus, von dem ich nicht wusste, wie er hergekommen war. Ich steckte alles in Plastiktüten. Und als Dora sich zum Mittagsnickerchen hingelegt hatte, trug ich die Tüten zum Müllraum und warf sie weg. Das *Ende* naht, dachte ich mir, es steht vor der Tür. Immerhin ist es höflich genug, anzuklopfen.

10

Es war wieder Nacht. Lautlos schloss ich die Schiebetür, und schon war der Raum neu definiert. So, wie die Mauer Berlin neu definiert hatte. Ich öffnete das Fenster. Draußen war es furchtbar windig. Stürmisch. Die Bäume im Central Park warfen sich hin und her, als sehnten sie sich danach, entwurzelt zu werden. Also machte ich das Fenster wieder zu. Und bereitete die Kamera vor. Ich warf einen Blick durch das Objektiv, wie ein Optiker einen Blick in seine Instrumente wirft. Dann ging ich zu meinem gemütlichen Sessel und nahm Platz. Ich ließ die Arme hängen und spürte den Verband, den schwersten Teil von mir. Er zog mich hinunter und hielt mich wie ein Anker sein Schiff.

»Hrrrmmm. Hrrrmmm. Hrrrmmm.« Ich räusperte mich. Ich schaute direkt in die Kamera. Das grüne Lämpchen leuchtete. Also blickte ich auf den Boden. »Ich hatte drei jüngere Schwestern – Rebekah, Rachel und Leah.« Ich starrte weiter auf den Boden. »Ich hatte eine *mame* und einen *tate* – Mutter und Vater. Sie hießen Sarah und Hershl.« Die Vergangenheit schmeckte wie der allererste Schluck Kaf-

Die „Kaffee-Idee" ist wie eine Leitlinie, auf die sie alles bezieht.

fee. Nicht gut. Und doch, man kann nicht anders und will mehr davon.

»Wir arbeiteten hart und waren glücklich. Ich ging mit meinem *tate* jeden Morgen zur *shil*, und abends half ich meiner *mame*, das Essen vorzubereiten. Sie verstand nie, warum ich, ihr Junge, ihr einziger Sohn, so gerne in der Küche half, wo das doch die Aufgabe der Mädchen war. Wie viele Ostjuden waren wir nicht gebildet. Wir sprachen Jiddisch und wir gehorchten Gott. Manchmal tue ich das immer noch. Ich glaube bis heute an Gott, auch wenn ich im Krieg gelernt habe, dass ich auf Gottes Wunder nicht zählen kann.

Was meine alte Familie an Glauben hatte, sollte meine neue an *Wohlstand* haben. Damit meine ich nicht nur Geld. Denn Geld bringt die Leute auf falsche Ideen. Es täuscht den Leuten vor, dass es Glück mit sich bringt. Aber die Enttäuschung darüber, dass es so nicht ist, kommt früher oder später.«

Ich hob den Kopf und schaute nach rechts. Zum Fenster hinaus. Ich ahnte, dass die Ampel umsprang, denn der Nachthimmel wurde abschnittsweise in Rot-Gelb-Grün erleuchtet. Ich gähnte. Und eine kleine Träne kam aus meinem Auge gekrochen. Ich wischte sie weg, bevor sie über meine Wange laufen konnte.

Ich legte mir beide Hände auf die Knie und setzte mich aufrecht hin. Obwohl ich es nicht gewohnt war, über die Vergangenheit zu sprechen, fühlte es sich natürlich an. So natürlich, wie sich das Gähnen vor einer Minute angefühlt hatte. So natürlich wie die Träne, die sich gerade davongemacht hatte.

»Aber nun zurück zu den Tagen in Schlachtensee, als ich Dora den Hof machte.

Ich wollte sie beeindrucken. Sobald ich es mir erlauben konnte, gab ich mein Fahrrad weg und kaufte mir ein Auto. Ich glaube, Dora wollte mich auch wegen meines Autos. Ich kann nicht sagen, dass mich das störte. Ich konnte das verstehen. Autos waren damals etwas Großes, eine Seltenheit, viel seltener als alleinstehende und verwaiste junge jüdische Männer.

Ich wollte um ihre Hand anhalten.

Eines Abends holte ich sie mit meinem Ford ab, der hunderttausend Reichsmark gekostet hatte. Ich hielt ihr die Tür auf, aber noch bevor sie einsteigen konnte, sagte ich: ›Eines Tages werde ich ein reicher Mann sein, das wirst du sehen. Was meine alte Familie an– ‹

– Sie unterbrach mich und sagte: ›Lass uns nicht von alten Familien sprechen – ‹

›– Nur dieses eine Mal‹, bat ich sie. ›Was meine alte Familie an Glauben hatte, soll meine neue an Wohlstand haben.‹

›Ich habe nicht weniger von dir erwartet‹, sagte sie. ›Ich habe schon auf den zweiten Blick gesehen, dass du eines Tages ein gemachter Mann sein wirst.‹

›Und was hast du beim ersten Blick gedacht?‹

›Dass du dir dringend eine besser geschneiderte Hose zulegen solltest. Und dann dachte ich noch, dieser Mann braucht mir gar nicht den Hof zu machen. Doch es gefällt mir, dass er es tut. Aber ich wäre die Seine, wenn er nur fragen würde: Willst du mein sein?‹

›Willst du mein sein?‹, fragte ich.

›Wenn du mein sein willst‹, antwortete sie. ›Darf ich fragen: Was hast *du* gedacht, als dein Blick zum ersten Mal auf mich fiel?‹ Bei der Frage errötete sie, und ich dachte mir, oh, eine Frau, die errötet, das muss eines dieser Weltwunder sein.

›Als mein Blick zum ersten Mal auf dich fiel, dachte ich: Ich muss ein glücklicher Mann sein, dass Gott dich zu mir geschickt hat, Dora, denn bei dir habe ich das Gefühl, nicht *allein auf der Welt zu sein.*‹

Zwei Wochen später heirateten wir. Dora wollte sich kein Brautkleid von mir kaufen lassen. Stattdessen bat sie eine Freundin, ihr eines zu nähen. Es war aus einem Bettlaken, altweiß mit Spitzensaum, das zu einer Robe umgearbeitet wurde. Sie sah wunderschön darin aus. Von den Füßen bis zu den Handgelenken und bis zum Hals war sie goldweiß bedeckt.

Unsere Hochzeitszeremonie und die Feier waren fröhlich ohne Ende. Es gab genug Schnaps, jede Menge *Hora*-Tänze, und im Gesang des *Chasan* vermischten sich das größte Glück und die tiefste Trauer.«

11

Ich hörte mit Reden auf. Ich hatte noch viel mehr zu erzählen, aber meine Lippen, mein Gaumen, meine Zunge und meine Stimmbänder waren ausgetrocknet. Ich war es nicht gewohnt, so viel zu reden. Ich dachte an meine Kinder. Ich dachte an Kinder. Ich dachte: Jedes Kind sollte die Geschichte kennen, wie seine Eltern sich begegnet sind. Die Geschichte hinter seiner eigenen Entstehung.

Das Bild der schlafenden Dora drängte sich in meine Gedanken. Ich hoffte so sehr, dass sie nicht aufwachen und bemerken würde, dass ich nicht neben ihr lag. Ich stand auf und ging ganz nahe an die Kamera heran. Ich hielt mein rechtes Auge dicht vor die Linse und sah hinein. Ich suchte nichts Bestimmtes, ich wollte nur wissen, was da drin war. Ein schwarzes Loch? Ein Irrgarten? Aber ich sah nichts. Also murmelte ich: »Kaputte Familien gibt es überall. Besonders, wenn Geld im Spiel ist. Aber ich habe immer gedacht, wir wären anders. Ich weiß selbst nicht mehr, warum. Offenbar unterliegen auch die Gedanken der Macht der Gewohnheit.«

Also. In der Kamera passierte immer noch nichts. Nur das kleine grüne Lämpchen leuchtete meine linke Augenbraue an. »Aber dieser Streit hat *nichts* mit Geld zu tun. Es geht um viele andere Dinge. Für jedes meiner Kinder geht es um etwas anderes. Für Leonard geht es um die Rangordnung. Er ist unser ältester Sohn, er hat hart gearbeitet und verdient Respekt. Für Jasmin geht es um Gerechtigkeit. Sie hat ihr Leben ihr gewidmet, oft hat Jasmin doppelt so viel gearbeitet und doch nur die Hälfte erreicht, weil sie als Frau in einer Männerwelt arbeitet. Benjamin sind unsere Familiengeschäfte egal, für ihn geht es, wenn überhaupt, darum, seine eigenen Ansichten bestätigt zu wissen. Und für Eliot geht es darum, sich als würdig zu erweisen – vor seinem Vater und seinen Geschwistern. Endlich bekommt er eine Gelegenheit dazu. Für keinen von ihnen geht es um Geld. Es geht um alles, wofür Geld steht, und um alles, was man für Geld nicht kaufen kann.«

Meine Beine wurden müde, also ging ich zu meinem Sessel zurück. »Die Kunst des Kaffeeverschnitts besteht darin, unterschiedliche individuelle Sorten zu mischen. Genauso habe ich unser Familienunternehmen immer gesehen: als einen Verschnitt. Die Mischung meiner Kinder sollte, so wie die Mischung verschiedener Kaffeesorten, etwas Besseres ergeben als die Summe der Teile.«

Aber stattdessen, dachte ich mir, stinkt diese Mischung faul wie ein Haufen verrotteter Fertiggerichte, wie randvoll gefüllte Stoffwindeln, wie ein Berg vergorener Milchprodukte. Ich merkte, dass ich mich schon wieder aufzuregen begann. Ich schüttelte meinen Arm und den Kopf und dachte: Bodenhaftung, Bescheidenheit und ein bisschen Dankbarkeit – das sind die drei *B*s, die allen meinen Kindern fehlen. Blöde Berater, BMWs und Bissigkeit – das sind die drei *B*s, die alle meine Kinder haben.

Ich hatte so viel zu erzählen. Es brannte in mir. Ich wollte mir nicht auf die Zunge beißen. Nicht mehr. Und ganz besonders nicht hier. In diesem Zimmer. Wo ich frei sprechen durfte. Ich wünschte zu sagen, was mir auf dem Herzen lag.

Aber auf einmal konnte ich nicht sprechen. Die Worte stellten sich nicht mehr ein. Nur noch Gedanken. Endlose Gedanken. Ungeordnete Gedanken. Sie schwammen in meinem Kopf herum.

Ich driftete ins Jahr 1972 zurück. Das Jahr, in dem die nächste Generation – die natürliche Entwicklung – an den Start ging.

Leonard hatte wenige Jahre zuvor sein Studium beendet. Also kam er an Bord. Nach einer Weile folgte ihm Jasmin. Sie blühte im Geschäft auf, und die beiden arbeiteten gut zusammen. Immer. Fast immer. Meistens. Normalerweise. Sie kamen miteinander aus. Sie leiteten das Unternehmen unter meiner Führung, und sie machten es gut. Das Geschäft boomte. Sie arbeiteten hart, eigneten sich Insiderwissen an, waren verlässlich. Dann und wann kam es zu kleineren Konflikten und Streitereien zwischen den beiden – aber was soll's? Es waren bloß Missverständnisse, und Missverständnisse halten die Welt auf Trab. Außerdem kam, wenn sie miteinander konkurrierten, mehr für die Firma als Ganzes heraus.

Ich war nicht glücklich darüber, mich zurückzuziehen. Denn warum sollte ich ein Unternehmen verlassen wollen, das meinen Schweiß und meine Tränen in jeder einzelnen Bohne trug? Aber vor zehn Jahren hatten Leonard und Jasmin mich überredet – *verbring mehr Zeit mit Mutter – genieß doch einfach dein Leben – mach dir keine Sorgen – wir leiten die Firma doch praktisch längst alleine – warum sonst hast du uns auf die besten Universitäten geschickt? – kein Mensch arbeitet noch in deinem Alter – du wirst noch mit einem Memo in deiner Hand sterben!*

Also stieg ich aus. Ich setzte Leonard und Jasmin als Geschäftsführer ein – eine Entscheidung, die ich jährlich vor jedem unserer Geburtstags-Geschäftstermine am ersten April neu überdachte. Ich überschrieb allen meinen Kindern gleich große Firmenanteile und behielt einen ebenso großen Teil für mich. Ich brauche nicht mehr. Ich brauche nicht viel. Dora braucht nicht viel. Heutzutage geben die Leute zu viel für zu viel Unwichtiges aus.

Mein Blick wanderte zum Fenster und hinaus. Eine kurze und doch so lange Entfernung. Während ich in den Nachthimmel starrte, fragte ich mich, wie ich wohl im Auge der Kamera aussah. Ein Mann, der sich beim Sitzen und Denken filmt. Der vielleicht Grimassen schneidet – wütende, enttäuschte, stolze und freudige. Ich rückte mir die Brille zurecht und konzentrierte mich wieder auf die Kamera. Sie schien ein Eigenleben zu führen. Sie wartete geduldig, bis ich mich ihr wieder zuwendete.

In den letzten Jahren hat die Finanzkrise ihren Tribut verlangt. Und ich habe immer geglaubt: Manche Manager sind für Zeiten des Booms gemacht, andere für die Rezession. Leonard und Jasmin handeln stets nach Vorschrift, immer ordentlich. Aber im Leben gibt es nicht immer eine Ordnung. Und schon gar nicht in der Wirtschaft. Also beschloss ich, dass die Zeit gekommen war, die Geschäftsleitung auszutauschen.

Letztendlich, dachte ich mir, ist es auch egal. Es ist egal, wer die Firma leitet. Es ist alles eins. Denn wir alle arbeiten auf ein Ziel hin: die Familie. Und was könnte besser sein, als *mit* und *für* die Familie zu arbeiten? Dafür zu sorgen, dass für alle eine ordentliche *parnusse* übrigbleibt? Auf einmal spürte ich einen stechenden Schmerz unter meinem Verband.

»*Oy*«, seufzte ich laut. »*Oy vey.*« Ich seufzte noch lauter und fragte mich, ob di*es* unvermeidlich war, ob di*es* einfach nur – immer schon war und für immer sein wird – die in Stein gemeißelte Geschichte aller Geschwister.

Dora spielte für den geschäftlichen Erfolg eine Schlüsselrolle. Alle weitreichenden Entscheidungen traf ich, nachdem ich mich mit ihr beraten hatte. Sie ist von uns allen die Klügste. Aber zu diesem Thema – ihre Kinder und die Nachfolge – hatte sie nichts zu sagen. Kein einziges Wort über ihre Vorstellung von der Zukunft. Man sagt, die erste Generation baut ein Geschäft auf, die zweite führt es zum Erfolg, die dritte zerstört es. Aber vermutlich werde ich nicht einmal das Glück haben, den Fluch der dritten Generation zu erleben.

Benjamin wollte nie etwas mit dem Geschäft zu tun haben. Aber irgendwann fing er an, uns Bohnen für sein eigenes Unternehmen abzukaufen. Eine Win-win-Situation. Er lebte in Berlin und verkaufte unter der Hand Kaffee in die Sowjetunion. Bis heute führen ihn die Vereinigten Staaten auf der schwarzen Liste, weil er verdächtigt wurde, ein kommunistischer Spion zu sein, der sich bloß als Geschäftsmann tarnt. Also. Ich muss zugeben, dass nicht alle seiner Arbeitsmethoden koscher waren. Aber das liegt in der Natur des Geschäftemachens. Und wenn es nach mir ginge, würde er unser neuer Geschäftsführer. Aber er will mit dem Familienunternehmen nichts zu tun haben und empfindet für die Vereinigten Staaten eine Art Hassliebe. Freilich ohne Liebe.

Unser Nesthäkchen Eliot war früh im Leben an die falschen Leute geraten. Also machte er sich auf die Suche nach sich selbst. Ich habe nie verstanden, was das bedeutet. Und warum es ein Fulltimejob war. Seine Suche führte ihn nach Amsterdam, wo er sich schließlich *fand*, Jahrzehnte später und mit deutlich längerer Gesichtsbehaarung.

Ich habe immer gesagt: »Kaffee ist großartig, weil er heiß und flüssig ist und himmlisch duftet. Wenn man sich mit ihm bekleckert, ist er das einzige Getränk, das man nicht abwaschen möchte!« Also. Viele Jahre später muss Eliot auf mich gehört haben. Denn er engagierte sich in unserer Branche, zum Stolz seines alten Vaters. Er eröffnete einen Coffeeshop. Und einen zweiten. Und heute gehört ihm Amsterdams erfolgreichste Coffeeshop-Kette.

In meinem Arbeitszimmer fühlte ich mich fern von allem. Als lebte ich in einem seltsamen Vakuum. An einem weit entfernten Ort, von dem aus ich alles viel klarer erkennen konnte. Manchmal bringt Abstand genau das mit sich. Zum ersten Mal versuchte ich, unsere Geschichte zusammenzufassen, zu verstehen, das Richtige vom Falschen zu unterscheiden. Aber es war fast unmöglich. Denn es gab kein Schwarz und kein Weiß. Nur Grauschattierungen und viel, zu viel Verworrenes.

12

Es war nicht leicht, in der Zeit zurückzureisen. Ich sah auf meine Uhr. 3:25 am Morgen. Es war spät. Es war früh. Es war beides. Ich war erschöpft. Also seufzte ich. Aber diesmal nicht aus Müdigkeit. Sondern aus Erleichterung.

Ich nahm den Fahrstuhl und betrachtete mein Gesicht, das sich in der Tür aus Edelstahl spiegelte. Es war herzförmig und fuhr mit dem Fahrstuhl nach unten. Als ich die Lobby betrat, begrüßte mich der Nachtportier: »Einen wunderschönen guten Morgen, Mr. Hertzmann«, und dann zwinkerte er. Und ich dachte mir: Ein Zwinkern, eine so einfache Geste, die so viel Leichtigkeit enthält.

»Ihnen eine gute Nacht«, sagte ich, und weil ich nicht zwinkern konnte, blinzelte ich ihn an. »Gibt es ein besseres Ende für eine Nacht als so eine freundliche Begrüßung?«

»Wie das Dessert am Ende einer Mahlzeit.«

»Wie ein Espresso am Ende eines Desserts am Ende einer Mahlzeit«, stellte ich fest und gab ihm das Plastikteilchen aus der Kamera. »Also manchmal sind Klischees tatsächlich wahr.«

»Verzeihung, Sir?« Der Klang des Wortes *Sir* beschämte mich immer, selbst nach so vielen Jahren noch.

»Meine Frau verabscheut Klischees. Und ich auch. Aber manchmal sind sie wahr. Oder vielleicht war es dann gar kein Klischee. Denn über seine Familie zu sprechen, kann nie banal sein. Die Familie *ist* alles, was zählt«, sagte ich und winkte dem Nachtportier zu. Also winkte er zurück. Das

Winken seiner Hand schien so einzigartig zu sein wie ein Fingerabdruck.

Ich fuhr mit dem Fahrstuhl wieder hinauf. Und auf halber Strecke gähnte ich erneut. Diesmal kam keine einzige Träne aus meinen Augen. Doch seltsamerweise fühlte ich mich so, wie man sich fühlt, wenn man geweint hat, wenn Tränen die Augen und den ganzen Körper reingewaschen haben. Und ich versuchte, mich an den Spruch über die Augen zu erinnern, die der Spiegel der Seele sein sollen.

Wieder oben legte ich den Morgenmantel ab, stieg aus den Hausschuhen, nahm mein Gebiss heraus und kroch ins Bett. Meine Dorale schlief noch. Sie sah so friedlich aus, dass man denken konnte, sie hätte das Böse nie gesehen.

Zwei Stunden später war ich wieder wach. Dora schlief immer noch. Also nahm ich mir die Zeit, über die vergangene Nacht nachzudenken, über das, was ich gefilmt hatte, und über sie. Über *sie*. Ihr Bild wurde scharf und unscharf, ganz wie es ihr gefiel, aber sie verschwand nie ganz aus meinen Gedanken. Sie war lebhaft und leuchtend und allgegenwärtig wie nie zuvor. Meine Gedanken wurden durch ein Husten unterbrochen. Dora schlug die Augen auf und fragte: »Yankele, was tust du da?«

»Ich denke nach.«

»*Oh. Oy. Oy*. Nicht gut«, und damit schloss sie ihre Augen wieder, »nachzudenken ist niemals gut.«

»Du hast geschlafen«, sagte ich.

»Ich habe nicht geschlafen.«

»Aber ich habe dich gesehen.«

»Manchmal täuscht die Wahrnehmung.«

»Meine Dora. Du hast geschlafen.«

Dora nahm meine Hand zwischen ihre Hände. Die Hand meines unverletzten Armes. »Schön. Vielleicht habe ich geschlafen. Vielleicht. Aber nur ein kleines bisschen.«

»Glaubst du, wir hätten mit den Kindern über den Krieg reden sollen?«

Dorales Gesicht sah verwirrt aus. Sicher wusste sie nicht, wie sie reagieren sollte. Denn sie reagierte gar nicht. Ich hatte ihr aus heiterem Himmel die ultimative Frage gestellt. Dabei kam meine Frage nicht aus heiterem Himmel. Ich fragte aus reiner Neugier.

»Nein« war alles, was sie ein paar Minuten später sagte.

»Warum nicht?«

»Es war *unsere* Entscheidung. Wir haben sie zusammen getroffen, und sie war gut.«

»Zweifelst du manchmal daran?«

»Das kann ich nicht.« Ihre Stimme zeigte die Überzeugtheit einer Richterin. »Manche Entscheidungen sind lebenslang gültig.«

»Und andere haben ein Verfallsdatum.«

»Aber diese eine nicht, Yankele.«

Obwohl ich immer noch nicht überzeugt war, sagte ich: »Dorale, du hast Recht. Man kann nicht mit, nein, ich meinte, man kann nicht *in* der Vergangenheit leben.«

»Wir haben die richtige Entscheidung getroffen«, sagte sie in einem frostigen Ton, der mir das Gefühl vermittelte, in einer Eiswanne zu liegen und nicht in meinem warmen Bett.

Ob es stimmte oder nicht, war egal. Weil ich die Vergangenheit nicht ungeschehen machen konnte. Selbst, wenn ich es gewollt hätte. Aber ich wollte gar nicht. Nicht zu reden war sicher am besten. *Gam zu le'toyveh.* Es war klug, unsere Kinder zu beschützen. Und auch uns selbst. Denn wenn man nicht darüber spricht, was einem in der Vergangenheit widerfahren ist, *kann* man – in der Gegenwart – der Mensch werden, der man sein möchte.

»Irgendwelche Neuigkeiten?«, fragte Dora nach einer überlangen Schweigepause.

Also griff ich nach der Zeitung von gestern, die noch auf dem Nachttisch lag, um meiner Erinnerung auf die Sprünge zu helfen. »Du hast alles schon gelesen.«

»Ich meinte: Neuigkeiten für uns. Familienneuigkeiten.«

»Oh. Nein. Das Theater ist noch nicht vorbei.«

»*Oy vey*«, sagte sie. Wie Recht sie damit hatte!

13

Als ich mich auf meinen Morgenspaziergang begab, fragte ich mich, ob der hilfsbereite Verkäufer meine Videos schon an diesen Ort gebracht hatte. Ich dachte angestrengt über *diesen* Ort nach – wie er erschaffen worden war, wer ihn erschaffen hatte, warum er erschaffen worden war –, als ich auf der gegenüberliegenden Seite der Avenue eine verschwommene menschliche Gestalt winken sah. Ich blickte nach rechts, nach links und hinter mich. Niemand stand in meiner Nähe. Also. Ich konnte mit einiger Sicherheit annehmen, dass diese Person *mir* zuwinkte. Ich wartete, bis die Fußgängerampel auf Grün sprang, und überquerte dann die Straße.

»Hallo«, sagte ich, als ich bei der Person angekommen war, die sich als wunderschöne junge Frau entpuppte. Schüchtern machte sie einen Schritt auf mich zu. Sie war groß, ihre Haut war blass und makellos.

»Verzeihung«, sagte sie, »das ist ja so aufregend, ich habe noch nie jemanden getroffen, den ich von Jutjub kenne.« Ihr Akzent war merkwürdig, ihr Haar war rehbraun, und ihre Augen hatten die Farbe von Kastanien.

Jutjub?, dachte ich mir. Wo lag das? War es eine Insel? Ein Gebirgszug? Ein tropischer Regenwald? Ich konnte mich nicht erinnern, von diesem Ort gehört zu haben, geschweige denn, dort gewesen zu sein. Also sah ich zu ihr auf. »Ja, Sie sind es. Ich kenne Sie«, fügte sie hinzu. »Mein Lieblingsblog hat auf Sie verwiesen, da habe ich mir Ihre Sachen mal angeguckt.«

»Oh«, murmelte ich. Ich glaubte nicht, sie jemals vorher gesehen zu haben. Aber man kann nie wissen. Nicht wahr? Ich bin alt, da ist es nur normal, Dinge zu vergessen. Oder Menschen. Also. Weil ich nicht unhöflich sein wollte, sagte ich: »Also. Hallo.«

»Im Grunde geht es doch um die massenhafte Selbst-Kommunikation. Selbstgewählt, selbstgesteuert, selbstdefiniert.« Sie nickte, als verstünde sie ein physikalisches Gesetz, das über Quantenmechanik und die Unschärferelation weit hinausging. Aber was konnte das sein? Von den Gesetzen der Physik hatte ich nur verstanden, dass ich kein einzelnes davon verstand.

»Man sollte seine Geschichte als erster und immer selbst erzählen. Sonst macht das ein anderer, und am Ende steht man da als einer, der man nicht ist.«

Ich war, gelinde gesagt, verwirrt. Und, offen gestanden, hatte ich keinen blassen Schimmer, wovon sie sprach. Aber ich bin nicht geschaffen für unangenehme Situationen, also sagte ich: »Vielen Dank«, und dachte noch: Das ist das Alter. Es macht dich immer unsicherer.

Ihr Haar wehte im Wind, und sie sah aus wie in einer Shampoo-Reklame. »Heutzutage gibt es so viel Müll – ein Taco umarmt einen Panda, Leute schmeißen mit Bananen, ein Junge löst ein Puzzle – und, wen interessiert's? Aber die massenhafte Selbst-Kommunikation ist ein mächtiges Instrument. Sie nimmt *wirklich* auf unsere Lebensrealität Einfluss. Ich habe noch nie jemanden getroffen, den ich von Jutjub kenne. Es ist mir eine Ehre.«

»Mir ist es eine Ehre«, sagte ich zu der Frau. »Also. Nun denn. Lassen Sie mich Ihnen noch einen wunderbaren Tag wünschen«, sagte ich lächelnd, blinzelte sie freundlich an und ging weiter.

Als ich nach Hause kam, hatte Dora schon den Frühstückstisch gedeckt. Die Küche roch nach frisch gepresstem Orangensaft. Ich setzte mich und überflog die Schlagzeilen. »Schwimmunterricht kann Kinder vor dem Ertrinken retten.« Ich blätterte um. »Krieg dämpft Hoffnung auf Frieden.« Lag es an mir, oder klangen die Nachrichten heute besonders sinnlos? Dora setzte sich mit einem Glas Orangensaft neben mich. Ihre Hand war klebrig und voller Fruchtfleischreste. Ich wollte ihr das Süße von den Fingern lecken. Ich ließ die Zeitung sinken. Faltete sie zusammen. Und faltete sie noch einmal zusammen.

»Oh, fast hätte ich es vergessen«, sagte sie. »Alte Köpfe arbeiten nicht so gut. Als du weg warst, hat jemand angerufen. Er sagte irgendwas von einem Studio, in das er dich einladen möchte. Ich wusste nicht, was er wohl von dir wollte, also habe ich gesagt, du würdest nicht mehr hier wohnen.«

»Schön. Also. Was meinst du. Sollten wir wegfliegen?«

Ich konnte sehen, dass meine Frage Dora überraschte. »Wohin? Heckst du etwas aus?«

»Aushecken? Ich? Natürlich nicht. Also, wie wäre es mit einer Reise?«

»Wohin denn? Wozu?«

»Ein Urlaub.«

»Oh, nein«, rief sie.

»Warum nicht?«

»Wer braucht schon Urlaub?«

»Jeder.«

Sie schwieg und überlegte, also schwieg und überlegte ich auch. Aber was überlegte ich? Ich beobachtete Dora und sah, was mir schon früher aufgefallen war, ich aber bis jetzt nie hatte in Worte fassen können. Sie blickte nach unten. In letzter Zeit blickte sie immer nach unten. Wenn sie sich nicht gerade mit jemandem unterhielt, starrte sie – mit einem gefrorenen Blick – vor sich hin, nach unten – sie wich anderen Augen, anderen Menschen aus.

Dora hielt mir eine Porzellanschüssel hin und sagte: »Hier, bitte.« Also nahm ich ein paar Kirschen. Sie waren fleischig und saftig und köstlich.

»Aber wir sind alt«, stellte sie fest.

»Und? Auch alte Leute brauchen Urlaub.«

»Wirklich!?«

»Ich bin mehr als sicher«, sagte ich und wurde vom Drang zu beichten gepackt. Ich wollte Dora alles über mein heimliches Tun erzählen. Also sagte ich: »Ich habe über ein paar Dinge nachgedacht.«

»Welche Dinge?«

»*Dinge* eben«, sagte ich. Und dachte mir: Ich habe über unsere auseinanderbrechende Familie nachgedacht und über meine alte Familie auch. Ich habe über das Leben und den Tod nachgedacht und über alles, was dazwischen liegt.

»Und zu welchem Schluss bist du gekommen?«, fragte sie neugierig.

»Dass es besser ist, am Leben zu sein als tot.« Ich konnte noch nicht darüber sprechen, nichts davon konnte ich in Worte fassen.

Leichthin fragte meine Frau: »Noch etwas?«

»Dass wir Urlaub machen sollten. Vielleicht, aber das ist nur so eine Idee, in Südamerika? In Venezuela etwa?«

Also blickte sie mich an. Und als könnte sie durch mich hindurch sehen, sagte sie sanft: »Ja, vielleicht, eines Tages.«

»Aber wir sind alt«, sagte ich in der Hoffnung, dass dies sie überzeugen würde.

»Genau das sagte ich eben!«

Oy, dachte ich. Das war kein kluger Zug von mir.

»Wenn du die Küche nun bitte verlassen würdest. Ich muss aufräumen. Dein Kaffee wird dir woanders serviert.«

Gerade, als ich hinausgehen wollte, fiel mir ein, dass ich noch ein letztes Ass im Ärmel hatte. »Wenn wir verreisen, können unsere Kinder uns nicht mehr belästigen. Denn ich würde ihnen die Telefonnummer unseres Hotels nicht geben!«

14

Es war Nachmittag, und das Faxgerät meldete den Eingang eines neuen Dokuments. Also ging ich hin und zog an dem Blatt Papier, das zur Hälfte aus der Maschine heraushing.

> Memo
>
> Liebe Gesellschafter,
> wir möchten euch hiermit darüber informieren, dass aus unserem Lager exakt 79 Kaffeesäcke verschwunden sind. Die meisten von euch wissen bereits Bescheid, da einige von euch/wir wegen der verschwundenen Ware Anzeige bei der Polizei erstattet und eine Befragung eurer/unserer Geschwister angeregt haben.
>
> Einen schönen Tag noch (oder auch nicht)
> Jasmin und Leonard

Ich legte das Blatt zurück in das Papierfach des Faxgerätes. Und starrte für eine Weile darauf. Warum sollte einer von ihnen unseren Kaffee stehlen? Also. Mir fiel nur eine Gegenfrage ein: Warum sollte man sich ins eigene Knie schießen? Ich war tief in Gedanken, als Dora mit einem Tablett ins Wohnzimmer kam. Darauf standen zwei Tassen und ein Teller mit herzförmigen französischen Butterkeksen. Sie setzte alles auf unserem Kaffeetisch ab.

»Das Leben ist schon merkwürdig«, sagte sie energisch. »Sobald man glaubt, man hätte es verstanden, beweist es einem, wie sehr man irrt.«

»Was meinst du damit?« Ich ging zu unserer Hausbar und warf einen Blick aus dem Fenster und über den Central Park. Die Baumkronen reichten nicht an unsere Wohnung heran, es schien, als breitete sich unter uns ein Ozean aus einer Million Grüntönen aus. Ich griff zur Weinbrandflasche. Ich würde uns einen *Caffè Corretto* machen.

»Ach, nichts«, sagte sie. »Es fällt mir nur schwer, an Zufälle zu glauben. Das ist alles. Dann wiederum ist es schwer, überhaupt an etwas zu glauben.«

Also gab ich einen Schuss Weinbrand in die Tasse und ging zu Dora zurück. Ich reichte ihr das Getränk. Sie starrte es an, als wäre sie eine Wahrsagerin, die im Bodensatz eines türkischen Kaffees nach verborgenen Antworten sucht. »Komplex und dennoch ausgeglichen«, sagte sie. Ich war stolz darauf, dass sie in Sachen Kaffee immer gleich auf den Punkt kam.

Ich nippte. Der Espresso gab mir ein buttriges Mundgefühl. Der Weinbrand schmeckte rauchig. Eine großartige Kombination. »Wie wäre es mit einem Spaziergang im Park?«

Dora stand auf und legte die grüne Spitzenschürze ab. Sie warf sie über die Armlehne. »Du hast dich noch nicht ganz erholt. Sieh dich an. Du hast einen Verband.«

»Nur am Arm«, sagte ich und verspürte plötzlich den Wunsch, einen Slice zu spielen. Und einen Topspin zu schlagen. »Das Tennis fehlt mir.« Dora und ich sagten das gleichzeitig. Unsere Stimmen harmonisierten wie die unschlagbaren Williams-Schwestern bei einem Grand Slam. »Und komm mir nicht mit dieser Maschine! Wer spielt schon gegen eine Maschine?«

Ich wusste, dass Dora keine Lust hatte, die Wohnung zu verlassen, und meine Verletzung nur als Ausrede gebrauchte. Also fragte ich: »Und wenn ich dir vorschlagen würde, Sean zu besuchen?«

»Dazu würde ich immer ja sagen.«

»Das macht mich misstrauisch. Das weißt du doch, oder? Hast du eine Affäre mit unserem Tennislehrer?«

»*Oh*, mein Yankele.« Dora neigte ihren Kopf leicht vor, und ein Kinderlächeln zierte ihr wunderschönes Gesicht. Ihre Augen lachten hemmungslos, und ich dachte nur noch daran, wie froh ich war, diese Frau glücklich machen zu können. Und wie sehr ich es liebte, wenn sie mich *mein Yankele* nannte.

Es klingelte. Also gingen Dora und ich zur Tür. Ich öffnete und sah einen FedEx-Boten. Er überreichte mir einen Umschlag. Also bedankte ich mich und blinzelte ihn freundlich an. Ich riss den Umschlag auf.

Die erste Zeile zeigte, dass alle meine Kinder dieses Schreiben erhalten hatten. Ich las und hörte den FedEx-Boten sagen: »Ich brauche Ihre Unterschrift, bitte.«

Mit diesem Schreiben setzen wir Sie darüber in Kenntnis, dass die Kanzlei Hamilton & Brown Ltd. im Auftrag von Mr. Leonard Hertzmann Klage einreichen wird, um das Beschäftigungsverhältnis und die Eigentumsverhältnisse des Mandanten klären zu lassen.

Sie und die Mitarbeiter Ihrer Firma sind vertraglich vereinbarten Verpflichtungen unserem Mandanten gegenüber nicht nachgekommen. Sie haben sich unzulässigerweise und auf Kosten unseres Mandanten bereichert und haben sich darüber hinaus weiterer arbeitsrechtlicher Verstöße schuldig gemacht, aus denen sich ein Schadensersatzanspruch für unseren Mandanten ableiten lässt.

Wir fordern Sie hiermit auf, die unserem Mandanten von Mr. Yankele Hertzmann versprochenen Firmenanteile unverzüglich zu überschreiben. Darüber hinaus erbitten wir die Herausgabe sämtlicher Alben mit Fotos, auf denen Mr. Leonard Hertzmann abgebildet ist. Dies beinhaltet auch sämtliche Kinderporträts.

Bei diesem Schreiben handelt es sich um eine einmalige Forderung unserer Kanzlei an Sie. Keinesfalls handelt es sich bei diesem Schreiben um die erste einer Reihe von Zahlungsaufforderungen. Falls die Kompensationszahlungen, die Überschreibung der Firmenanteile und die Herausgabe der Fotoalben nicht unverzüglich erfolgen oder die Parteien sich innerhalb einer Frist von drei Monaten und unter der Vermittlung von Hamilton & Brown Ltd. nicht schriftlich einigen, wird es kurzfristig zu einer Verfahrenseröffnung kommen.

Bitte wenden Sie sich bei Rückfragen ausschließlich an Hamilton & Brown Ltd.

Ich reichte Dora den Brief. Sie warf einen Blick darauf und fragte: »Ist das echt?«

»Es scheint so«, sagte ich. »Sieh dir den protzigen Briefkopf an.«

»Verzeihung, wenn Sie dann bitte hier unterschreiben würden?«, sagte der FedEx-Bote, aber seine Stimme wurde von der Wucht des Briefes übertönt.

»Wie absurd«, sagte Dora. »Yankele, dein armer Kopf. Du schüttelst ihn viel zu heftig.« Ich hatte gar nicht bemerkt, dass ich ihn überhaupt schüttelte.

Leonards Anwalt war ein Fremder. Wie konnte er ihm vertrauen? Ich, sie, wir alle brauchten angesichts der neuen Lage eine Lösung – und keinen Anwalt. Ich konnte das nicht begreifen. Wie konnte er Interna, die das Familienunternehmen betrafen, an einen Außenstehenden weitergeben?

Auch Dora war außer sich. Ich sah es in ihren Augen. Sie waren weit aufgerissen, wie immer, wenn sie außer sich ist. Doras Augen sahen aus wie große, blaue, klare Murmeln. »Anwälte, um gegeneinander vorzugehen? Anwälte sind zu nichts nütze«, schimpfte sie. »Sie kosten nur Geld.«

»Sir, Madam, es tut mir leid, aber ich brauche wirklich Ihre Unterschrift. Würde es Ihnen etwas ausmachen, ganz kurz hier zu unterschreiben?«, fragte der FedEx-Bote, aber seine Bitte war unwichtig. Ich fühlte mich, als würde ich explodieren und in mich zusammenfallen. Beides gleichzeitig. »Nur er kann so was machen«, sagte ich erbost.

»Nur Leonard«, sagte Dora laut. »Nur Leonard kann so etwas machen, immerhin hat seine Frau ihn mit heruntergelassener Hose bei einer Prostituierten erwischt. Was für eine Schande!«

»Aber Jasmin hätte das ebenso machen können«, sagte ich noch lauter als Dora. »Sie kauft sich ständig neue Hunde, sucht sie passend zu ihren Sofabezügen aus und behandelt sie, als wären es ihre Kinder. Hast du gesehen, wie sie sie mit ihrer eigenen Gabel füttert? Also, *das* ist eine Schande! Ein paar davon sind eigentlich klein und süß.«

»Das sind keine Hunde, das sind Ratten«, rief Dora.

»Und lass mich gar nicht erst von Benjamin anfangen – nicht nur, dass er erst so spät geheiratet hat, nicht nur, dass er eine Frau geheiratet hat, deren Großvater er sein könnte, nein, sie ist noch dazu eine *schikse*!«, rief ich, »eine *schikse*! Schande!«

»Und Eliot ist auch nicht besser. Dreißig Jahre hat er auf seinem Hintern gesessen und nichts getan. *Nichts*. Wenn das keine Schande ist, weiß ich auch nicht!«

Dora und ich standen im Foyer unserer Wohnung. Ich konnte einen Ausschnitt des Central Park sehen – funkelnde, nachmittägliche Sonnenstrahlen schienen auf die Baumkronen.

»Und Benjamin hält wie besessen an seiner Jugend fest. Welcher seriöse Mann seines Alters lässt sich die Haare und den Bart schwarz färben?« Doras Lautstärke übertraf noch die meine.

»Besessen?«, wiederholte ich dröhnend, »Jasmin ist besessen von ihren Marathonläufen, sag mir, warum soll ein Mensch so weit rennen? Und da wir beim Thema Haare sind: Sie wäscht sich die Haare *nie* selbst.«

»Und Eliot *fährt* nie selbst. Immer ist er mit diesem Chauffeur unterwegs. Kann der Mann nicht selbst herumfahren?«

»Nun ja. Wir haben ihnen nie erlaubt, den Führerschein zu machen.«

»Natürlich. Weil Autofahren viel zu gefährlich ist.«

»Das stimmt!« Ich war so wütend. Es schien, als spuckte ich Worte aus wie ein Drache das Feuer. »Und Leonard hat seine Frau mit einer Prostituierten betrogen! Halt, warte. Das hatten wir schon.«

»Und wie oft haben wir Eliot beim Marihuana rauchen ertappt?«

»Sir, Ma'm, Sie sehen beide ziemlich aufgeregt aus. Es dürfte besser sein, mit dem Schreien aufzuhören, außerdem brauche ich jetzt wirklich Ihre Unterschrift, nur zur Bestätigung, dass Sie die Sendung erhalten haben.«

»Von Benjamins schmutzigem Geschäft mit den Russen ganz zu schweigen.«

»Und Eliots Weigerung, endlich erwachsen zu werden. Es hat Jahre gedauert, bis er etwas mit seinem Leben anzufangen wusste.«

»Und was ist mit Jasmin? Egal, wie selbständig sie ist, dauernd kommt sie mit allem zu mir gerannt, ›Daddy, Daddy, Daddy‹.«

»Und Leonard denkt lächerlicherweise, Klavier spielen zu können. Denk nur! Die Musik liegt unserer Familie nicht im Blut. So war es immer, und so wird es immer sein.«

»SIR! MA'M, hören Sie doch auf. Es ist nicht gut für Ihren Blutdruck und für Ihr Herz, sich so aufzuregen.«

»Es ist nicht gut für mein altes Herz, dass meine Kinder sich dermaßen aufführen, und dass…«

»Stoooooooooooopp!«, rief der FedEx-Bote. Sein Gesicht war so rot wie die Wand hinter ihm. Er schaffte es, uns zum Schweigen zu bringen.

15

Ich starrte in die Dunkelheit des frühen Morgens. Sie war nicht so dicht wie neulich, als sie mir zum ersten Mal begegnet war, direkt nach Doras Geburtstag. Unsere Augen stellen sich schnell um, dachte ich mir. Wie unser Verstand.

Die Gegend vor unserem Haus war menschenleer. Im Stich gelassen oder in Ruhe gelassen. Der Himmel war besonders ruhig. Die Wolken hingen bewegungslos zusammen und bildeten schiefergraue geometrische Muster.

Die Kamera wartete an ihrem Ort, also musste ich nur auf »on« drücken. Sobald das grüne Licht erschien, ging ich zu meinem Sessel. Ich setzte mich, überzeugte mich davon, dass mein Morgenmantel ordentlich geschlossen und der Pyjama nicht zu sehen war. War er nicht. Gut.

»Wollen wir zur Sache kommen?«, fragte ich laut. »Ja, das wollen wir«, antwortete ich enthusiastisch. Also.

»Nachdem Dora und ich geheiratet hatten, zogen wir nach Dahlem. Ich wusste, ich musste den Kaffee für weniger Geld kaufen und für mehr Geld verkaufen. Also fing ich an, ihn selbst zu schmuggeln. Und mit ihm Handel zu treiben. Es war eine aufregende Zeit. Gefährlich und abenteuerlich. Und notwendig.

Damals ging es einzig ums Überleben. Heute sind die Menschen wie gelähmt, weil es ihnen gut geht. Weil sie etwas zu verlieren haben. Zum ersten Mal in der Geschichte gibt es Menschen, die weniger gebildet sind als ihre Eltern, und doch haben sie mehr zu verlieren. Wir hatten nichts zu verlieren. Also konnten wir alles riskieren. Aber sogar in meinen wildesten Träumen hätte ich mir nicht ausgemalt, dass das Geschäft so wachsen würde. Es kam mir nicht in den Sinn, welche Möglichkeiten das Leben bereithält. Möglichkeiten, die man ergreifen kann.«

Hier saß ich nun, sprach und zeichnete eine Welt, die tausend Jahre entfernt schien. Wenn die Leute mir zuhörten, fragte ich mich, würden sie mir so zuhören, wie ich meinen Eltern zugehört habe, den Märchen und Gute-Nacht-Geschichten meiner Eltern? Erzählungen, die meine Vorstellung vom Leben, von Familie und Moral geprägt haben?

»Für eine Weile schmuggelte ich in und um Berlin herum. Ich kaufte bei den Franzosen, den Amerikanern und den Briten und verkaufte an die Franzosen, die Amerikaner und die Briten. Sie alle waren dort stationiert. Ich verkaufte auch an Zivilisten. Ich schmuggelte Kaffee in den Osten, in die von den Sowjets besetzten Stadtteile, die vom Westen abgeschnitten waren und unter chronischem Mangel an Grundnahrungsmitteln und, viel mehr noch, an Luxusnahrungsmitteln litten. Und alle Leute sehnten sich so aufrichtig wie verzweifelt nach Kaffee. Wenn ich mich recht erinnere, kostete das Pfund damals zweihundert Reichsmark.

Die Geschäfte liefen gut, aber als die Grenze zwischen Ost und West enger wurde, hörte ich mit dem Schmuggeln auf. Dora hatte Angst um mich. Sie schlug vor, einen Laden zu mieten. Also taten wir das. Auch wenn sie heute vorgibt, am

Erfolg der Firma keinen Anteil gehabt zu haben, war es immer *unser* Geschäft, unser kleiner Liebling, nicht meiner allein. Immer habe ich erstens auf mein Bauchgefühl und zweitens auf meine Dora gehört. Oft riet mir mein Bauchgefühl einfach nur, auf sie zu hören.«

Ich war kein geborener Geschichtenerzähler. Soviel war mir klar. Und doch saß ich hier und erzählte meine Geschichte und stellte mich dabei nicht so ungeschickt an. Kein bisschen ungeschickt, wenn ich mir ein Urteil erlauben darf. Während ich sprach, wurde ich von meinen Geschichten verschluckt. Also musste ich mich fragen: Kann ein Mann ernsthaft von seinen eigenen Worten verschlungen werden?

»Kaffee war damals etwas anderes. Eine andere Art von Vergnügen. Eine andere Art von Bedürfnis. Man kochte ihn zu Hause. Oder im Büro. Also. Wir eröffneten eine Rösterei und eigneten uns alles Wissen selbst an. Damals wusste ich nicht einmal, dass Kaffee eine kleine rote Frucht ist, denn ich hatte noch nie etwas anderes gesehen als die grünen ungerösteten Bohnen.

Was wir in unserem Geschäft machten, nennt man heutzutage Heimröstung. Wir rösteten jeweils ein Kilo auf einmal. Zunächst sortierten wir die Bohnen. Wir sammelten die Zweige und Steinchen heraus, die mitgeliefert wurden. Wir rösteten den grünen Kaffee portionsweise in einer Eisenwanne über dem Holzkohlefeuer. Dann ließen wir ihn abkühlen. Danach sortierten wir die Bohnen abermals und suchten alle heraus, die nicht geröstet waren.

Wir gaben unser Bestes. Manchmal hatten wir Erfolg, und manchmal machten wir Fehler. Aber ist das nicht die Geschichte der Menschheit, zusammengefasst in einem Satz? Langsam lernten wir dazu. Die Bohnen müssen ständig in Bewegung sein, um ein Anbrennen zu verhindern und eine gleichmäßige Farbe zu erhalten. Man muss sie schnell abkühlen, um übermäßige Röstung zu vermeiden. Schließlich kamen wir zu beständigen Ergebnissen. Wie alles andere im Leben brauchte auch das Übung.

Nach einigen Monaten konnten wir eine Kaffeemühle kaufen. Und eine industrielle Röstmaschine – mit einer soliden, schmiedeeisernen, horizontal ausgerichteten Trommel für fünfzehn Kilo und mit einem regulierbaren Gasbrenner, der uns eine bessere Kontrolle des Röstvorgangs erlaubte. Damit setzte unsere wirkliche Kaffee-Ausbildung ein. Wir sahen zu, wie die Bohnen sich von gelb zu braun verfärbten, langsam die Hitze aufnahmen, wie der Zucker in den Bohnen karamellisierte. Und wir begannen, so einiges zu bemerken: Wie der Geschmack sich veränderte, wenn man die Bohnen zu schnell geröstet hatte oder zu langsam, oder zu lange oder zu kurz. Wir experimentierten mit verschiedenen Röstgraden – hell, medium, wienerisch, französisch. Selbst wenn man mehrere Straßen weit weg war, konnte man unseren Kaffee riechen. Es war, als würde sein Aroma durch unser Viertel spazieren wie einer der Anwohner.

Nachdem das Geschäft weiter gut lief, machten wir einen zweiten Laden auf. Wir verkauften an Privatkunden und an

Gastronomen. An Einzelhändler wie an Lebensmittelläden. Wir erfanden auch eine Premium-Marke, die wir an Fachgeschäfte und Feinkostläden verkauften. Und jeden einzelnen Pfennig investierten wir gleich wieder ins Geschäft. Um den besten Kaffee kaufen zu können, die beste Ausstattung und Logistik zu haben.«

Ich stemmte beide Arme in den Sessel, den gebrochenen und den gesunden. Und drückte mich hoch. Es war mühsam, und ich merkte, wie ich Tennis vermisste. Ich wollte meinen Körper wieder gebrauchen, die Knochen bewegen, die Muskeln anstrengen und mir nach dem Match das verschwitzte Stirnband vom Kopf ziehen. Also. Ich trat ans Fenster und starrte auf die dunklen Straßen hinunter. Das Deli an der Ecke, die Bio-Kleiderreinigung in der Seitenstraße und das Restaurant daneben waren geschlossen. Man sagt, dass New York City nie schläft, aber ganz sicher schlief es besser als ich.

»Als ich einundzwanzig war, drei Jahre nach Kriegsende, machte ich Geschäfte mit einem Überlebenden aus dem Scheunenviertel. Obwohl dies keine Geschichte vom Krieg ist, muss ich es erwähnen: Mein *tate* hatte mich vor Kriegsausbruch fortgeschickt. Ich kann mich noch genau an seine letzten Worte erinnern: ›Gib das hier Onkel Sammy‹. Und schon hatte er mir eine Goldmünze in die Hand gedrückt. ›Mein Bruder und seine Familie brauchen es sicher nötiger als wir.‹ Als ich fortging, lebte meine ganze Familie noch zu Hause. Als ich zurückkam, waren alle weg.

Also. Dieser Überlebende aus dem Scheunenviertel wollte meinen Kaffee kaufen. Das war wenige Wochen vor der Berlinblockade. Wir unterhielten uns, und er erwähnte einen Arzt. Einen nichtjüdischen Arzt, der sich der Aufgabe verschrieben hatte, Mädchen, jüdische Mädchen, aufzunehmen und zu verstecken.

Ich hatte schon oft meine Familie gesucht und war jedesmal mit leeren Händen heimgekehrt. Aber als ich von diesem Arzt hörte, dachte ich: Meine Schwestern, sie sind alle blond. Es wäre ihm leicht möglich gewesen, sie als Arier auszugeben und zu verstecken.

Also machte ich mich auf die Suche nach ihm. Doktor Schäfer war sein Name. Als ich ihn gefunden hatte, wusste ich sofort, dass ich ihm schon vor dem Krieg begegnet war. Er war ein feiner Mann. Sanft und leise, mit leichter Trauer in seinen gütigen Augen.

Doktor Schäfer erzählte mir, dass es ihm gelungen war, eine meiner Schwestern zu retten. ›Die Kleinste. Leah, so hieß sie, wenn ich mich recht erinnere.‹

›Sie erinnern sich recht. Leah, so *heißt* sie‹, sagte ich, und Tränen brannten mir in den Augen.

Er berichtete mir Folgendes: ›Das Kind, nach dem du fragst, wurde mir von Herrn Hertzmann übergeben, damit ich es beschütze. Ich brachte Leah zu einem Nonnenkloster und erzählte den Nonnen, ich hätte das arme Ding am Bahnhof gefunden.‹

Er sagte: ›Während des Krieges ist Leah dann bei einer Familie gelandet. Ich weiß das, weil ich gegen Kriegsende in Leipzig war, als die Stadt bombardiert wurde. Ich sah eine Frau mit einem Kind auf der Straße, und ich erkannte das Kind. Ich näherte mich den beiden – es war Leah. Ich stellte mich als der ehemalige Hausarzt von Leahs Eltern vor und fragte nach einer Adresse, für den Fall, dass nach dem Krieg jemand das Mädchen suchte. Die Frau sagte, dass sie gefürchtet hätte, dass dieser Moment kommen würde. Aber sie gab mir jedenfalls ihre Adresse.‹

Doktor Schäfer gab mir die Adresse. Also fuhr ich hin. Die Stadt war der Roten Armee in die Hände gefallen, aber ich marschierte furchtlos durch sie hindurch, bis ich das Haus mit der morschen Holztür gefunden hatte. Ich klopfte an. Eine Frau und ein Mädchen machten mir auf. Die Frau war irgendeine Frau, aber das Mädchen war Leah. Sie war es wirklich. Diese ganze Zeit war sie in meiner Nähe gewesen. Ich konnte es nicht glauben.

Leah sah mich an und ihre Augen weiteten sich und sie wurde ganz still. Sie blinzelte nicht, noch wandte sie die Augen ab. Sieh sah mir direkt ins Gesicht, und ich trat näher und noch näher an sie heran und fiel auf die Knie und legte meine Arme um sie wie eine Decke, und Tränen waren in meinen Augen, schwer wie Beton. Ich umarmte sie. Sie erwiderte die Umarmung nicht, sie blieb wie ein Eisklotz vor mir stehen, die Arme nach unten gestreckt, wie an den Körper geleimt. Sie bewegte sich nicht. Bewegte nicht einmal ihren starren Blick.

Ich war auf den Knien und fühlte, wie sie in den Boden sanken, hunderte Meter tief. Während des Krieges hatte ich alles getan, am Leben zu bleiben, und nun schwor ich bei meinem Leben, dass dieses Mädchen meine kleine Leah war, und wenn nicht, sollte Gott mich strafen und zu sich nehmen.

Nie hätte ich mich irren, nie hätte ich diese riesigen runden Augen vergessen können. Sie betrachtete mich für einige Sekunden, dann rannte sie ins Wohnzimmer, wo sie sich auf den Teppich kniete und die Ellenbogen auf den Sofatisch stützte.

Ich erklärte der Frau – sie hieß Schneider – wer ich war. Sie fragte nicht nach, öffnete die Tür und bat mich herein.

Wir saßen auf zwei Sofas im Wohnzimmer. Leah saß zwischen uns auf dem Boden. Sie fädelte Perlen und ein Kreuz zu einem Rosenkranz auf.

»Erkennst du mich?«, fragte ich.

»Erkennst du mich?«, fragte Leah zurück.

»Natürlich. Ich würde dich immer und überall erkennen.«

»Das sagst du nur, weil wir einen ähnlich aussehenden Mund haben.«

»Das siehst du?«

»Das sieht doch jeder.«

»Ich bin dein Bruder.«

»Ich habe keinen Bruder.«

Sie legte mir den Rosenkranz um den Hals und erklärte mir, ich müsse ihn tragen, damit ich beschützt sei. Sie hatte keine Ahnung, wer ich war. Aber wie war das möglich? Also redete ich mir ein, dass sie Angst hatte, vorübergehend verwirrt war, dass sie einfach nicht zugeben konnte, mich zu kennen. Aber ich *fühlte* etwas anderes. Mein Herz wurde ausgepresst wie eine Zitrone. Sie erkannte mich *nicht* wieder.

Als fast zehn Jahre zuvor der Krieg ausgebrochen war, war sie fünf Jahre alt gewesen und ich ein Teenager. Aber nun hatte ich einen Bart und einen Männerkörper und Spuren eines Lebens, das schon gelebt worden war.

problematisches Wiederfinden

Ich betrachtete Leah und *wünschte* mir mein altes Leben zurück. Es war kein Wunschgedanke, sondern ein so starkes Verlangen, dass mein ganzer Körper zitterte.

Ich wollte die letzten zehn Jahre meines Lebens abstreifen. Ich wollte sie loswerden. Ihnen entkommen. So wie die Raupe einer Motte ihrem Kokon entkommt. Ich sehnte mich nach meiner Familie, ich verzehrte mich nach dem verspielten Lächeln meiner Schwestern, nach ihren wachen Blicken, ich wollte noch einmal Abendessen für sie zubereiten, neben meiner Mutter in unserer bescheidenen Küche. Als Leah mir gegenüber saß, vermisste ich sie so sehr, dass es unerträglich weh tat, ihr ins Gesicht zu blicken.

Leah hatte immer noch diese großen, dunklen, runden Augen. Sie sahen unendlich traurig aus.

Ich sagte: ›Hallo, Leah.‹

Sie fragte: Wer ist Leah?‹

Ich sagte: ›Wie heißt du?‹

›Magdalena.‹

›Ich bin Yankele.‹

›Es freut mich, dich kennenzulernen.‹

›Kennst du mich nicht schon?‹

›Nein!‹

Frau Schneider war eine großmütig aussehende, freundliche und anständige Frau. Seit Jahren war mir keine solche Güte mehr begegnet.

Sie sagte, dass Magdalena möglicherweise nur etwas Zeit brauche. Sie sagte, sie würde mit ihr reden, ihr alles zu erklären versuchen und dass ich so lange bleiben dürfte, wie ich wolle. Sie sagte, dass solche Dinge Zeit brauchen.

Der Name Schneider passte hervorragend zu ihr. Beschrieb er doch ihren Versuch, das Wenige, was von meiner Familie übriggeblieben war, zu flicken.

In der Nacht schlief ich in einer Pension, nicht weit entfernt von *ihrem* Haus. Und die ganze Nacht fragte ich mich: Wann und wo hatte sich die Welt so verkehrt?«

CARACAS, VENEZUELA

Meine Mutter ging nie ohne Regenschirm aus dem Haus

Meine Mutter ging nie ohne Regenschirm aus dem Haus. Ob bei Tag oder Nacht, ob in der feuchten oder der trockenen Jahreszeit – es war ihr egal. Meine Mutter kannte nur einen einzigen Tanzschritt. Ich habe ihr das, weil das Tanzen ihr eine besonders leidenschaftliche Befriedigung bescherte, nie gesagt, aber in Wahrheit wurde selbst dieser eine Schritt kaum dem gerecht, was man mit dem Wort »tanzen« verbindet. Eigentlich sah es meistens so aus, als erlitte sie einen epileptischen Anfall. Dies hier ist ein Porträt des Lebens meiner Mutter.

Sie ist eine Frau, die ihre Worte mit Bedacht wählt, weil sie deren Macht kennt. Sie ist eine Frau, die von der Sonne geküsst worden ist. Sie ist eine Dessert-Connaisseurin, die keinen Tag ihres Lebens verstreichen lässt, ohne einer süßen Verlockung nachzugeben. »Wollen wir vor dem Essen eine Kleinigkeit naschen?«, fragte sie mich, als bräuchte sie meine Erlaubnis. »Nur dieses eine Mal«, wiederholte sie täglich, um dann allen Ernstes hinzuzufügen: »Die Regeln werden überbewertet. Man will dich vom Gegenteil überzeugen, aber glaube mir: Nicht immer ist es wichtig, was zuerst und was als nächstes kommt.« *Ma* liebt *polvorosas*, weil sie mit Puderzucker bestäubt sind, sie liebt *cachito de chocolate* wegen der cremigen Füllung und *torta de jojoto*, weil sie auf der Zunge schmilzt. Sie war dünn und sie war glücklich.

Ich dachte immer, ich wüsste alles über sie, so wie man alles über sich selbst weiß. Jetzt verstehe ich, dass ich alles über sie weiß, aber nur so, wie man *denkt*, alles über sich selbst zu wissen.

Früher war ich überzeugt davon, meiner Mutter alles vom Gesicht ablesen zu können – Gefühle und Meinungen, Sorgen und Träume. Aber ich fürchte, ich habe mich geirrt. Im Laufe der letzten fünfzehn Jahre versank *Mamá* immer wieder tief in Gedanken, fast hatte es den Anschein, als würde ihr ganzes Dasein von ihnen überwältigt. Ganz offenbar war ein Schalter umgelegt worden, denn bis dahin hatte *Ma* mehr weibliche Wärme ausgestrahlt als jede andere Frau, die ich kannte. Später dann wurde sie kühler. Ich hatte das stets auf ihr Alter geschoben, aber heute denke ich, dass es etwas anderes ist. Der Arzt glaubt, sie könne etwas nicht *los-*

lassen, und ich frage mich, ob sie besonders gut darin war, ihre wahre Natur vor mir zu verbergen, besser, als ich es ihr je zugetraut hätte.

Ich putze mir die Zähne, und das gelbe Post-it starrt mich an. *Wenn meine Mutter gestorben ist, werde ich ganz allein sein auf der Welt.* Seit sechs Wochen hängt es da, und ich reiße es vom Spiegel, knülle es zu einem Ball zusammen und schmeiße es weg. Ich werde vermutlich immer noch ein paar Freunde haben. Das einzige Problem ist, dass ich sie bislang nie als Freunde bezeichnet habe. Gestern noch waren sie nichts weiter als Bekannte, höchstens, und nun sollen sie auf einmal Freunde sein. Das also ist das Leben.

»Seine Freunde sucht man sich aus – *a los amigos uno los escoge, los parientes son a huevo* –, aber in eine Familie wird man hineingeboren. Diesen Spruch habe ich von den Mexikanern geklaut, und ich stimme ihm voll zu«, hatte meine Mutter nach Alejandros Tod mehr als einmal zu mir gesagt. Danach erfolgte eine ihrer allumfassenden Umarmungen, in denen ich versank. Ich konnte ihn buchstäblich kommen fühlen, diesen Satz, denn kurz bevor sie ihn ablieferte, verzog sich *Mamás* Gesicht, als zerreiße es ihre Eingeweide. Ich stellte mir immer vor, dass genau in dieser Sekunde Alejandros jungenhaft hübsches Gesicht mit dem einen Grübchen und den runden Augen – rund wie Hosenknöpfe – vor ihren Augen erschien.

Bevor er starb, war ich der Jüngste. Danach war ich der Älteste. Ich finde es nicht richtig, wenn ein Junge während seiner ersten Lebensjahre gleich beide Rollen übernehmen muss.

»*Dime*, wie ist es, ein Einzelkind zu sein?«, wurde ich eines Tages in der Schule gefragt. Ich sah ein paar älteren Jungs beim *Chapita* zu und war besonders neidisch auf einen, dem kein einziger Schlag mit dem Besenstiel misslang.

»Woher soll ich das wissen?«

»Komm schon, *el mio*, ich hatte ja immer zwei Brüder, und Miguel ist ein Einzelkind und kann nicht vergleichen. Nur *du* kennst beides.«

Ich möchte ihn zusammenschlagen. Möchte seinen Schädel gegen die Mauer knallen und dann auf den Boden. Möchte ihm die Augen herausreißen und über das spritzende Blut lachen. Zum ersten Mal in meinem Leben fühle ich mich fähig, jemanden zu ermorden. Ich weiß nicht, wohin mit der Gewalt, die in mir brodelt. Ich wünschte, sie würde abebben, verrotten.

»Ich bin der Mittelpunkt meiner Eltern. Ich bekomme so viel Aufmerksamkeit und Liebe, wie ich brauche, und ich muss nie darum kämpfen und nichts teilen. Es ist herrlich.« Aber das ist nicht das, was ich fühlte.

Was ich fühlte, war wie ein Eimer voll Melancholie, der in mir schwamm, und was ich wünschte, war nur eines: Alejandro sollte wieder lebendig sein. Ich wünschte, dass er wieder atmete. Ich wünschte, dass die Lücke, die er hinterlassen hatte, sich schließen würde.

Ich wollte, dass Alejandro zurückkehrte, weil er sechs Jahre lang, so lange, wie ich ihn kannte, gut zu mir gewesen war. Er schnitt lustige Grimassen, zog sich die Hose bis unter die Achseln und sprach mit allen möglichen albernen Akzenten. Vor dem Schlafengehen erzählte er mir Geschichten von Piraten, Dinosauriern und einsamen Inseln. Nach seinem Tod hatte ich unser Zimmer für mich allein, aber es fühlte sich nicht mehr wie mein Zimmer an. Es war nur noch ein leerer Raum zwischen vier stummen Wänden, in dem ich keine Zeit mehr verbringen wollte.

Ich wollte, dass er zurückkehrte, meinen Eltern zuliebe. Denn seit seinem Todestag hatten sie sich für immer verändert. Nicht nur, dass meine Mutter nach seinem Tod stärker wurde und Vater schwächer; ihr wurde alles wichtiger, während ihm alles unwichtiger wurde, ich eingeschlossen.

Ich wollte, dass er zurückkehrte, damit wir unsere natürliche brüderliche Rivalität ausfechten konnten, denn obwohl ich sie zu seinen Lebzeiten nie wahrgenommen hatte, fühlte ich sie jetzt nach seinem Tod. Mit einem Toten kann man nicht konkurrieren; der Tote wird immer bedingungslos geliebt. Sobald ich das begriffen hatte, verstand ich, dass die Lebenden es verdient hätten, auf dieselbe Weise geliebt zu werden, und da meine Mutter mir am nächsten stand, liebte ich sie dementsprechend.

Mit einem toten Bruder aufzuwachsen, heißt, ein perfektes Kind sein zu müssen. Es heißt, dass man mit seinen Eltern unendliche Geduld haben muss. Es heißt, dass man *sein* Leben lebt und das eigene noch dazu, alles ihm zuliebe.

Wie ich meiner Mutter berichte, was in der Schule passiert ist, steht Vater gebeugt vor dem geöffneten Kühlschrank. Das Kühlschranklicht leuchtet auf seinen Rücken. Er dreht sich nicht um, er zeigt mir nichts als seinen muskulösen Rücken. Er bringt es nicht über sich zu sprechen. Aber ich sehe, wie er verbrennt, innerlich schreit, in kleine Stücke zerbricht.

Ich sehe es kommen; es ist, als sei in diesem einen Moment der ganze Schmerz ihres Daseins zusammengefasst, und sie sagt laut und deutlich: »Seine Freunde sucht man sich aus, aber in eine Familie wird man hineingeboren. Den Spruch habe ich von den Mexikanern geklaut, und ich stimme ihm voll zu.«

Später an diesem Tag sagte *Mamá*: »Liebe ist kein in Flaschen abgefülltes Wasser. Es ist genug von ihr für alle da.« Obwohl ich noch ein Kind war, durchschaute ich sie. Ich erkannte, wie verzweifelt bemüht sie mir das Gefühl zu geben versuchte, ich würde nicht weniger geliebt als zuvor. Ich verstand intuitiv, dass sie nicht genau wusste, wie sie ihre Liebe zwischen ihrem toten und ihrem lebenden Sohn aufteilen sollte, aber inzwischen weiß ich: Obwohl sie mich dabei anblickte, galt der Satz meinem Vater.

Wir sind und bleiben zwei Brüder, und wir stehen auf dem Dach unserer Großmutter. Der Tag war neblig, aber kurz vor Sonnenuntergang hat der Himmel aufgeklart. Wir schauen auf die sinkende Sonne; sie fällt langsam vom Himmel. Irgendeine Kraft hält sie davon ab, schneller zu fallen, ich weiß nicht, welche, aber ich schätze sie. Alejandro und ich betrachten die Nachbarhäuser, und ich frage mich: Wird die Sonne in der Ferne, falls sie auf einem Gartenzaun landet, explodieren?

»*Mamá, Papá*«, brüllen Alejandro und ich, wir brüllen den ganzen Nachhauseweg immer wieder »*Ma, Pa*«. Außer Atem erreichen wir das Haus, und ich frage: »Ist die Sonne wie ein Ballon?«

Vater sagt mit einem angedeuteten Lächeln: »*Hijo de gato caza ratón.*«

»Dein Vater will damit sagen, dass Kinder nach ihren Eltern kommen, mein Sohn. Er will sagen, dass der Sohn der Katze Mäuse jagt und dass du und ich aus demselben Holz geschnitzt sind.«

»Als ich eure Mutter kennenlernte, hat sie mich gefragt, ob der Mond ein Musikinstrument ist.«

»Wie ein Akkordeon?«, fragte ich.

»Wie ein Akkordeon«, bestätigte *Mamá*.

Der Ballon und das Akkordeon, die Sonne und der Mond und alles dazwischen. Der Himmel und die Erde und alles, was da ist. Man sagt: »*Entre cielo y tierra no hay nada oculto*. Zwischen Himmel und Erde bleibt nichts verborgen.« Außer dass sich meine Mutter *genau dort* verbirgt. Caracas hat einen Beinamen: *La Sucursal del Cielo*, Zweigstelle des Himmels auf Erden. Dieser Name ist meistens ein grausamer Witz, aber nun, da meine Mutter hier reglos im Bett liegt, scheint er einen Hauch gerechtfertigt.

Während ich das denke, spüre ich ein Zittern in meinem linken Augenlid. Das Lid zuckt so stark, und wenn ich es nicht besser wüsste, wäre ich davon überzeugt, dass es ein Erdbeben verursachen könnte. Im Spiegel kann ich das Flattern nicht sehen. Ich nehme das Post-it aus dem Müll und presse es mir zwischen die Handflächen, und sowie es geglättet ist, klebe ich es wieder an den Spiegel und gehe zu Bett.

Sie waren glücklich zusammen, *Mamá y Papá, Magdalena y Gabriel.* Ich kann nur vermuten, dass sie einander geliebt haben, denn sie respektierten einander, wie es nur Menschen tun, die sich innig lieben. Sie haben nicht viel gemeinsam gelacht, und ich frage mich, ob sie das vor Alejandros Tod je getan haben.

Costilla, so nannte er sie; Rippe. Er war seiner Zeit weit voraus; vielleicht war es sogar er, der das Kosewort in die venezolanische Umgangssprache eingeführt hat. Eine Zeit lang nenne ich Carla so, aber dann fällt mir ein, dass Vater meine Mutter so genannt hat, und ich höre auf damit. Worauf aus Carla meine *Carlita* wird.

Wir sind noch eine ganze und normale Familie, und wir besuchen das Perijá-Gebirge. In der Ferne sehen wir den *Pico Piedras Blancas*, der sich über alle anderen Gipfel erhebt. Er ist über und über mit Schnee besprenkelt wie ein *arroz con leche* mit Zimtpulver. Wir besichtigen einige in die Berge gebaute Dörfer, an deren zu Terrassen ausgebauten Hängen Kaffee wächst.

»Vor den Erdölfunden war Venezuela von der Kaffeeproduktion abhängig«, erklärt Vater, während wir die Pflanzen untersuchen, an denen kleine purpurrote Früchte hängen. Hinter der Plantage spielt eine Gruppe von Kindern Fußball. Mit schwarzem Textmarker haben sie sich *La Vinotinto* auf ihre weißen T-Shirts geschrieben.

»*Los jugadores de fútbol de Venezuela*«, ruft Vater ihnen zu.

Voller Stolz und lautstark applaudieren die »Fußballer Venezuelas«, und *Pa* sagt zu uns: »Wir sind hier nicht weit von der kolumbianischen Grenze entfernt.«

»Ich liebe Grenzen«, sagt meine Mutter mit einer Stimme so flockig wie der ferne Schnee.

»Du liebst sie, weil die Leute sie brauchen.«

»Ich liebe sie, trotz der Tatsache, dass die Leute sie brauchen«, korrigiert sie ihn.

Alejandro und ich können nur an eines denken: Wir sind nicht weit von der kolumbianischen Grenze entfernt. Nicht weit von einem anderen Land. Wie aufregend.

»Die *Andes* grenzen den Pazifischen Feuerring ab«, betont Vater.

»Können wir da Feuer sehen?«, fragt Alejandro.

Zu der Zeit möchte ich immer noch Feuerschlucker im Zirkus werden, und ich bin von Alejandros Vorschlag begeistert. Vater lacht. Ich kann mir sein Lachen nicht mehr vergegenwärtigen, weder seine Kraft noch seine Dauer, ich weiß nur, dass er lachte.

»Man spricht von einem Feuerring, weil es in diesen Regionen zu Erdbeben und Vulkanausbrüchen kommt«, belehrt Vater uns weiter, und so beschließe ich, meinen ersten Berufswunsch fallenzulassen, um stattdessen Vulkanforscher zu werden.

Wir unternahmen viele Ausflüge. Meine Eltern unterrichteten beide an einer öffentlichen Schule, und obwohl sie ein sicheres Gehalt bezogen, schrammten wir bestenfalls die Unterkante der Mittelschicht. Eltern mit besser bezahlten Jobs konnten sich die vielen Ausflüge und Reisen, die wir machten, nicht leisten. Wir fuhren nie ins Ausland – »man muss seine Heimat kennen und lieben«, pflegte Vater zu sagen. Unsere Touren waren maßvoll und familiär, waren aber doch Reisen.

»*Mamá*«, fragte ich eines Abends, kurz bevor mir vor dem Einschlafen die Augen zufielen, »wie können wir uns so viele Reisen und Hotelübernachtungen leisten?«, flüsterte ich ihr ins Ohr.

»*Mijo*, die Wahrheit ist: Da gibt es einen Mann in Nordamerika, der uns so sehr liebt, oder vielleicht ist er auch nur verwirrt oder weiß nicht, wohin mit seinem Geld, dass er uns ein erfülltes Leben wünscht. Wie dem auch sei«, sagte sie mit einem Zwinkern, einem sanften Zwinkern, das mich raten ließ, »wenn du etwas geschenkt bekommst, nimm es und stell keine Fragen.«

Silberhell lache ich über die blöde Antwort meiner Mutter, lasse den Kopf auf das weiche Hotelkissen sinken und stelle diese Frage nie wieder.

Dieses Zwinkern – ich rufe es mir ins Gedächtnis zurück. Es war ein Komma, kein Punkt.

Nur noch ein Mal habe ich dieses Zwinkern bei ihr gesehen. Viele Jahre später. Ich überreichte ihr einen Stapel Briefe, die an sie gerichtet, jedoch an meine Großmutter geschickt worden waren, in deren Haus ich zu jener Zeit schon lebte. Sie riss mir die Briefe aus der Hand, sie *zwinkerte* und sagte dann leicht affektiert: »Ich habe so viele Brieffreunde in Amerika, die mit mir Spanisch üben wollen.«

Nachdem die anderen gestorben waren und uns allein zurückgelassen hatten, verbrachten *Mamá* und ich viel Zeit miteinander. Es fing an in dem Monat nach *Pas* Tod, als *Ma* ihr Bett und ich *Mas* Haus nicht mehr verließ, und so in etwa ging es dann weiter. Um diese Zeit herum wurde Caracas immer gefährlicher.

»Ich weiß, du bist erwachsen«, sagte *Ma* eines Tages zu mir, »aber ich möchte dich trotzdem bitten, nicht mehr U-Bahn zu fahren. Vergiss das Wort Sicherheit. Niemand in *el mietro* lächelt. Alle sehen unglücklich aus. Warum solltest du dir das antun?«, fragte sie und überreichte mir die Schlüssel zu Vaters *chalan*. »Es ist alt und gebraucht, aber es fährt noch, und was will man mehr von einem Auto?«

Meine Carlita liebte die U-Bahn. »Der einzige Ort ohne kulturellen Gehalt – und deswegen kulturell höchst relevant«, pflegte sie zu sagen. »Wollen wir heute Metro fahren statt Auto?«, fragte sie oft und fügte noch hinzu: »Anständige Leute benutzen die öffentlichen Verkehrsmittel, weißt du.« Aber ihre Bemühungen waren vergeblich; ich hatte *Mamá* mein Wort gegeben.

Jahrelang habe ich den Fehler gemacht, eine fundamentale Tatsache nicht zu beachten; es war mir unmöglich zu sein, was ich am meisten sein wollte: der perfekte Sohn und der perfekte Partner zugleich.

Mit jedem Tag schmolzen *Ma* und ich nun enger zusammen; zwei Menschen, die befürchteten, dem einen könnte etwas zustoßen und der andere könnte allein zurückbleiben. Wir waren auf keinen Fall besonders – in Venezuela haben alle Angst; dennoch erschien es uns logisch, dass die Lebensrealität der Stadt *uns* enger zusammenrücken ließ.

Wir gingen nach Einbruch der Dunkelheit nicht mehr aus dem Haus, beschränkten unsere Aktivitäten auf wenige Stadtviertel und sprachen kaum noch mit Fremden. Wir ließen es uns jedoch nicht nehmen, unsere Stadt zu erkunden wie Touristen, denn Touristen, glaubten wir, haben immer Zeit, die Gesellschaft ihrer Mitreisenden zu genießen. Wir besuchten das *Museo de Arte Contemporáneo de Caracas* und starrten auf die Meisterwerke der Moderne, obwohl weder *Mamá* noch ich etwas von Kunst verstanden. Wir verstanden nur die Gelassenheit, die ein Museum ausstrahlte. Wir schlenderten durch den *Jardin Botanico*, wandelten zwischen tausenden von Pflanzen und hunderten von Palmenarten, besuchten den *Zoologico de Caricuao* und schenkten die meiste Aufmerksamkeit den Tropenvögeln – den Aras, den Tukanen und den Flamingos. Bei diesen Ausflügen bemerkte ich, wie Männer meine Mutter ansahen.

Ma ist eine wunderschöne Frau. Schön wie die idyllischen Dünen von *Los Medanos de Coro*; schön wie die grasbewachsenen Ebenen, die sich bis hinter die *Mesa de Guanipa* erstrecken; schön wie die weißen Sandstrände und das kristallklare Wasser des *Archipielago de los Roques*. Die erlesene Natürlichkeit und Einzigartigkeit Venezuelas findet sich voll in der äußeren Erscheinung meiner Mutter.

Nicht alle Männer würden mir beipflichten, was die Schönheit meiner Mutter betrifft. Nur jene, die mit einem Sinn fürs Detail gesegnet sind, können das Ausmaß ihrer Reize erkennen. Wenn Sie mich fragen, so gibt es auf diesem

Planeten nur zwei Sorten von Männern: Jene, die die Schönheit meiner Mutter sehen, und jene, die blind sind.

Wenn ich daran denke, dass meine Mutter und ich kein aktives Duo mehr sind, fühle ich mich trauriger als traurig und bekümmerter als bekümmert. Ich könnte diese Empfindungen neu benennen.

Ich reiße den Umschlag auf

Ich greife nach dem Regal und ziehe ihn zwischen den Buchdeckeln von *Geschichte des Lebens* und *Die Geologie unseres Planeten* heraus. Ich öffne den Umschlag. Aus der kleinen, dreieckigen Öffnung leuchtet mir Alejandros rotblonder Haarschopf entgegen. Ich öffne den Umschlag nun ganz. Haufenweise Fotos von meinem Bruder. Er ist ein Baby und hat bereits das Grübchen, er liegt auf dem Bauch, er ist ein Junge und balanciert stolz auf einem Bein, er zeigt frech in die Kamera. Er sieht gut aus, zu gut, und ich vermisse ihn, wie man sich schmerzhaft nach einer Kindheit sehnt, die man nie hatte. Es gibt auch noch andere Bilder von ihm, aber sie stecken alle in den Fotoalben im Keller meiner Mutter.

Nachdem sie sämtliche Fotos von ihm aus unseren Wohnräumen entfernt hatte, setzte *Ma* sich hin und sagte: »Damit das Sonnenlicht sie nicht ausbleicht.« Sie packte alle Fotoalben in eine Kiste, während ich daneben stand und ihren schweren Atem an meiner Schulter spürte.

»Kann ich welche haben?«

»Du kannst alles haben, was du willst, mein Sohn, aber du musst gut auf sie achtgeben. Du musst so gut auf sie achtgeben wie auf mich.«

Ich verstand, was sie sagte; weil sie keine neuen Fotos mehr von ihm machen konnte, mussten die alten aufbewahrt werden, als gäbe es weit und breit nichts Kostbareres. Vorsichtig wählte ich meine Lieblingsfotos aus, steckte sie in einen Briefumschlag und klebte ihn zu. Für eine ganze Weile danach schlafe ich mit ihnen unter meinem Kissen.

Wenn ich ihn ans Bett meiner Mutter mitnehme, wird sie aufwachen, sie muss aufwachen, sie muss einfach. Aber würde ich sie dann betrügen? »*No seas malandro*, verwende die Worte einer Frau nie gegen sie.« Mutter wusste immer Rat. »Sei immer in der Nähe deiner Frau – sonst bist du ein Narr.« »Wenn eine Frau hungriger ist als eine Zecke auf einem Stofftier, redet sie Unsinn, also widersprich ihr dann nicht.« Das sind sie: die Perlen der Weisheit meiner Mutter.

Während ich noch überlege, Alejandro mitzunehmen, komme ich mir vor wie ein *malandro*, ein Gangster, ein Verbrecher, ein Dieb, der den bittersten Kummer seiner Mutter gegen sie verwendet. Und doch laufe ich Hand in Hand mit Alejandro zum Haus meiner Mutter hinüber. Fast meine ich, den Dreck unter seinen Kinderfingernägeln spüren zu können, den sandigen Schweiß seiner Hände, die meine beschützen und festhalten, und für einen Moment bin ich wieder sein kleiner Bruder.

Und dann wieder nicht.

Am Tag von Alejandros Beerdigung wache ich mit Kopfschmerzen auf. Ich bin ein robustes Kind, aber an jenem Tag platzt mein Kopf. Mein Gehirn setzt sich aus einer unbestimmten Menge von Splittern zusammen, und sie sind alle nur lose miteinander verbunden.

Eine Messe wird für ihn gelesen. Sein Körper ist in diesen kleinen Sarg eingesperrt. Man benetzt ihn mit Weihwasser, und seine Füße, die zu früh zu wachsen aufgehört haben, zeigen zum Altar. Um ihn herum brennen Kerzen. *Réquiem aetérnam dona eis, Dómine …* Das höre ich meine Mutter flüstern. Ich höre sie das noch flüstern, nachdem längst ein anderer Text für sie an der Reihe gewesen wäre.

In dem Moment fährt mir ein lächerlicher Gedanke durch den Kopf. Ich gehe zu seinem Sarg und öffne den Deckel und spähe hinein, wie eine Katze hinter dem Sofa heraus späht. Alejandro liegt reglos da, bis er – *BU!* – sich nicht länger totstellt. Er reißt die Augen weit auf, und ein mit Jugendlichkeit getränktes Grinsen erhellt sein Gesicht, als er aus dem engen Sarg springt und die Arme in die Luft wirft. Er zieht sich die Hose bis unter die Achseln und sagt mit albernem Akzent: »Reingelegt!«

Während ich mir das vorstelle, weiß ich, dass mein Bruder und ich immer beste Freunde gewesen wären.

Vor fünf Jahren ist mein Nachbar von seinem Hausdach gesprungen. Sein Haus ist nicht einmal besonders hoch, es war nur so, dass er auf einer Harke oder einem Rechen gelandet ist und deshalb nicht überlebt hat. Zwei Wochen lang musste ich an ihn denken, wenn ich morgens meine Einfahrt verließ. Danach verschwand er aus meinem Kopf, als hätte er nie existiert. Der Tod ist eine seltsame Sache. Manche Leute löscht er vollkommen aus, andere wieder erweckt er, als könne er ihnen ein zweites Leben einhauchen. Diese Menschen brennen sich für immer in unser Gedächtnis ein.

Ich gehe mit dem Briefumschlag in der Hand und entdecke ein Plakat mit Präsident Chávez auf einem schmutzig weißen Pferd neben Jesus Christus, der an einem Laternenmast hängt. Ich halte kurz inne und weiß nicht, ob das Bild mich zum Lachen oder Weinen bringen soll.

Die heiße Maria ist schon da im Hause meiner Mutter. »*Buenos días*«, sage ich. »*Cómo está*?« Ich möchte wissen, wie es ihr geht, denn heute strahlt sie, und wenn sie strahlt, ist sie noch sexier als sonst. Wie ein anständiges Mädchen antwortet sie: »*Muy bien, gracias*«, und zieht ein Handtuch glatt.

»Ich dachte, Sie kämen heute später.«

»Ich habe beschlossen, nicht zur Messe zu gehen. Nicht heute. Es ist wichtiger für mich, hier zu sein.«

»Sie sind zu freundlich.«

Soweit ich weiß, habe ich keine Kinder. Ein Mann kann diese Aussage nie mit derselben Bestimmtheit treffen wie eine Frau, aber er kann davon mit viel mehr Freiheit sprechen. Keine der Frauen, mit denen ich schlief, hat je um Geld gebeten, und da ich keine Prostituierten ficke, kann ich davon ausgehen, nie eine Frau geschwängert zu haben. Die Sanftmut, mit der Maria sich um meine Mutter kümmert, weckt in mir das Verlangen, sie zu befruchten.

Sie liegt im Bett und ich flüstere: »*Buenos días, mi bella madre*«, als fürchtete ich, meine zu laute Stimme könnte sie wecken. Mein verwirrtes Hirn vergisst immer wieder ihren Zustand. »Warum bist du in den letzten Jahren so kalt geworden?« Ich flüstere immer noch, obschon ich sie wecken möchte. »Wo ist deine Kette?« Sie sieht aus, als hätte man das Leben aus ihr gewrungen wie Wasser aus einem nassen Lappen. Ich streiche ihr über die Stirn und betrachte ihre Armbeuge und die Hohlnadel, die in der durchscheinenden Haut steckt.

Auf einmal denke ich, dass der Tod sich wie ein Geist jahrelang an sie herangeschlichen hat. Die anderen mochte er überraschen, nicht aber meine Mutter. Denn sie – sie wollte er warnen.

Mit derselben Ehrfurcht, die einen niederknien lässt, halte ich ihr das Foto von ihm vor die Augen. Ihre Sinne werden darauf reagieren; auf keinen Fall werden sie versagen, ganz sicher nicht. Sie wird den Staub riechen, der das Bild seit über vier Jahrzehnten bedeckt hat; er wird in ihrer Nase kitzeln. Selbst bei geschlossenen Augen wird sie den lebhaften Bronzeton seiner Haut erkennen. Sie wird die Süße seines Schweißes schmecken, als hätte sie ihn eben noch so wie unzählige Male zuvor auf die Stirn geküsst. Sie *wird* aufwachen. Aber nichts geschieht. Obwohl sie ganz in seiner Nähe ist, ist *Mamá* wie kilometerweit entfernt – auf der anderen Seite der Welt, jenseits des nordatlantischen Ozeans.

»Was kann ich für Sie tun?«, höre ich Maria mit heller Stimme sagen.

Ihre Frage beschämt mich. »Nichts, *nada*, nichts. *Gracias*.«

»Sie hat heute keinen guten Tag.«

Das ist stark untertrieben. Ich frage: »Wollen Sie *Aló Presidente* schauen?«

»Ja. Ich könnte auch etwas Ablenkung gebrauchen«, antwortet sie freundlich.

Maria und ich lassen uns aufs Sofa sinken. Sie sitzt am einen Ende und ich am anderen, und zwischen uns sitzt sexuelle Spannung. Ich schalte den Fernseher ein, und wir sehen uns die Sonntagsshow des Präsidenten an. Im Studio klingelt das Telefon und Chávez nimmt den Anruf des Zuschauers entgegen.

»Sie sind mein Held«, sagt der Mann.

»*Gracias*«, antwortet Chávez. »Ich schlafe ein wenig am Morgen und ein wenig in der Nacht. Ich studiere eine Menge. Das ist die Pflicht eines jeden Revolutionärs.«

»Was für ein bewundernswerter Mann«, sagt Maria mit Verlegenheit in der Stimme.

»Ich möchte Sie etwas zur *Mission Árbol* fragen«, fährt der Mann fort.

»Ich habe die *Mission Baum* so genannt, weil ich die venezolanischen Wälder wieder aufforsten will«, sagt Chávez. Er trägt ein rotes Hemd, wie immer. »Der Plan war, innerhalb von fünf Jahren 600 000 Bäume zu pflanzen, und ich kann mit Genugtuung verkünden, dass wir auf einem guten Weg sind.«

Warum zitiert er bloß immer diese lächerlichen und nichtssagenden Zahlen?

»Nachhaltige Landwirtschaft durch Selbstverwaltung!«, ruft der Zuschauer beherzt ins Telefon, und Chávez verkündet stolz: »Zur *Mission Árbol* gehört es auch, den einheimischen Kaffeeanbau zu fördern.«

Kaffee – das Unglück unserer Nation.

»Was für ein Mann«, wiederholt Maria, »und so ein Charisma.« Sie nickt, ihre verträumten Augen nicken mit, Chávez' Worte bringen ihr Herz zum Schmelzen.

Er ist für Venezuela so etwas wie ein größenwahnsinniger ausfälliger Vater, denke ich, übe aber keine Kritik an der Regierung, weil ich Maria nicht widersprechen möchte und ich zu sehr an meinem Job hänge. Bald wird er tot sein, und dann wird seine politische Eruption in eine neue explosive Phase übergehen.

»Da bekomme ich doch glatt Lust auf *un café*. José-Rafael, soll ich Ihnen auch einen machen?«

»Bleiben Sie sitzen. Ich werde Ihnen einen Kaffee machen«, sage ich zu Maria.

In der Küche setze ich Wasser auf und löffle Kaffeepulver in eine Tasse. Ich kann Maria nur diesen beschissenen Instantkaffee anbieten, denn ein anderer ist nicht im Haus. *Mamá* macht sich nichts aus Kaffee – wie ich auch. Als ich mit dem Löffel in der Tasse rühre, dreht sich das verfärbte Wasser im Kreis und ich muss an Voltaire denken, der sich, so wie ich, leidenschaftlich für Geologie interessierte. Angeblich trank er siebzig Tassen Kaffee am Tag, und ich höre *Mamá* mit Entschiedenheit sagen: »Kaffee ist etwas für Leute, die ihre Geschmacksknospen kontrollieren wollen. Nichts für jene, die sich von ihren Geschmacksknospen kontrollieren lassen. Nichts für jene, die leben wollen. Aber für die, die das Leben kontrollieren wollen.«

An dem Tag, als Alejandro entführt und ermordet wurde, gab es nichts Besonderes. Sie haben ihn wohl nicht absichtlich getötet, sagte die Polizei; es war ein Unfall, schließlich ist ein totes Kind nicht viel wert.

Meine Mutter ist überzeugt davon, dass ein Polizist, ein Feuerwehrmann oder ein Nationalgardist an der Entführung beteiligt waren, denn sie hatte uns immer verboten, mit Fremden zu sprechen, und wir waren brave Jungs. Wir sprachen nicht mit Fremden. Aber ein Mann in Uniform ist kein Fremder. Man kennt ihn irgendwie, er ist meistens ein Held. Meine Mutter weiß, was da ihrem süßen Alejandro zugestoßen ist, aber sie kann es nicht beweisen.

»Die mütterliche Intuition irrt nie. Die der Ehefrau irrt manchmal, die der Tochter ebenfalls, aber die der Mutter nie.«

An dem Tag, als er entführt und ermordet wurde, ging die Sonne auf wie an jedem anderen Tag, und genauso ging sie auch wieder unter. Wie immer wachte ich hungrig auf, ich wachte vor ihm auf, ich wachte auf und hatte keine große Lust, zur Schule zu gehen.

Nach einer kurzen Untersuchung stand für die Polizei fest, dass Alejandro erstickt wurde. Die Entführer müssen versucht haben, ihn zum Schweigen zu bringen, als er um HILFE schrie.

Es war während eines Schulausflugs. Niemand weiß genau, was passiert ist, aber von einer Minute zur nächsten war er aus der Gruppe von Drittklässlern verschwunden.

Obwohl Vater es nie aussprach, hatte ich immer das Gefühl, dass er sich die Schuld gab an dem, was geschehen ist. Seine Selbstvorwürfe und Schuldgefühle waren groß genug, um ein ganzes Baseballstadion zu füllen. Meine Mutter gab sich keine Schuld, soweit ich weiß; nur ein Mal hörte ich so etwas in ihrer Stimme. Sie machten einander keine Vorwürfe, weil Entführungen, wenn auch nicht von Kindern, an der Tagesordnung waren und sie rein rational beide wussten, dass sie nichts dafür konnten.

Sie haben mich abgeholt. Ich weiß noch, dass sie viel eiliger als sonst ins Klassenzimmer traten. Ich baue gerade ein Zelt aus einem Schulheft und Stiften. Meine Mutter hebt mich hoch und drückt mich an sich, und von diesem Tag an hört sie nicht mehr auf, mich zu umarmen.

Ich sitze auf dem Rücksitz, und sie umarmt mich immer noch. Ich verstehe nicht ganz, was los ist. Ich frage: »*Pa*, was ist elf mal fünf?«

Er hört wohl kein Wort von mir, denn er antwortet nicht.

Alejandro und ich waren brave Kinder, aber am Abend vor seiner Entführung waren wir ungezogen. Wir aßen in einem Restaurant. Das war ungewöhnlich, weshalb es einen besonderen Anlass gegeben haben musste. Aber ich kann mich nicht mehr daran erinnern. Wir aßen *tequeños* und Alejandro schnäuzte sich – absichtlich und extra laut. Und das in der Öffentlichkeit und beim Essen! Man hatte uns gerade erst beigebracht, wie unpassend und wie unhöflich das ist, aber er konnte nicht anders und tat es und brachte mich zum Lachen.

Am Tag, als er starb, hörten die Autos in Caracas nicht auf zu fahren. Die Polizei hörte nicht auf, das Verbrechen zu jagen oder sein Gegenteil, und die Eltern hörten nicht auf, ihre Kinder zur Schule zu schicken.

Am Tag, als er starb, sendeten die Radiosender Musik, und die Leute liefen herum und unterhielten sich und gingen an den Strand. Die Vögel flogen am Tag, als er starb.

Am Wochenende vor Alejandros Tod unternahmen wir einen Tagesausflug zur Isla Margarita. Es war Karneval, ein sonnenüberfluteter Tag, und Alejandro und ich hätten aufgeregter nicht sein können – denn wir hatten eine Mission. Erstens, Perlen von der Größe von Taubeneiern zu finden, und zweitens, echte Piraten zu entdecken. Wir waren von unserem Erfolg überzeugt, denn zum einen waren solche Perlen in der Gegend schon einmal gefunden worden, und auch die zweite Aufgabe würden wir schaffen, denn kein Pirat mit ein bisschen Selbstachtung würde die Isla Margarita umschiffen.

An diesem Ausflugstag waren Alejandro und ich besonders glücklich, denn wir durften mit der Fähre fahren und Calypso hören. Trompete, Posaune und Saxofon verschmolzen auf das Glückseligste mit den Bongos, und am liebsten mochte ich die leisen Bambusstöcke im Hintergrund. Wir trieben auf dem Wasser und trugen Kostüme, saubere weiße Hosenanzüge, und Mutter hatte uns für unsere Köpfe kupferfarbene Papierkronen gebastelt. Sie hatte uns braune Umhänge umgelegt und uns zu Königen ernannt.

Als wir die Isla Margarita erreichten, hallte Musik durch die Straßen. Alle tanzten und paradierten herum und hatten sich verkleidet. Die Straßen selbst waren ein Festival der Farben – leuchtende und glühende und glitzernde Farben. Wir paradierten mit herum, bis wir auf einen Spielplatz stießen, auf dem Jungen und Mädchen sich eine Wasserschlacht lieferten; wir wurden nass bis auf die Haut und wir tanzten mit.

An dem Tag, als Alejandro ermordet wurde, kamen Kinder in den Kindergarten, und Eltern fuhren zur Arbeit und die Erde hörte nicht auf, sich zu drehen. Die Sekunden verstrichen wie die Minuten, wie die Stunden.

An dem Tag, als er ermordet wurde, hörten die Jaguare in den Wäldern nicht zu jagen auf, und auch die Pumas und die Ozelote nicht. Die Korallenottern und die Schauer-Klapperschlangen und die Anakondas hörten nicht auf zu kriechen, und in den fernen Flüssen und Sümpfen änderten die Alligatoren, Eidechsen und Schildkröten nicht ihr tägliches Geschäft.

Alejandro wurde am Aschermittwoch ermordet, genau vier Tage nach dem Karneval. Jedes Jahr sagt man an diesem Tag: »*Denn Staub bist du, und zum Staub wirst du zurückkehren*«, aber nie in der Geschichte schien das passender gewesen zu sein.

Sie hat etwas gesagt

Maria kommt mir eilig entgegen, als ich das Haus meiner Mutter betrete. Ich kann nicht anders, ich starre auf ihren engen Rock, der an ihren Schenkeln auf und ab rutscht. »Magdalena hat gesprochen. Sie hat etwas gesagt.«

»*Qué?*«

»*Su madre*, Ihre Mutter. Sie hat etwas gemurmelt.«

»Was hat sie gesagt?«

»*Ni idea*. Es klang wie *Brieder*.«

»Das ist kein Wort.«

»*Sí*, es ist sehr seltsam.«

Rasch gehe ich ans Bett meiner Mutter, und sie sieht aus wie gestern und wie am Tag davor und am Tag vor dem Tag, außer dass sie noch dünner geworden ist; sie wird nach und nach immer schmaler. Man sagt, wenn man täglich etwas sieht, das einem Veränderungsprozess unterliegt, bemerkt man ihn nicht, aber das ist eine Lüge. Ich sehe jeden Millimeter, den meine Mutter abnimmt.

Mamá sieht heute ruhiger aus. Man merkt es an der Haut unter ihren Augen und über ihren Lippen. Aber sie sieht nicht so aus, als hätte sie eben gesprochen. Ich gehe in die Ecke und setze mich in den Lehnsessel, und während ich das Puzzle ihres Lebens zusammenlege, warte ich darauf, dass sie noch einmal spricht, so wie Maria es behauptet hat.

Nachdem Carla und ich auseinandergegangen waren, sagte meine Mutter: »Sie hat eine weise Entscheidung für euch beide getroffen.« Wir standen auf meinem Dach.

»Sie hat uns beiden Schmerzen zugefügt. Ich sehe darin nichts Weises.«

»Wo Liebe ist, da ist auch Schmerz.« Gequält sprach sie *Schmerz* aus, mit einigem Nachdruck, *dolor*.

Es war ein ganz normaler Frühlingstag, der Caracas' Spitznamen gerecht wurde, Stadt des ewigen Frühlings. Die Luft war schwer von Nebel und jeder Atemzug anstrengend.

»Man sagt, dass eine Mutter ihren Sohn weniger liebt, wenn er ihr keine Schmerzen zugefügt hat. Du hast mir mehr Schmerzen zugefügt als Alejandro, obwohl die zweite Geburt normalerweise leichter ist.«

»Das tut mir leid, *Mamá*. Es tut mir leid.«

»Ist schon in Ordnung. Mehr als in Ordnung. Wo Liebe ist, da ist auch Schmerz. Wir sind auf diese Erde gesetzt, um zu leiden.«

Am Nachmittag macht der Arzt routinemäßig seine Visite. Maria zuliebe hat er sich mit seinem billigen Eau de Cologne übergossen. Er bringt die Ergebnisse der Blutuntersuchung meiner Mutter mit und sagt: »Keine Auffälligkeiten.«

»Gibt es denn noch andere Checks, die Sie machen könnten?«

»Wir haben ihr Gehirn bereits untersucht«, sagt er, während er das Augenlid meiner Mutter hochzieht und ihr mit der Stiftlampe ins Auge leuchtet. »Ich möchte mir noch einmal ihre Pupillen ansehen.«

»Was können Sie sonst tun?«

»Wir könnten wohl ein EEG veranlassen, aber da sie nicht in einem echten Koma liegt, ist das überflüssig. Ist Ihnen etwas eingefallen?«

»Wie bitte?«

»Diese nicht abgeschlossene Angelegenheit, von der ich gesprochen habe. Das war kein Scherz.«

»Sind Sie deshalb hier?«

»Ja, und noch aus einem zweiten Grund. Machen wir uns nichts vor«, sagt er und schenkt Maria ein schmieriges Zwinkern.

»*Desgraciado*«, murmele ich leise.

»Ich habe mir immer zwei Kinder gewünscht. Zwei, da ich die Zwei für eine magische Zahl hielt. Es ist die kleinstmögliche Zahl, die es braucht, damit ein Mensch nicht allein ist«, sagte *Ma* eines Tages zu mir.

Gesprächsfetzen steigen von tief innen in mir auf, als würde mein Körper sie abstoßen, als wollte er sie nicht länger beherbergen.

»Der plötzliche Tod eines Kindes ist wie eine Amputation. Man spürt die Abwesenheit und die Anwesenheit gleichzeitig.«

»Warum hast du nach Alejandros Tod nicht noch ein Kind bekommen?«

»*Mijo*, es ist kein Zufall, dass nur wir zwei übrig geblieben sind. Mutter und Sohn und sonst niemand.«

»Aber die Zwei ist eine so fragile Zahl. Es braucht nur einen einzigen Schlag, und das ganze Konstrukt ist hinfällig.«

Als ich mich an diese Unterhaltung erinnere, schaudert es mich. Es ist heiß im Zimmer, aber selbst in dieser Hitze lässt unser Dialog mich zittern. Es war einige Zeit her, nachdem ein Schlaganfall meinen Vater dahingerafft hatte. Damals behauptete meine Mutter, *Papá* sei aus einem anderen Grund gestorben. »Alejandros Tod hat ihm das Herz gebrochen, und mit einem gebrochenen Herzen kann niemand lange überleben. Und vielleicht hat es auch noch etwas anderes gegeben.«

»Er starb an einer Störung der Blutversorgung des Gehirns«, sagte ich *Mamá*. Es war eines der wenigen Male, in dem mir klar wurde, dass auch sie mit Schuldgefühlen zu kämpfen hatte.

»Es ist meine Schuld, dass wir jetzt beide allein sind.«

»Unsinn. Du hast dir nichts vorzuwerfen.«

»Ich habe nichts falsch gemacht, *mijo*, aber das heißt nicht, dass mir Strafe erspart bleibt.«

BERLIN, DEUTSCHLAND

Die Verbindung zu den einzelnen Kapiteln ist gut gelungen (s. letztes Kap., S. 195),

Regen

Ich sprang in die U-Bahn, setzte mich hin, drehte mich zu dem Mann neben mir um und sagte: »In Psychologie haben wir heute gelernt, dass unser Gehirn die komplexeste Struktur im ganzen Universum ist.« Dass man in der U-Bahn mit fremden Leuten viel leichter ins Gespräch kam als anderswo, an einer Straßenecke zum Beispiel oder während eines Theaterstücks, oder wenn man ein Urinal benutzt, gefiel mir super.

»Schön«, sagte er irgendwie blasiert.

»Haut Sie das nicht um, ich meine, das haut einen doch einfach um.«

»Ja, haut einen um, klar, gut.«

Wahrscheinlich war er einfach nicht in Plauderlaune, also wendete ich mich an die Frau auf meiner anderen Seite und sprach beflissen: »Ich habe gelernt, dass von sämtlichen Strukturen innerhalb und außerhalb dieses Universums, von Proteinen bis hin zu Pyramiden und Maschinen, unser Gehirn die komplexeste Struktur besitzt.«

Die Frau nickte eifrig und sagte: »Stimmt, Menschen sind komplex. Alle sind so verdammt einsam und haben so viele Ängste, Schwächen und Empfindlichkeiten. Junge, die Liste unserer Störungen ist endlos lang, bodenlos wie das Geheuchel der Leute.«

»So habe ich das eigentlich noch nie gesehen«, sagte ich und schob eine Hand in meine Hosentasche. Ich tastete nach dem schief geformten Puzzleteil, das dort vergraben war und nahm es fest in meine Hand. Ich liebte es, wie die Pappe sich in meine Handfläche schmiegte.

»Aus diesem Grund reichen *Worte*, unsere grundlegendste Form der Kommunikation, einfach nicht aus.« Die Frau sprach mit ihren Händen genauso viel wie mit ihrem Mund. Das gefiel mir. »Junge, ich nehme das zurück. Worte sind *nicht* unsere grundlegendste Form der Kommunikation, nein, das ist die nonverbale Kommunikation. Unsere Mimik, eine Berührung. Aber wir verbringen so viel unserer jämmerlichen Zeit damit, Beziehungen über E-Mail, SMS und Facebook zu führen, so dass das geschriebene Wort uns inzwischen angenehmer ist als das gesprochene, und am Ende bleibt uns nichts anderes als kalkulierte, abgedroschene und falsch geschriebene Wörter.«

Kein Wunder, dass ich ein eingefleischter Fan des unterirdischen Personennahverkehrs war, ich meine, wo sonst

YouTube – das Kommunikations-
mittel seines Großvaters

kriegt man den Flux aus unzensierten Gedanken irgendwelcher Leute zu hören?

»Weißt du nicht, dass das Internet nur erfunden wurde, um uns alle zu überwachen? Die Leute geben im Netz viel zu viele Informationen über sich preis. Informationen, für die die Stasi sich noch ziemlich ins Zeug legen musste. Und YouTube«, sagte sie, »also, das ist doch wohl die geistige Ausgeburt eines Kultusministeriums, das unsere Kinder verblöden will, denn blöde Leute lassen sich leichter manipulieren«, und dabei klatschte sie sich mit beiden Händen energisch auf die Oberschenkel. Verdammt, dachte ich, die Frau punktet ja ganz schön, und nur weil sie verrückt ist, bedeutet das noch lange nicht, dass die Welt es *nicht* ist, oder?

»Heutzutage ist Information Macht«, rief sie, »Information ist Macht.« Alle im Waggon starrten uns an, und, ehrlich gesagt, ich freute mich über so viel Aufmerksamkeit. Sehr sogar.

Ich betrachtete die hervorstehenden Augen der Frau, die dunklen Schatten darunter, die eleganten roten Lippen, und ich musste an meine eigene Erfahrung mit Videos auf YouTube denken. Ich meine, ich hatte mich beim Zusammensetzen und Erwerben von Puzzles und beim Verkleben zusammengesetzter Puzzles gefilmt, und tatsächlich, nichts kommt an das Vergnügen heran, sich *sichtbar zu fühlen*. Es war ein Gefühl wie kein anderes. Ich schwöre, es war höllisch beruhigend zu wissen, dass die eigene Existenz von Bedeutung ist, dass einer zuguckt und nachdenkt und sich interessiert, zu wissen, dass deine Videos noch existieren werden, wenn du selbst schon lange nicht mehr bist.

YouTube – eigene Bedeutung

»Ihr lernt in der Schule nicht mehr viel heutzutage, oder? Nicht einmal, euer *halbes* Gehirn zu benutzen.«

»Das ist jetzt aber nicht nett von Ihnen«, sagte ich und kniff die Lippen zusammen.

»Lass mich dir etwas sagen, Junge. Das heute größte Problem ist, dass es *zu viele* Möglichkeiten gibt, mit Leuten zu kommunizieren, die gar nicht mit dir kommunizieren wollen.«

Ich hielt das Puzzleteil in meiner Hosentasche noch fester jetzt, als wäre es mein Glücksbringer. »Warum schmeißt du deinen Computer nicht einfach aus dem Fenster? Und den Fernseher auch. Und wo du schon dabei bist und falls du ein Handy hast, solltest du es definitiv im Klo runterspülen.«

Die Augen der Frau weiteten sich, im Ernst, sie wurden so groß wie einer dieser Heißluftballons. »Die Jugend«, knurrte sie, »es ist, als würde man gegen eine Wand reden. Eine Katastrophe, darüber nachzudenken, dass *du* unsere Hoffnung für die Zukunft bist« – sie stand auf und setzte sich einige Plätze weiter wieder hin. Was für eine kindische Geste, ich schwöre. Ich meine, es ist total ungerecht, dass man so auf uns rumhackt – andere Teenager habt ihr nun mal nicht, daher müssen wir die Teenager sein, die ihr verdient habt.

Während die Bahn sich heulend durch Berlin schob, hielt ich mich an meinem Puzzleteil fest und wünschte mir, ich könnte nach New York reisen, und zwar ohne Robin. Wirklich, einmal hat er mich so schlimm geärgert, dass ich im Internet nach Anzeichen gesucht habe, dass ich adoptiert bin, weil es null vorstellbar war, dass er und ich die gleichen Gene tragen sollten. Ich meine, er war ganz schön daneben und ich nicht. Nachdem ich nach ANZEICHEN DASS MAN ADOPTIERT IST gesucht hatte, gab ich GESCHWISTER in die Suchmaske ein, erhielt aber nur Treffer zum Thema GESCHWISTERRIVALITÄT. Seltsam, dachte ich, immerhin war es so, als hätte ich EHE eingetippt und hauptsächlich EHESCHEIDUNG erhalten undoder KRIEG mit dem Ergebnis KRIEGSENDE. Bei der Gelegenheit hatte ich die nützlichen Fakten über Babyhaie und Babyadler gelesen, die ihre Geschwister ermorden. Geschwistermord, sagte das Internet dazu, Brudermord und Schwesternmord – ich meine, wie viele Wörter braucht man, um die Ermordung eines Bruders, einer Schwester zu beschreiben? Aber egal.

Im Internet stand, dass Geschwisterrivalität mit der Geburt des zweiten Kindes einsetzt, weil das erstgeborene Kind um seinen Status fürchtet und sich dem Neugeborenen gegenüber aggressiv und boshaft verhält. Da stand auch, dass die Animositäten umso größer ausfallen, je näher die Kinder sich altersmäßig sind, und dass Geschwister desselben Geschlechts tendenziell stärker miteinander konkurrieren. Ich weiß noch, wie ich dachte: Verdammt, das ist ja so, als wäre die Geschichte des Neids die Geschichte des Krieges und die Geschichte der Welt, im Kleinen wie im Großen. Und dann las ich noch zwei Sachen, die mich total umhauten. Ich las, dass Geschwistermord oft von den Tiereltern herbeigeführt wird UND dass das Zweitgeborene oft nur eine Art Versicherung ist für den Fall, dass das Erstgeborene nicht überlebt. Diese zweite Tatsache traf mich *wirklich* wie ein Schlag. Ich meine, *ich* war also nichts weiter als ein Versicherungsplan, sollte Robin etwas zustoßen. Ich hatte es wohl immer schon *gefühlt*, aber jetzt hatte ich den unumstößlichen Evolutionsbeweis – und ich fühlte mich einfach nur mies damit, soviel war klar.

Ich stieg an der Eberswalder Straße aus und lief zum Mauerpark, wo Tarek an einer Bierdose nippte und zwischen lauter Mädchen saß, die ich noch nie gesehen hatte. Seine Haut war extrabraun, als wäre er im Sonnenstudio gewesen. Ich setzte mich neben ihn. Das kalte Gras piekste mir in die Ellenbogen, und ich bemerkte einen ziemlich kaputten Löwenzahn, der neben mir wuchs. Irgendwie hatte ich Mitleid mit ihm. Aber egal. Ich hoffte stark, die Mädchen würden mich cool finden, denn unglücklicherweise war es so, dass ich Mädchen zwar gern mochte, aber nicht gern mit ihnen rumhing. Ich meine, vielleicht mochte ich sie ja *zu* gern, denn wann immer ein Mädchen in meiner Nähe war, kam ich nicht mehr dazu, so zu sein, wie ich eigentlich bin. Tarek konnte hervorragend mit Mädchen, Robin auch. Aber am Ende wiederum war Robin hervorragend mit allem, nicht wahr?

»Ich hasse es«, sagte dieses eine Mädchen. Wir unterhielten uns ganz gut, aber über nichts Spezielles. »Meine Eltern verbieten alles, was Spaß macht, und dann fragen sie mich, wieso ich immer im Internet bin.«

»Ja, ja, die Eltern«, sagte ein anderes Mädchen, »neulich war mein Freund bei mir, und wir waren in meinem Zimmer und haben einen Film geguckt – einen Zwei-Stunden-Film mit *einer* Sexszene von dreißig Sekunden, und ratet mal, in welchem Moment meine Mutter reingeplatzt ist?« Alle lachten, und dann fing es auf einmal zu gießen an, ich meine, plötzlich klatschten fette Regentropfen auf uns herab, die aussahen, als würden sie vom Boden abprallen und durch den Park rollen wie Wasserbälle. Aus irgendeinem Grund war das für die Mädchen ein Riesendrama, denn von einer Sekunde zur nächsten rannten sie los, als wären sie aus Zucker und als könnte der Regen ihnen irgendwie schaden. Alle anderen Leute im Park fingen auch zu rennen an, und der Anblick von so vielen Menschen, die gleichzeitig rennen, war total mächtig, ich schwöre.

Tarek und ich verließen den Park. Wir wurden immer nasser, aber wir schlenderten so lässig in Richtung Straße, als *bräuchten* wir den Regen, als gäbe er uns Superkräfte. Mittlerweile waren unsere Haare klatschnass, unsere Klamotten durchweicht, es tropfte uns von den Gesichtern, als wir die graue menschenleere Straße erreichten, die so außergewöhnlich und urzeitlich aussah, dass ich sie einfach nur fotografieren und die Bilder online teilen wollte, damit es nie mehr sein konnte, dass es diesen Moment nie gegeben hätte. Eigentlich war der Anblick so höllisch cool, dass er sogar einer total analogen, körnigen Schwarzweißfotografie würdig gewesen wäre.

»Mann«, sagte Tarek plötzlich, »seit ewig bist du besessen davon, und das Turnier rückt immer näher, warum bittest du Robin nicht einfach, dich zu begleiten?« An seiner Nasenspitze war ein Regentropfen, der aussah wie angenäht.

»Das kann ich nicht. Damit würde ich ihm alle Macht geben. Ich meine, schlimm genug, dass er mein Bruder ist, da muss ich nicht auch noch abhängig von ihm sein. Du weißt doch, wie das ist, du hast drei ältere Brüder, du bist sogar noch schlechter dran als ich.«

»Ich habe es für mich selbst mit umgekehrter Psychologie versucht. Weißt du, ich rede mir einfach ein, dass meine Familie ein Glücksfall für mich ist, weil sie mir wichtige Lebenslektionen beibringt.«

»Welche denn?« Ich trat gegen einen blöden Stein, der mir im Weg lag. Er tat meinem großen Zeh weh.

»Dass das Leben ein Kampf ist. Dass man sich eben durchkämpfen muss. Dass man sich nicht auf andere verlassen kann, dass sie dir deinen Job abnehmen. Und dass die Familie einem etwas über Beziehungen beibringt und wir das Gute daran begreifen sollten, weil wir, ob wir wollen oder nicht, das Schlechte lernen.«

»Ja, vermutlich gibt es auch Vorteile, aber ...«

Der Regen ging in ein Nieseln über und fiel nun sanft auf mich, ein warmer Wind pfiff durch die Luft, und ich fühlte nichts als eine Traurigkeit, die mich umhüllte wie ein Wintermantel. Ich senkte den Kopf und blickte auf Tareks Schuhe. Deren weißes Leinen war nass und hatte grasgrüne Flecken bekommen, was mich seltsamerweise noch trauriger machte.

»Das Ding ist, dass meine Eltern mich zu einem perfekten Sohn umerziehen wollen und dass Robin mich nicht leiden kann und mich eigentlich nur die Zwillinge so mögen, wie ich bin. Und meine Großeltern auch, schätze ich, aber die sind nicht hier, von daher zählen sie nicht. Ich schwöre, ich passe einfach nicht in diese Familie rein.«

Ich starrte in den Himmel. Er war wechselhaft und unbeständig und ähnelte einem impressionistischen Bild, und als ich den Blick wieder senkte, hatte ich auf einmal die Orientierung verloren. Ich meine, ich hatte keine Ahnung mehr, wo ich war, und es fühlte sich an, als würde ich an einer Art Gedächtnisverlust leiden. Wir liefen an einer Zeile identisch aussehender Häuser entlang, aus denen kein Lebenszeichen drang, und als die Häuserzeile zu Ende war, stand da plötzlich diese Mauer. Wenn ich es nicht besser wüsste, würde ich sagen, dass wir in der Zeit zurückgereist waren und dass dies die ruhmreiche Berliner Mauer war – und wir den Todesstreifen entlangliefen. Auf unserer Seite war die größte Leinwand der Welt noch unbemalt, aber auf der anderen war sie von Graffiti überzogen – ***JOY DIVISION, PROLETARIAT, BREAK ON THROUGH (TO THE OTHER SIDE).***

»Vergiss das alles«, sagte Tarek voller Überzeugung und holte mich in die Gegenwart zurück. »Es ist egal. Seit ewigen Zeiten setzt du Puzzles zusammen, und wenn du jetzt nicht an dem Turnier teilnimmst, hast du hundertprozentig versagt. Lass dir das nicht von deinem Ego kaputtmachen.«

Dafür mochte ich Tarek. Er hatte immer das große Ganze im Blick, und das war nicht so einfach, ich meine, es war sogar wirklich schwierig.

Zukunft

Da ich noch keine Lust hatte, nach Hause zu gehen, fuhr ich eine Weile in der Stadt herum. Ich war immer noch nass, aber das störte mich nicht, ich saß einfach nur da und tropfte die grau-weiß-rot-schwarz getupften Sitze voll und dachte an Pennsylvania und daran, dass das meine große Chance war. Ich meine, wenn ich es auf den ersten Platz schaffen würde, würde vielleicht sogar die *Lancaster Daily*

Sun über mich schreiben, was ein wirklich enormer Beweis dafür wäre, dass ich nicht nur am Leben, sondern auch ziemlich erfolgreich war. Dann wären alle stolz auf mich, besonders meine Familie. Ich steckte die Hand in die Hosentasche und tastete nach dem Puzzleteil darin. Es war feucht, und ich berührte es ganz vorsichtig, so wie man einen neugeborenen Hamster berühren würde.

Während ich ziellos herumfuhr, stellte ich mir vor, unsichtbar zu sein, und dann tat ich so, als wäre ich es. Vermutlich gibt es da keinen großen Unterschied, aber dennoch – mich unsichtbar zu fühlen, erlaubte mir, die Leute anzustarren. Auf der Sitzbank gegenüber saß ein Mann, dessen Alter unmöglich zu erraten war. Er sah alt aus und gleichzeitig jung, schien aber weder alt noch jung zu sein. Er trug einen verblichenen schwarzen Filzhut, aus dem ihm langes seidiges Haar bis auf die Schultern fiel. Er sagte: »Wir bewegen uns immer vorwärts, *immer*, immer voran, was für ein Fehler, wir sollten rückwärts gehen, zurück, das ist besser, hin und wieder sollten wir zurückgehen, A-HA, ich spreche nicht vom Rückschritt, wir sollten alles in die Zukunft mitnehmen, ohne Zeitmaschine.« Ich verstand nicht ganz, was er meinte, aber ich wette, es war höllisch aufschlussreich.

Irgendwann fand ich mich in der Endstation der U7 wieder, Rathaus Spandau. Der Bahnhof war wunderschön, Art Déco-artig, mit schwarzen und weißen Kacheln, geometrischen Mustern, und breiten, dunklen Säulen mit flaschengrünen und goldenen Verzierungen, und kurze Zeit später war ich im Bahnhof Tiergarten, der wie das Panoramafoto einer öffentlichen Toilette aussah mit abwechselnd cremeweißen und pastellgrünen Fliesen und flackernden Neonröhren. Der Zug setzte sich wieder in Bewegung, und ich betrachtete in der Scheibe mein gespiegeltes Gesicht, wie es durch die unterirdischen Tunnel glitt, die mir dunkler und unheimlicher vorkamen als sonst. Es war, als würden wir durch einen einsamen Wald fahren, nicht unter einer modernen Stadt durch, als wären wir auf der Suche nach dem Herz des Waldes, jenem besonderen Ort, wo die Dunkelheit nicht mehr dichter werden könnte, und immer, wenn wir es *fast* geschafft hätten, schossen wir in den nächsten Bahnhof, dessen Lichter uns begrüßten wie ein leuchtend blauer Stern.

Als die Bahn von der Dunkelheit ins Licht und wieder zurück in die Dunkelheit rumpelte, hatte ich das Gefühl, als würde mein ganzes Sein von einem überhöhten Tiefsinn verschleiert – was die Ordnung der Dinge betraf –, und dann musste ich daran denken, dass wir eigentlich nichts so sehen, wie es ist, sondern nur so, wie wir es sehen können. Meine runden Fingerkuppen tänzelten an der Kante des feuchten Puzzleteils in meiner Tasche entlang, und es fühlte sich an wie das Versprechen, dass alle Teile letztendlich an der richtigen Stelle landen – und dann entdeckte ich es: **MUT IST DEINE SCHULD**. Ich zoomte den Schriftzug heran wie eine Kamera das Objekt der Begierde. Ich starrte ihn an, bis ein alter Mann genau davor stehenblieb. Seine Erscheinung wurde vom orangenen Licht der Haltestelle gefiltert, und sein Schatten war hinter ihm auf die Wand gemalt. Doch eine Minute später verschwand er wie Rauch, und das Graffiti gehörte wieder ganz mir.

Ich schätze, ich bin durch viele Berliner Tunnel gefahren – nach Norden und Westen und Osten und Süden und so ziemlich überall dazwischen –, denn als ich nach Hause kam, war es schon fast halb elf, und in der Sekunde, in der ich den Schlüssel im Schloss drehte, hörte ich meinen Vater gereizt fragen: »Wo hast du gesteckt?« Er saß im Wohnzimmer und löste sein tägliches Kreuzworträtsel, was meiner Meinung nach ziemlich scheinheilig von ihm war und absurd dazu. Aber Eltern sehen offenbar nie das Absurde in den Dingen.

»Nirgendwo.«

»Marc, erstens ist es unmöglich, nirgendwo zu sein, also lüg mich nicht an, zweitens ist es schon spät, und drittens hast du deine Geigenstunde verpasst.« Dad war unverhältnismäßig wütend, soviel war klar.

»Das tut mir leid«, sagte ich, aber in Wahrheit war mir die Violine herzlich egal. Ich spielte nur Mom zuliebe, die die Geige für das ultimative Instrument hielt.

»›Tut mir leid‹ reicht mir nicht. Ich habe tausendmal versucht, dich anzurufen, aber dein Handy war ausgeschaltet. Wir haben dir das Handy gekauft, damit du erreichbar bist.«

»Ich habe wohl vergessen, es einzuschalten.«

»Marc, zum Erwachsenwerden gehört dazu, seine Grenzen zu kennen. Es wäre an der Zeit, dich mehr zu verhalten wie – «

» – Was soll immer dieses Gerede vom Erwachsenwerden? Ich will nicht erwachsen sein, ich will einfach nur *älter* sein«, ich warf ihm einen bohrenden Blick zu, »und außerdem, Benjamin, warum lässt du mich nicht nach New York?«

»Für dich immer noch ›Dad‹, und ich habe dir schon vor langer Zeit gesagt, dass ich es mir überlegen würde, wenn Robin dich begleitet.«

»Das ist nicht fair.«

»Das ganze Leben ist nicht fair«, sagte Dad nüchtern. Diesen Satz hasste ich noch mehr als diese ungerechte Situation. Ja, mir war doch sehr bewusst, dass das Leben nicht fair ist, aber es war doch total vermessen, dass Eltern glaubten, sie sollten es *kontrollieren* und sogar *noch unfairer* machen.

»Dauernd beschwerst du dich, nicht so behandelt zu werden wie Robin, aber dann zeigst du uns immer wieder, dass du noch nicht verantwortungsbewusst bist.«

Ich zuckte die Schultern und sagte: »Ich beklage mich darüber, das Sandwichkind zu sein, das weder das Vertrauen erhält, das Robin bekommt, noch die Privilegien der Zwillinge, und das ist nicht fair, ganz besonders, weil ich mir unsere Geburtenfolge nicht ausgesucht habe.«

Dad saß halb und lag halb auf dem Sofa, und ich stand daneben. Er legte das Kreuzworträtselheft zur Seite, verschränkte die Arme vor der Brust und sagte: »Warum kannst du nicht ein kleines bisschen mehr so sein wie dein Bruder?«

»Warum kannst *du* nicht ein kleines bisschen mehr so sein wie *dein* Bruder?«, äffte ich ihn nach.

»Werd nicht frech!« Sein Gesicht verkrampfte sich, und, ich schwöre, seine Kiefernmuskeln schwollen plötzlich an. »Hör mal, alles, was ich zu dir sage, sage ich aus Liebe.« Dad redete, als meinte er das ernst, dabei wusste ich, dass immer auch andere Motive im Spiel waren als Liebe. »Ich sage es um deinetwillen. Es wäre wirklich besser für dich, mit dem Rebellieren aufzuhören.«

»Ich rebelliere nicht«, sagte ich, »ich *bin* so.«

»Du rebellierst, glaub mir, und du wirst diese Phase überwinden.« In geduldigem Tonfall fügte er hinzu: »Irgendwann.«

»Wenn es so ist, warum lässt du mich dann nicht einfach in Ruhe und hörst auf, es so persönlich zu nehmen, dass ich die Dinge nicht genau so sehe wie du?«

»Weil ich weiß, was passieren wird.«

»Nein, das weißt du nicht. Niemand weiß das, Dad.«

»Du würdest genau dieselben Fehler machen, die ich gemacht habe«, sagte er bestimmt. Mir gefiel das nicht. Ich meine, ich wünschte mir einfach nur, dass Dad darauf vertraute, dass letztendlich alles in Ordnung kommen würde, dass er der Welt vertraute und auch mir, gerade weil ich das selbst kaum konnte. »Marc, du versuchst, das Rad neu zu erfinden, und das ist nicht nur schwierig, sondern auch schmerzhaft. Als dein Vater würde ich dir das gern ersparen«, sagte er – von Herzen und so, aber ich tat trotzdem, als müsste ich gähnen. Soll er mich doch meine eigenen Fehler machen lassen. Ich meine, es ist doch wahnhaft von ihm zu glauben, er könne mich vor Schmerzerfahrungen bewahren, und zu denken, zukünftigen Verletzungen ein Schnippchen schlagen zu können. Sogar mir war das bewusst, und ich war erst sechzehn. Aber egal. Ich hatte keine Lust mehr, mir das anzuhören, und nachdem ich meine Gähn-Nummer beendet hatte, sagte ich: »Besser, ich geh jetzt«, und dann machte ich mich davon, bevor Dad noch etwas sagen konnte.

Auf dem Weg zu meinem Zimmer rannte ich im Flur in Robin hinein, und zu meiner Überraschung boxte er mich weder in den Oberarm, noch schlug er mir ins Gesicht. Er sagte nur: »Marc, wie schön, dich zu sehen«, was mich echt umhaute.

»Danke. Ich meine. Warum? Ich meine nur. Ich auch. Ich meine, dich zu sehen, nicht mich. Ich sehe mich ja ständig. Ich meine, manchmal, im Spiegel.«

Robin amüsierte sich höllisch darüber.

Dummies

Ich warf mich auf mein Bett und griff mir *Puzzles, Die komplette Geschichte* vom Nachttisch. Es war die Heilige Schrift aller Puzzle-Fans. Ich schaltete die Leselampe ein, kroch unter die Decke und las Kapitel eins noch einmal, in dem erklärt wurde, wie das erste Puzzlespiel entstanden war, als man ein rechteckiges Holzbrett mit einem Bild bemalt und dann mit einer Laubsäge zersägt hatte. Ich musste mir unser Familienporträt auf so einem Holzbrett vorstellen und dazu die Laubsäge, die sich hindurchfräste, bis ich und Robin – und vielleicht sogar Dad – am Ende auf verschiedenen Teilen waren, so weit entfernt voneinander wie der Nordpol vom Südpol.

Aber so viel Glück hatte ich nicht. Nicht nur, dass Robin nicht am Nordpol war – er stand direkt neben mir. Er sprach kein Wort, stand nur mit gebeugten Knien da und fing an, wie eine Libelle mit den Armen zu rudern. Ich überlegte mir, dass er mich in Ruhe lassen würde, wenn ich mich schlafend stellte, also machte ich genau das. Ich schnarchte extralaut. Aber Robin verschwand nicht. Er hob das Bein vom Boden, holte aus und machte einen hohen Kick.

»*Müssen* deine Kampfsportübungen ausgerechnet in meinem Zimmer stattfinden?«, fragte ich pampig.

Robin streckte sich. Seine Arme reckten sich der Zimmerdecke entgegen, sie sahen überlang aus, wie in einem Comic, und sein Brustkorb war so breit wie der eines Gorillas mit hervorstehenden Rippen. Er sah ziemlich bescheuert aus. »Na, wie fühlst du dich damit, nicht nach New York zu fliegen?«, fragte er.

Wie ein Kind, das in den Tiefen eines Sandkastens nach seiner verlorenen Schaufel gräbt, schob ich meine Hand in meine Hosentasche und suchte das Puzzleteil. Es war immer noch feucht, und ich hielt es gut fest. Ich beachtete Robin nicht. Ich meine, ich *konnte* ihm einfach nicht ins Gesicht sehen und ihm sagen, dass ich es hasste, nicht nach New York zu dürfen, und dass ich mich fühlte, als würde mein Leben davon abhängen. Stattdessen sagte ich: »Ist schon okay«, und ich schwöre, meine Stimme klang so, als kriegte ich nicht genug Luft aus meinen Lungen.

Robin brachte seine Fäuste vor seinen Augen in Stellung und fing an, in die Luft zu boxen. »Es ist okay für dich, nicht nach New York zu fliegen?«

Es machte mir nichts aus, nicht die ganze Wahrheit zu sagen, aber im Lügen war ich definitiv schlecht, also wiederholte ich seinen letzten Satz wie ein geistig behinderter Affe: »Es ist okay für dich, nicht nach New York zu fliegen?«

»Ja, glaube schon«, antwortete Robin ohne zu zögern, und in dem Moment kamen Nathalie und Michelle auf Zehenspitzen in mein Zimmer. Sie trugen beide das gleiche Nachthemd mit Regenbögen und Fröschen drauf, und offenbar hatten sie vor nicht allzu langer Zeit geduscht, denn ihre Haare dünsteten den Duft von Kokosshampoo aus.

»Psssst. Wir haben uns aus unserem Zimmer geschlichen. Sagt Mom und Dad nicht, dass wir noch nicht schlafen. Wir wollten euch gute Nacht wünschen«, flüsterte Nathalie, aber anstatt wieder zu gehen, setzten sie sich auf mein Bett.

»Dann wiederum …«, sagte Robin zögerlich.

»Dann wiederum was?«

»Ach, nichts«, winkte er ab.

»Oh, verstehe«, sagte ich gleichgültig, »du willst also sagen, dass du nicht nach New York möchtest?« Es machte mich fertig, dass unsere Beziehung sich ins *so tun, als ob* entwickelt hatte – so *sollte* Brüderlichkeit nicht sein.

»Das habe ich nicht gesagt.«

Nathalie und Michelle lauschten Robin und mir aufmerksam, dann rieben sich erst Nathalie und eine Sekunde später auch Michelle ihre Augen – der eine Zwilling wiederholte oft die Bewegungen des anderen, was ich immer für eine unbewusste Reaktion hielt. Aber egal. All dieses Gequatsche, bei dem eigentlich nichts gesagt wurde, ging mir auf die Nerven, also sah ich aus dem Fenster. Der Himmel war marineblau mit Einsprengseln in Violett und Rostrot, und obwohl es schon später Abend war, war es so, als ob sich Tag und Nacht jetzt erst wirklich begegneten, als ob Anfang und Ende genau hier eins würden. Das Ganze hatte etwas Surreales oder Apokalyptisches, ich schwöre, so war es.

Jetzt oder nie, dachte ich. Das Leben erweitert sich, je mehr Angst oder Mut erfahren werden. Ich holte tief Luft und machte meine Zunge bereit, und als ich gerade … da fing Michelle zu kichern an und dann auch Nathalie. Es war, als hätte man ihnen einen Kichertrank verabreicht, sie quiekten wie eine Fantastilliarde eingerosteter Türen und ließen mich dastehen wie den letzten Idioten, weil ich soeben bereit war, über meinen mindestens einsneunundsiebzig langen Schatten zu springen, und sie vor Lachen brüllten. Mit rotem tränennassen Gesicht fragte Nathalie: »Kapiert ihr denn nicht, was los ist?«

Man sagt ja immer, wie klug Kinder sind und so, aber ich weiß nicht, ob das stimmt. Ich meine, vielleicht möchten Erwachsene damit nur ihren Wunsch ausdrücken, selber wieder Kind zu sein, undoder sie sehen eine Bedeutung, wo keine ist, undoder vielleicht auch deshalb, weil man als Kind Dinge sehen kann, die Erwachsene nicht mehr sehen *können*. Jedenfalls sagte Michelle mit ihrer Frauenstimme: »Dad will keinen von euch beiden allein nach New York lassen, habt ihr Dummies es immer noch nicht kapiert?«

In dieser Nacht konnte ich nicht einschlafen. Ich war höllisch aufgeregt wegen *Razzle-The-Puzzle,* sodass mein Körper sich weigerte, in den Ruhemodus zu gehen. Ich wälzte und drehte mich und wälzte und drehte mich, und je verbissener ich einzuschlafen versuchte, desto wacher wurde ich. Schließlich stieg ich aus dem Bett und verließ mein Zimmer. Als ich am Schlafzimmer meiner Eltern vorbeikam, sah ich einen hellen Streifen Licht, der von unterhalb der geschlossenen Tür nach außen fiel.

»Ich bin in letzter Zeit so gestresst«, sagte Dad, »und heute habe ich es an Marc ausgelassen. Ich wollte das gar nicht, aber dieser Junge schafft es immer wieder, mich zur Weißglut zu treiben.«

»Weil er so ist wie du früher«, hörte ich Mom zu Dad sagen. Ihre Stimme schien vom Grund des Ozeans zu kommen.

»Ich war nie so privilegiert wie er und wollte nur eines: mein eigenes Geld verdienen. Und dafür habe ich alles getan. Wem mache ich was vor? Ich hab es auch zum Spaß gemacht.« Dad holte tief Luft, bevor er weitersprach. »*Babe*, ich habe deren Bohnen an eine kriselnde Volkswirtschaft zurückverkauft, an Sowjets, die ein enormes Verlangen nach Kaffee hatten, und nur aus einem einzigen Grund durfte ich so unbehelligt ein- und ausreisen: Weil alle was davon hatten. Ich habe mit ausnahmslos jedem Geschäfte gemacht und mich nicht immer an die Regeln gehalten, und lass mich dir eines sagen: Ideale enden dort, wo Geld anfängt.«

»Du durftest so unbehelligt ein- und ausreisen, damit du mich schließlich kriegen konntest.«

»Ich bin kein großer Romantiker, das weißt du, aber ich mag es, dass du so denkst.« Dads Kopf lag in Moms Schoß, wie auf einem Kissen. Sie fuhr ihm mit den Fingern durch das schwarz gefärbte Haar, sein Blick war aufwärts gerichtet. Ich nehme an, dass er in den Spiegel guckte, der über dem Bett an der Zimmerdecke hing, aber sicher war ich nicht, denn von meinem Standpunkt aus konnte ich nicht besonders viel sehen. Ich meine, das Schlüsselloch engte meinen Blickwinkel sehr ein.

»So wie Marc wolltest du alles auf deine Weise tun.«

»Man zieht seine Kinder auf und hofft, dass man ihnen nur gute Eigenschaften mitgibt. Aber das klappt nicht immer. Oft tragen sie genau jene Teile von dir in sich, die man selbst so bitter bekämpft hat.«

»Du wolltest Abstand zwischen dich und deine Familie bringen, und Marc geht es genauso, das ist doch in Ordnung. Du weißt, es ist die Aufgabe der Familie, dafür zu sorgen, dass keiner aus der Reihe tanzt – und deine Aufgabe ist es, deinen eigenen Weg zu finden.«

»Das ist exakt das Ironische an alledem. Ich habe alles getan, um mich nicht damit auseinandersetzen zu müssen, und nun sieht es auf einmal so aus, als würde die Zukunft dieses sogenannten Familienbetriebs in meiner Hand liegen. Und alles würde von *meiner* Entscheidung abhängen.«

Dad nahm Moms Hand und führte sie an sein Gesicht. Ich wette, er hat sie geküsst, auch wenn es in etwa so klang, als würde er in sie hinein schnauben. Dann ließ er die Hand wieder sinken und redete weiter – mit einer Stimme, in die melancholische Fasern hineingewebt waren. »Ich wusste immer, dass die tickende Zeitbombe eines Tages hochgehen wird. So ist das mit Familienangelegenheiten. Ich sage dir, jede Beziehung unter Geschwistern ist ein Vulkan, der nur darauf wartet, ausbrechen zu können.«

Aber wenn das stimmt, dachte ich, was ist dann mit dem Magma, das üblicherweise herausströmt und alles unter sich begräbt, bis nur noch Zerstörung und Asche übrig sind?

»Wenn du mich fragst, New York ist ihnen zu Kopf gestiegen, da sind ohnehin alle auf dem Egotrip, und dann diese ständige Fixierung auf die Finanzen, das ist doch …« – aber Mom übertönte den Rest seines Satzes: »Ausgerechnet du redest über Egotrips und Fixierung auf Finanzen?«, und mehr hörte ich nicht, denn ehrlich gesagt fühlte ich mich irgendwie schlecht damit, sie zu belauschen, sodass ich meine Hände auf meine Ohren legte und sie so fest wie möglich zuhielt. Ich hatte das Gefühl, in einem Indoor-Schießstand zu stehen – meine Hände waren die Ohrenschützer und die Stimmen meiner Eltern die Schüsse –, und so ging ich einfach weg, zurück in mein Zimmer, um weiter über *Razzle-The-Puzzle* und New York City zu fantasieren.

Schreibmaschine

Jeden Sommer besuchten wir unsere Großeltern, und nichts liebte ich mehr, als meine Tage bei meinem Großvater im Büro zu verbringen. Nicht die Wohnung meiner Großeltern oder unser Hotelzimmer, nicht TOYS'R'US oder *FAO Schwartz*, nicht einmal das *Jungle Jigsaw* liebte ich mehr als dieses Büro. Als er schließlich in Rente ging, verlor New York seinen Zauber, aber bis dahin ließ ich mich jeden Morgen nach dem Frühstück vor seinem Bürogebäude absetzen, um ganz alleine in die Lobby zu laufen. Ich winkte den Empfangsdamen zu, und eine von ihnen begleitete mich hinauf in den achtunddreißigsten Stock, wo ich aus dem Aufzug ausstieg, an der Sekretärin vorbeimarschierte und das Büro meines Großvaters durch eine Seitentür betrat, die zu kennen nur die wenigsten Leute das Privileg hatten.

»*Ahoi*«, sagte ich und hopste total aufgeregt auf und ab.

Sein Büro war ganz in hellen Brauntönen gehalten, eine Mischung aus Bronze, Camel und Khaki. Die Holzmöbel, die Tapete mit ihrer natürlichen Struktur, der Popcorn-Anstrich der Decke, die zotteligen Teppiche. Das Büro war altmodisch, bescheiden und irgendwie cool.

»Oh, da ist Marc.« Er erhob sich aus seinem übergroßen Sessel und kam auf mich zu, als gäbe es nichts Wichtigeres, als möglichst schnell bei mir zu sein. Er begrüßte mich mit einem feuchten Kaffeekuss auf jede Wange und auf die Stirn – auf das dritte Auge, wie er es nannte. Dann reckte er das Kinn vor und fragte: »Bist du hier, um zu arbeiten?«

Meine Antwort auf seine Frage, die Frage, die er mir bei jedem Besuch stellte, war: »Was kann ich für dich tun?«, und manchmal fügte ich ein »Big Boss?« hinzu: *Was kann ich für dich tun, Big Boss?*

»Ich *glaube*, du bist hier der Big Boss«, sagte er, ging zu seinem Sessel zurück und nahm Platz. Er schaute zur Decke, wie um zu betonen, dass er seine Optionen abwägte, und dann wühlte er in einem Haufen aus Zetteln, Briefen und Akten, wobei er – absichtlich – laut mit dem Papier raschelte. Jedes Mal fiel ihm eine andere Aufgabe für mich ein, und je älter ich wurde, desto mehr Verantwortung verlangte sie.

»Kannst du das für mich addieren«, bat er mich einmal. Ich muss etwa sechs Jahre alt gewesen sein. Er gab mir einen großen braunen Umschlag, auf dessen Rückseite Zahlenkolonnen notiert waren, lange, ganz lange Zahlen, die ich nicht einmal aussprechen konnte.

»Okey-dokey«, sagte ich und verließ das Zimmer. Ich ging zum Schreibtisch der Sekretärin, der oft unbesetzt war, weil sie Dinge zu erledigen hatte. Wenn sie weg war, wurde die Auswahl an Tätigkeiten für mich noch spannender.

Ich setzte mich an ihren Schreibtisch – der Stuhl war viel zu hoch für mich, so dass meine Beine im Leeren baumelten – und legte die Zahlenkolonnen vor mich hin. Dann zog ich die dunkelgrüne Rechenmaschine zu mir heran. Sie war so groß und so schwer wie ein gebundenes Buch, etwas so Archaisches hatte ich noch nie gesehen. Das traf so ziemlich auf alle Geräte im Büro meines Großvaters zu: »Antik und *nicht* kaputt«, wie er über sie sagte. Ich machte mich daran, die Zahlen zu addieren, und mit jeder Zahl, die ich auf die Tasten der Rechenmaschine drückte, fühlte ich mich nützlicher. Je länger die Zahlenreihen wurden, umso wertvoller und vertrauenswürdiger fühlte ich mich.

»Na, fleißig am Arbeiten wie ein Koala?« Mein Großvater steckte den Kopf durch die Tür hinein in das Sekretariat, das ich inzwischen zu meinem Revier erklärt hatte.

»Aber Koalas schlafen meistens«, sagte ich.

»Also. Hast du das große Mysterium der Mathematik aufgedeckt?«

»Kann sein. Es läuft super-duper.«

»Fantastisch. Könnte ich auch bitte einen Kaffee bekommen?«

»Natürlich«, rief ich begeistert. »Aber natürlich.« Bevor ich mich wieder um die Zahlen kümmerte, warf ich einen Blick durch die bodentiefe Glasscheibe direkt hinter mir – auf die Passanten und die fahrenden Autos – und egal, wie oft ich hinuntersah, ich war immer total verwundert darüber, dass Menschen tatsächlich auf Ameisengröße schrumpfen *konnten*. Ich schwöre, die waren so klein, ich hätte in die Straße runtergreifen und sie mit Daumen und Zeigefinger aufheben können. Während ich hinuntersah, liefen Schauder durch meinen ganzen Körper, und für eine Sekunde stellte ich mir vor zu fallen – fast zu fliegen.

Nachdem ich mit Rechnen fertig war, zeichnete ich ein paar Mini-Helikopter und Puzzleteile in jede Ecke des braunen Umschlags und dann ging ich zur Kaffeemaschine, weil ich nicht wusste, wie die Espressomaschine funktioniert. Ich füllte Wasser auf, legte den trichterförmigen Papierfilter ein und kippte zufrieden summend den gemahlenen Kaffee hinein. Ich schaltete die Maschine ein, stellte eine cremeweiße Porzellantasse unter den Ausguss und die Untertasse daneben, und während ich den Kaffeetropfen zusah, wie sie einer nach dem anderen in die Tasse fielen, musste ich wieder an die Ameisen-Leute denken und daran, wie unvorstellbar es war, dass sie echte Menschen waren, genauso wie ich. Es haute mich um, dass man, je nach Standpunkt, die Dinge so unterschiedlich sehen konnte, ja ich meine, der eigene Standpunkt war das eigene Leben und das eigene Leben war der eigene Standpunkt. Einfach umwerfend.

Als der letzte Tropfen in der Tasse gelandet war, trug ich sie auf einem Tablett in das Büro meines Großvaters, zusammen mit Zucker und Milch und der addierten Zahlenkolonne.

»So professionell«, urteilte er, sobald er mich sah.

»Danke vielmals«, antwortete ich, stellte mich neben ihn und warf einen verstohlenen Blick auf den Papierstapel vor ihm. Auch auf seinen Blättern standen lange komplizierte Zahlenfolgen.

»Ich mag, was du alles zusätzlich aufs Blatt gebracht hast«, sagte er.

»Ich mag die Helikopter und die Puzzleteile auch«.

»Es ist sehr wichtig, was du gerade getan hast. Weißt du, warum?«

Ich schüttelte den Kopf.

»Also erzähle ich dir, warum. Weil die Zahlen neben Puzzleteilen und Drehflüglern viel hübscher aussehen. Und ich würde sie nie so gut hinbekommen.«

»Du bist lustig.«

»Kleine Dinge, große Unterschiede«, sagte er und nippte an seinem Kaffee. »Und dein Kaffee ... Marc, einen guten Kaffee erkenne ich auf Anhieb. Und das ist guter Kaffee!«

Ich schredderte Unterlagen für ihn, schlitzte Umschläge mit einem vergoldeten Brieföffner auf und bastelte lange Büroklammerketten. Ich addierte Zahlen, adressierte Briefe und erledigte Botengänge, und nie wusste ich, welche Aufgaben echt waren und welche er sich extra für mich ausgedacht hatte – wo er tatsächlich meine Hilfe brauchte und welches meiner Erzeugnisse er in den Papierkorb warf, sobald ich sein Büro verlassen hatte. Aber das war mir egal. Ich erledigte alles, was er mir auftrug, und ich erledigte es, so gut ich konnte.

Er gab mir Pakete, die ich zu wiegen hatte. Das Porto bestimmte ich anhand einer Tabelle, die der Sekretärin gehörte. Ich brachte die Pakete zur Poststelle im Erdgeschoss, wo alle Angestellten mich kannten und ich mich daher nie anstellen musste.

Einmal begleitete ich ihn sogar zur Bank, wo der Bankangestellte auch mich um eine Unterschrift bat. Ich hatte noch keine eigene Unterschrift, aber ich fühlte mich plötzlich megawichtig und dachte mir auf der Stelle eine aus.

»Könntest du noch etwas anderes für mich tun«, sagte mein Großvater eines Tages.

»Was denn?«

»Also. Du musst etwas für mich tippen.«

Stolz antwortete ich: »Dann lass uns in mein Büro rübergehen«, womit ich den Schreibtisch der Sekretärin meinte, auf dem die Schreibmaschine stand. Sie wurde nur noch benutzt, wenn Briefe geschrieben werden mussten, denn Opi war der festen Überzeugung: »Briefe schreibt man damit. Und *nicht* mit dem Computer.«

Ich wusste, dass seine Sekretärin die Schreibmaschine im Stillen verfluchte, aber ich verstand nicht, warum. Ich liebte das Geräusch, das meine Finger machten, wenn sie die Tasten niederdrückten, sowie das Klacken der Buchstaben an der Schreibwalze. Ich genoss den Moment, wenn eine Taste an ihren Platz zurückrutschte, und für mich war es eine große Ehre, diese tolle altmodische Maschine bedienen zu dürfen. Ich meine, so eine Maschine konnte man nur in den Berliner Antik- undoder Second-Hand-Läden finden, denn Berlin war so ziemlich die Hauptstadt des Recyclings und der Weiterverwertung von Schrott und Schätzen zugleich.

Mein Großvater stand mit hinter dem Rücken verschränkten Händen neben mir, als ich auf den Stuhl kletterte. Ich spannte ein Blatt in die Maschine ein, drehte am Knopf und beobachtete, wie das Papier um die Walze wanderte.

»Meine Liebe«, diktierte er.

»Du hast eine Liebe?«

»Das ist eine lange Geschichte«, sagte er. »Eines Tages werde ich sie dir erzählen«, fügte er hinzu. Ich wusste, was das hieß: Ich möchte nicht darüber sprechen.

»Meine Liebe«, wiederholte er.

»Soll ich das zweimal schreiben?«

»Nein. Nur einmal. Schreib es einmal.«

»Okey-dokey«, sagte ich, setzte mich auf und drückte den Rücken durch.

»Wenn du meine Briefe erhalten hast.«

»Wie buchstabiert man erhalten?«

»Vielleicht so: E-R-H-A-L-L-T-E-N.«

»Langsamer. Bitte.«

»E-R-H-A-L-L-T-E-N.«

»Okay. Du kannst jetzt weitermachen.«

»Schreibe bitte: Bitte schreibe mir.«

»Warum hast du eine Liebe?«, fragte ich ihn wieder.

Er ignorierte meine Frage und sagte: »Und nun schreibe: Ich denke an dich.«

»Okey-dokey.«

»Und füge hinzu: immer.«

»Schickst du das an Omi?«

Wieder ignorierte er meine Frage und sagte stattdessen: »Das war's.«

»Das war's?«

»Also. Nun werde ich den Brief unterschreiben, und dann kannst du ihn aufgeben.«

»Darf ich auch unterschreiben?«

»Diesmal nicht, Marc«, sagte er, und in dem Moment wusste ich, der Brief war *echt*. Er schüttelte den Kopf und wiederholte: »Diesmal nicht.« Er gab mir einen Briefumschlag, auf dem eine Adresse in Venezuela stand. Meiner Waage und Tabelle zufolge kostete die Sendung drei Dollar und dreiundfünfzig Cents, also klebte ich Marken im Wert von sechs Dollar drauf, für alle Fälle.

NEW YORK, NY, USA

16

Dora klatschte in ihre Hände. »Endlich hervorragende Neuigkeiten. Sag mir: Wie geht es dir?«

»Oh, ja. Hervorragende Neuigkeiten. Mein Arm. Es geht mir gut. Aber auch nicht so gut.« Befreit von meinem Castverband fühlte ich mich, als fehlte mir ein Körperteil. Entkoffeinierter Kaffee. Ich hatte den Verband acht Wochen lang getragen, und nun trauerte mein Körper ihm nach. »Also, mein Arm fühlt sich jetzt schwächer an. Sieh mal, er ist sogar dünner als der andere«, sagte ich und reckte beide Arme nach vorn, um es Dora zu zeigen.

»Asymmetrie hat auch ihre Vorteile«, sagte Dorale und lachte frech. »Ist es Zeit für meinen Schönheitsschlaf?«

Also ging Dora, um ihre »Schlafstunde« zu halten, und ich ging durch meinen Kleiderschrank. Vorsichtig und lautlos, um sie nicht zu wecken. All die Jahre hatte ich mich gefragt, wozu ein begehbarer Kleiderschrank gut war, und endlich begriff ich den Vorteil.

Ich stöberte durch meine Kleidung. Die Farben aller Tiere dieser Erde waren hier vertreten. Zuerst nahm ich mir Jeans und Stoffhosen vor. Eisvogel, Klammeraffe, Uhu. Manche Tiere hatte ich auf Reisen gesehen, die meisten aber nur im Fernsehen. In diesen faszinierenden Reality Shows, die den Alltag der Tiere zeigten. Danach sortierte ich die Pullover – Laubfrosch, Rothirsch, Grauer Riffhai. Und meine Hemden – Zwergflamingo, Smaragdeidechse, Schwarzer Panther. Ich ging ganz planlos vor. Ich sortierte Krawatten, Socken und Jacken aus – Seegrasfeilenfisch, Blaue Ameise, Schokoladenfalter. Ein Smoking mit Fliege. Ein Panamahut von Borsalino. Eine Tweedkappe von Hanna Hats. Ein Chaplin-Hut. Meine Tennisausstattung rührte ich nicht an. Manche Sachen wollte ich noch brauchen müssen.

Als ich fertig war mit allem, was auszusortieren war, legte ich mich zu Dora ins Bett. Aber nur zehn Minuten später wachte ich wieder auf. Ich machte kein einziges Geräusch, aber Dora sagte hastig: »Wunderbar. Endlich bist du wach.« Also drehte ich den Kopf zu ihr. Sie las Zeitung. Woher wusste sie, dass ich schon wach war?

»Du hast so tief geschlafen. Du musst sehr gut geschlafen haben.«

»Ja«, sagte ich, obwohl das meilenweit von der Wahrheit entfernt war. Selbst in den zehn Minuten, die ich gedämmert hatte, hatte mich ein Albtraum gequält. Er hinterließ einen schlechten Geschmack in meinem Mund. In allen Lücken zwischen Gaumen und Gebiss. Schlafen ist so schwierig geworden. Wenn ich mich nicht gerade filmte, hatte ich Träume und Albträume und seltsame Fantasmen, die um Leah und meine Familie kreisten.

»In der Tat«, fuhr Dora fort, »musst du in der letzten Zeit ein wahres Schlaftalent entwickelt haben. Denn wenn ich morgens aufwache, liegst du so tief und fest schlafend neben mir, dass man glauben könnte, du hättest die Nacht in einer lärmigen Diskothek verbracht.«

»Vielleicht war ich wirklich tanzen«, sagte ich und dachte: In den letzten sechzig Jahren habe ich nicht so viel geträumt wie in den letzten sechzig Tagen.

Im Schlaf habe ich Rebekah und Rachel als alte Frauen gesehen und Leah als kleines Mädchen. Ich habe gesehen, wie Leah Rebekah und Rachel angefleht hat, auf sie zu warten, während sie eine endlose Landstraße entlangliefen, neben der sich eine Wand aus Sonnenblumen erhob. Ich habe gesehen, wie sie von einer Herde Wildpferde verfolgt wurden.

Ich habe mich selbst von Wolkenkratzern fallen sehen. Ich habe meine Eltern sterben sehen. Tod durch Erschießen. Ich habe gesehen, wie Leah meine Eltern erschossen hat. Ich sah, wie sie meine Eltern wiederbelebt hat. Ich sah meine eigene Geburt. Und dann noch einmal – als meine eigene Wiedergeburt.

Ich sah mich meine drei Schwestern aus einer brennenden Scheune retten. Ich sah meine Kinder, alle vier, nebeneinander liegen, ohne Münder. Ich sah, wie Leah und ich einander umarmten, unsere Körper zusammengewachsen wie bei siamesischen Zwillingen.

Ich sah mich gegen ein Kamel kämpfen, während ein Orang-Utan und ein Schimpanse sich durch die Bäume schwangen, kreischend und mit dem Rosenkranz, den Leah mir bei unserer ersten Begegnung nach dem Krieg geschenkt hatte. Ich sah, wie der Rosenkranz mich erdrosselte.

Wir lagen immer noch im Bett, als ich einen seltsamen Anruf erhielt: »Wir möchten Sie in unsere Sendung einladen.«

»Warum?«

»Weil Sie eine fantastische Geschichte über das Unternehmertum im zwanzigsten Jahrhundert zu erzählen haben.«

»Das habe ich. Oder nicht? Doch.« Stolz musste ich daran zurückdenken, wie ich damals mit nichts angefangen hatte, mit weniger als nichts. Also, ich will mich nicht selbst loben, aber ich muss zugeben: Ich habe es gut gemacht. Selfmademan, sagt man dazu. Oder?

»Jeder kennt Ihren Kaffee, und nun ist es Zeit, Sie kennenzulernen. Außerdem hat es den Einschaltquoten nie geschadet, wenn öffentlich schmutzige Wäsche gewaschen wird, besonders in Krisenzeiten. Mr. Hertzmann, wir laden ausschließlich Gäste ein, deren Videos sich viral verbreitet haben. Auch wenn das bei Ihnen nicht so der Fall ist, glauben wir doch, dass es sich hier um eine große Story handelt.«

»Ein Virus?«

»Wenn Sie uns kurz mit allen Details vertraut machen würden und uns erzählen, was als nächstes passiert?«

»Ich bin kein Hellseher.«

»Erzählen Sie uns genau, was mit Ihrer Schwester passiert ist, und vielleicht können wir dann sogar eine Art öffentliche Familienzusammenführung inszenieren, bei der Sie ...« Ich wollte dieses Gespräch nicht in Doras Beisein führen. Deswegen sagte ich: »Ich denke darüber nach. Ich werde Sie zurückrufen«, und dann legte ich hastig auf.

»Was war das denn?«

»Also, nicht wichtig. Nur ein Telefonverkäufer.«

Dora zog die muschelgrauen Vorhänge auf. Helles Licht fiel in unser Schlafzimmer. Sie öffnete das Fenster. Es schien so, als schaffte die Luft es nicht bis in unsere Wohnung hinein. Der Wind rollte draußen vor dem Fenster vorbei wie eine Walze. »Ich kann nicht glauben, dass in wenigen Wochen offiziell der Sommer beginnt. Es fühlt sich an, als wäre gestern noch Winter gewesen«, sagte Dora, löste sich vom Fenster und kam in meine Nähe.

»Die Zeit verfliegt, heißt es, wenn man sich gut amüsiert«, sagte ich.

»Wer amüsiert sich hier? Sehe ich aus, als würde ich Tennis spielen?«

»Es heißt auch, dass die Zeit verfliegt, wenn man viel zu tun hat.«

Dora stand nun an meiner Bettseite und schüttelte den Kopf. »Wer hat hier viel zu tun?«

»Und dass sie verfliegt, wenn man alt wird.«

»Wer wird hier...«, sagte Dora, aber unterbrach sich sofort.

Wer wird hier alt, dachte ich mir. Wir *sind* es schon.

»Yankele, vielleicht treffen alle drei Punkte auf uns zu?«, fragte Dora und beugte sich zu mir, um mich zu küssen.

Dora verließ das Schlafzimmer und ging ins Badezimmer. Also stand ich auf und ging auch ins Badezimmer. Ich wusch mir Hände und Gesicht, putzte mein Gebiss und spülte den Mund aus.

»Wie oft muss ich es dir noch sagen?«, fragte Dora. Sie stand hinter mir. Und ich sah sie durch den Spiegel an. Die Brille rutschte an meiner Nase abwärts, weshalb ich sie wieder zurechtrückte. Nun umrahmten die goldenen Brillenränder meine Augen.

»Was denn?«

»Wie, was denn?«, ahmte sie mich scherzhaft nach. »Das weißt du sehr gut.«

»Was habe ich jetzt schon wieder gemacht?«

»Du musst die Zahnpasta aus dem Waschbecken spülen, bevor sie hart wird«, sagte Dora mit ihrem so besonderen Lächeln und befestigte eine neue Rolle Toilettenpapier in der dafür vorgesehenen Halterung. Das Papier war mit Welpen bedruckt. Wer dachte sich so etwas Merkwürdiges aus, fragte ich mich, während ich sagte: »Schon gut, schon gut.«

Dora klappte den Toilettendeckel herunter und setzte sich darauf. »Was wird geschehen?«, fragte sie. Kleine Tränen glänzten in ihren Augen. Sie waren noch nicht ganz ausgewachsen, es waren nicht die Tränen eines jungen Menschen. Solche Tränen weinte sie nicht mehr. Sie hielt den Kopf gesenkt, und ihr Blick war auf unsere cappuccinobraune Badematte gerichtet. Schwerfällig saß sie da. Das Gewicht aller Kaffeesäcke dieser Welt lastete auf ihren Schultern.

Ich hasste es, sie weinen zu sehen. Ich konnte nichts tun, um sie zu trösten. Ich konnte ihr nicht einmal versprechen, dass alles ein gutes Ende nehmen würde. Denn ich war mir selbst nicht sicher. »*Wir* schaffen das schon«, mehr konnte ich nicht sagen. Unglücklicherweise war es das Einzige, was ich mit Sicherheit wusste. »Wir schaffen das schon«, wiederholte ich, und dann gestand ich: »Ich habe viel an Leah gedacht.«

»Leah? Jetzt? Warum?« Dora tupfte sich die Tränen mit ihrem Baumwollärmel weg.

»Weil ich wünsche, ich hätte mehr getan, um sie in meinem Leben zu behalten.«

»Sie wollte nicht in deinem Leben sein.« Doras Augen glänzten immer noch.

»Also.«

»Sie wollte nichts mit dir zu tun haben.«

»Also«, wiederholte ich. »Ich hätte es versuchen müssen.«

»Nein, unmöglich.«

Ich wusste, sie hatte Recht. Und doch hatte sie auch Unrecht. Gibt es da nicht immer noch mehr, immer noch etwas, etwas Zusätzliches, was man hätte versuchen können? Wie konnte ein Bruder seine Schwester gehen lassen? Wie hatte ich meine Leah gehen lassen können? Ich hätte stärker um sie kämpfen müssen. Ich hätte jeden Tag meines Lebens um sie kämpfen müssen. Ich hätte mit allen Mitteln um sie kämpfen müssen.

Rein rational wusste ich, dass ich alles versucht hatte, was in meiner Macht stand. Und doch spürte ich ein Pochen in der Brust, das mich an alles erinnerte, was ich verloren hatte. Brüderliche, schwesterliche Liebe.

»Im Leben gibt es so viele Situationen«, sagte ich zu Dora. Ich sah sie direkt an. »Im Leben macht man so viele bittere Erfahrungen. Und doch kommt man, kommen ich und du und alle am Ende irgendwie ganz normal heraus.«

»Normal *schmormal*« war alles, was Dora dazu sagte.

17

Es war Zeit zu filmen. Mein Arbeitszimmer war gründlich aufgeräumt und roch nach frisch gewaschener Wäsche. Ich öffnete das Fenster einen Spalt breit, nur ein winziger Spalt trennte nun die innere von der äußeren Welt. Das Zimmer war seltsam leblos. Wie ein Filmset nach Ende der Dreharbeiten. Erbaut nur zu einem einzigen Zweck. Der Fernsehbildschirm war staubfrei. Der Teppich makellos gesaugt. Die Fensterscheibe vollkommen durchsichtig, ohne einen einzigen Fingerabdruck. War jemand hier gewesen?

Die Kamera stand an ihrem Platz und starrte mich an wie ein Brief ohne Absender. Ich starrte zurück. Sie wirkte nicht wie ein unbelebtes Objekt, sondern wie ein Wesen mit eigener Persönlichkeit. Ein freches Wesen dazu. Ich fühlte mich ihr nah. Wir sind voneinander abhängig, wir zwei, dachte ich mir und nickte ihr zu – ich brauche dich und du brauchst mich. Und soeben wurde mir bewusst: Ich liebte es, gefilmt zu werden. Hatte all die Jahre ein Entertainer in mir geschlummert?

Allein der Gedanke daran, es jetzt wieder zu tun, erregte mich. Erweckte mich zum Leben. Wann immer die Kamera lief, züngelten in mir Flammen auf, stark wie der Überlebenstrieb. Also – mit 85 Jahren etwas Neues über sich selbst zu erfahren, das konnte ich jedem nur wünschen.

Ich entspannte meine Schultern und meine Beine. Das Wichtigste war, sich wohl zu fühlen. Ich richtete den Blick auf das grüne Lämpchen und fing zu sprechen an: »In der Nacht, nachdem ich Leah wiedergesehen hatte, konnte ich den nächsten Tag kaum erwarten. Er schien einfach nicht zu kommen. Ich hielt mich in einer Pension in der Nähe *ihres* Zuhauses auf. Ich versuchte einzuschlafen, aber es gelang mir nicht. Leah war mir so nah, und ich wünschte mir nichts weiter, als bei ihr zu sein und die verlorene Zeit wettzumachen.

Nachdem der Morgen endlich gekommen war, lief ich zu dem Haus hinüber und klopfte an die Tür. Die Frau, die Leah nun Mutter nannte, öffnete mir. Leah saß weiter hinten, im Wohnzimmer. Sie spielte mit einem kleinen Jungen. Mir schien es, als wäre die Frau, die direkt vor mir stand, im Hintergrund und Leah im Vordergrund. Weil ich allein auf sie achtete.

Frau Schneider erklärte mir, dass der kleine Junge Magdalenas Nachbar sei. Als ich den Namen ›Magdalena‹ hörte, bekam ich eine Gänsehaut am ganzen Körper.

Sie sagte, Magdalena kümmere sich gut um ihn – wie eine Schwester. Sie nehme ihn auf Waldspaziergänge mit, sammele Kieselsteine mit ihm, und sonntags gehe sie mit ihm Hand in Hand in die Kirche. Im Nonnenkloster habe man ihr beigebracht, jeden Abend zu beten, sagte die Frau, und an diese Anweisung halte sie sich bis heute. Als beobachteten die Nonnen sie immer noch, dachte ich mir.

›Gestern Abend habe ich mit ihr gesprochen‹, sagte Frau Schneider. ›Anscheinend kann sie sich an nichts erinnern.‹

›Wie kann das sein?‹, fragte ich vollkommen perplex.

›Ich weiß es nicht.‹ Sie schüttelte den Kopf. ›Reden Sie mit Magdalena‹, sagte sie, ›helfen Sie ihr, sich zu erinnern.‹ Dabei wusste ich nur, wie es ist, wenn man zu vergessen versucht. War der Versuch, sich zu erinnern, das Gegenteil davon?

Ich ging ins Wohnzimmer und rief Leah bei ihrem neuen Namen. Jeder einzelne Buchstabe, den ich aussprach, M-A-G-D-A-L-E-N-A, tat mir weh. Leah beachtete mich kaum. Ich setzte mich neben sie auf den Teppich. Sie spielte immer noch mit dem kleinen Jungen.

›Wie geht es dir?‹

›Warum interessiert dich das?‹ Sie fragte es höflich.

›Weil ich mich sehr für dich interessiere.‹

›Nein, das kann nicht sein‹, sagte sie, und sekundenlang glaubte ich, sie hätte mich erkannt, denn warum sonst hätte sie das sagen sollen? Aber dann sagte sie: ›Du kannst dich nicht interessieren. Niemand interessiert sich besonders für jemanden, den er nicht richtig kennt.‹

›Aber ich *kenne* dich‹, sagte ich sanft.

›Du kennst mich nicht. Du bist ein Lügner!‹

›Ich bin kein Lügner‹, verteidigte ich mich rasch. Wie kraftvoll ihre Worte waren. Wie verletzend.

›Alle Lügner kommen in die Hölle. Du wirst in die Hölle kommen.‹

Tag für Tag kam ich zurück, um ein Gespräch mit ihr zu versuchen.

›Vor vielen Jahren‹, sagte ich eines Nachmittags zu ihr, ›hat eine Frau namens Sarah dich geboren.‹

›Was willst du von mir?‹, fragte sie.

›Ich will dein Freund sein. Ich kenne dich schon lange. Du bist ein wunderbarer Mensch, Magdalena.‹

Sie sagte: ›Ich kenne dich erst seit ein paar Tagen.‹ Ihre Augen waren so groß und so rund und so trist wie an dem Tag, als ich sie wiedergesehen hatte. Augen, die in einem Meer aus Tod und Trauer schwammen.

›Ich habe dich vor vielen Jahren kennengelernt, als wir beide noch jünger waren. Ich kann mich ganz genau an dein Gesicht erinnern.‹ Ich fühlte, wie meine Kehle sich zuschnürte. Tränen bauten sich in mir auf. Ein Turm von Tränen in meiner Kehle.

›Das sagst du nur, weil ich dich an jemanden erinnere. Mein Gesicht erinnert dich an die wunderschöne Jungfrau Maria‹, sagte sie stolz. ›Das hat man mir schon oft gesagt.‹

An einem anderen Tag sagte ich: ›Magdalena, vor nicht allzu langer Zeit hat es einen Krieg gegeben. In diesem Krieg sind schlimme Sachen passiert.‹

›Ich weiß‹, sagte sie.

›Ich kann das nicht ungeschehen machen.‹

›Ich weiß‹, sagte sie.

›Ich kann die schlimmen Sachen nicht ungeschehen machen, die dir passiert sind.‹

›Mir ist nichts Schlimmes passiert.‹ Ihre Stimme war tonlos, gefühllos, ausdruckslos.

Jeden Morgen lief ich zu diesem Haus, mit Hoffnung groß wie der Jupiter. Und jeden Morgen ignorierte Leah mich zuerst. Wenn der Tag voranschritt, tauschten wir Wörter und Sätze aus, aber nie kam sie mir nah. Jeden Tag behandelte sie mich, als wäre ich ein Fremder. Immer und immer wieder. Es quälte mich, es quälte mich, es quälte mich, aber was sollte ich machen?

Zwei Wochen lang versuchte ich alles. Ich war in ihrem Haus ein so unnatürliches Objekt wie eine künstliche Klappe in einem menschlichen Herzen. Wenn ich sie nicht gerade in ein Gespräch zu verwickeln versuchte, saß ich still auf dem Sofa und hoffte, sie würde mich ansprechen. Ich beobachtete sie. Wie sie die Beine verschränkte, wenn sie auf dem Teppich saß – unbeholfen. Wie sie sich mit den Fingern durchs Haar fuhr – unbekümmert. Wie sie die Schulter des Nachbarjungen tätschelte – ungehemmt. Ich hoffte, dies mit der Zeit besser ertragen zu können, aber ich irrte. Nichts ließ sich besser ertragen.

Eines Tages, und zwar an dem Tag, der sich als mein letzter dort herausstellen sollte, erzählte Frau Schneider mir von ihrem Plan, fortzugehen. Bald, schon sehr bald würden sie auswandern. Sie sagte: ›Der Kommunismus taugt nichts, und in Venezuela gibt es überall Gold. Die Regierung stellt bereitwillig Visa aus. Man muss lediglich nachweisen, dass man katholisch ist. Laut Magdalenas neuer Geburtsurkunde ist das so.‹

Frau Schneider sagte, sie wolle mir Leah nicht wegnehmen, sie wolle ihr ein gutes neues Leben bieten, weil sie sie so sehr liebe wie die Tochter, die sie nie haben konnte und die sie immer gewollt hatte. Sie sagte auch, dass sie Leah diese neue Geburtsurkunde besorgt hatte – eine echte Urkunde mit gefälschten Angaben zur Person –, die Leah als ihr leibliches Kind auswies, ihr eigen Fleisch und Blut. Außerdem machte die Urkunde Leah jünger, als sie wirklich war. ›Ich wollte ihr die Möglichkeit geben, diese verlorenen Jahre aufzuholen – seelisch und körperlich‹, sagte Frau Schneider. Aber verlorene Jahre kann man nicht aufholen, dachte ich. Das kann man nicht.

Also versprach mir Frau Schneider, sich für immer um Magdalena zu kümmern. Und ich verspreche dasselbe, dachte ich mir. Ich verspreche es mit jedem Zoll meines gebrochenen Körpers und meines zersplitterten Geistes, ich verspreche es so gründlich und so fest, als hätten die Worte ›für immer‘ nicht längst ihre Bedeutung verloren.

An diesem Tag begann Leah zum ersten Mal ein Gespräch zwischen uns. Sie sagte: ›Ich kann kaum erwarten, zu sterben.‹

›Was?‹ Ich war schockiert. ›Warum sagst du so etwas? Sag das nicht, sag das nie wieder, meine liebste Schwester‹, rief ich – leise, nicht laut. ›Sag das *nicht.*‹ Ich packte sie an den Schultern. Ich wollte sie schütteln, tat es aber nicht. Ehe sie's sich versah, hielt ich sie fest umarmt.

Leah fing an zu lachen.

›Das ist nicht lustig.‹

Sie lachte immer noch, als sie sagte: ›Ich möchte jetzt schon im Himmel sein. Da ist es so friedlich. Ich will die Nähe Gottes und anderer Gläubigen genießen.‹

Ich bettelte und flehte sie an, zu bleiben. Ich versprach, mich um sie zu kümmern. Versprach ihnen ein besseres Leben bei mir im Westen. Versprach etwas, was ich damals selbst nicht hatte. Aber Frau Schneider lehnte ab. Sie versprach, sich um Leah zu kümmern und mich auf dem Laufenden zu halten. Sie sagte, sie würde so oft wie möglich mit Magdalena über die Vergangenheit sprechen. Also sagte ich: ›Bitte, sprechen Sie auch über die Zukunft.‹

Als ich mich von Leah verabschiedete, sagte ich ihr, dass ich sie liebe.

Sie schaute mich mit einem seltsamen Blick aus ihren Knopfaugen an. Zuerst dachte ich, sie zweifle an meinen Worten, aber dann verstand ich: Sie glaubte kein einziges.

Also sagte ich ihr, dass ich hoffte, sie bald wiederzusehen. Dass ich mir nichts sehnlicher wünschte. *Nichts*. Und dass sie sich eines Tages daran erinnern würde, wer ich wirklich war. Unsere Wege würden sich wieder kreuzen. ›So Gott will‹, murmelte ich. Und ich meinte sie sagen zu hören, was man sie wohl im Nonnenkloster gelehrt hatte: ›Dein Gott will nicht‹, und sie rannte davon.

Wenige Monate später schliefen meine Frau und ich oft miteinander. Wo andere sich bemühten, eine Schwangerschaft zu vermeiden, bemühten wir uns um das Gegenteil.

Wir arbeiteten und wir liebten und wir überlebten. Und ein Jahr später wurden wir Eltern. Ein Baby zu haben, war wundervoll. So wundervoll. Es war sogar wundervoller als ein Kuss.« Ich hielt inne. Es ging nicht anders. Ich fühlte mich nicht mehr wohl auf meinem Platz. Also stand ich auf und ging zum Fenster. Dann ging ich zurück zu meinem Sessel und wieder zum Fenster. Also. Ich betrachtete mein Spiegelbild. Ich strich mir das Haar glatt, rückte mir die Brille zurecht und fuhr mir mit beiden Händen wie mit einem Bügeleisen über die Brust. Ich sah mein Gesicht an und erinnerte mich an Leahs ernste Miene nach dem Krieg. Inzwischen weiß ich, dass es eine Mischung aus Furcht, Verwirrung und Ärger war, als wollte sie nur nicht die Wahrheit erfahren. Ich setzte mich wieder in den Sessel und versank im weichen Leder.

»Ein Jahr, nachdem sie ausgewandert waren, bekam ich einen Brief von Frau Schneider, in dem sie die Reise nach Venezuela beschrieb. Ich las den Brief und stellte mir vor, wie Leah die Frau auf dem Schiff zum ersten Mal *Mamuschka* nannte. So hatte sie, so hatten wir, so hatte ich *ihre, unsere, meine* Mutter immer genannt. In dem Moment beschloss ich, Leah zu besuchen.«

»Also reiste ich um 1950 nach Venezuela. Dora erzählte ich, dass ich auf eine Geschäftsreise müsse. Das war zur Hälfte wahr, denn tatsächlich traf ich mich dort mit Kaffeeproduzenten. Und ich schloss Verträge ab. Schließlich war der Kaffee damals Venezuelas ganzer Stolz. Erst als ich wieder zu Hause war, verriet ich Dora, wo ich wirklich gewesen war. Ich sagte zuerst nichts, denn ich wollte das Versprechen, das wir einander gegeben hatten, nicht brechen. So heilig wie unser Ehegelübde war auch unser Versprechen, die Vergangenheit nicht zu erwähnen, zu atmen, zu leben. Wir wollten keine Opfer mehr sein.

Es war für mich die erste richtige Reise gewesen. Und mein erster Besuch in den Tropen. Die Berge rund um Caracas faszinierten mich – die Stadt schmiegte sich an die Hänge, als wäre die Mulde wie für sie gemacht. Caracas war groß, überfüllt, lebendig. Und doch fühlte ich mich dort nicht als einer unter vielen.

Also. Als ich Leahs neues Haus gefunden hatte, wagte ich nicht, hineinzugehen. Ich saß im Taxi vor dem Haus und hielt zwei Umschläge in der Hand. In dem einen steckte Frau Schneiders Brief, der mich zu meiner Reise bewegt hatte. Auf der Rückseite stand die Adresse, vor der ich nun stand. Ein quadratisches Haus, mit roten Lehmziegeln gedeckt und umgeben von einem käfigartigen Zaun. Im zweiten Umschlag steckte Geld und eine handgeschriebene Nachricht – »Vielleicht hilft dir das. Ich würde alles tun, um dir zu helfen.« Ich warf den Umschlag in den Briefkasten, auf dem *Familia Schneider* stand, und bat den Chauffeur, loszufahren.

Bevor ich Caracas verließ, bekam ich die Gelegenheit, eine Kaffeeplantage zu besichtigen. Und so reiste ich zu den Nebelwäldern, wo es viel kühler war, nicht mehr so tropisch warm. Wolken hüllten die Berggipfel ein wie Seidentücher, und den Anblick der Kaffeepflanzen zwischen den üppig beladenen Obstbäumen werde ich niemals vergessen. Ein Paradies.

Ich besuchte auch die Regenwälder im Tiefland, wo viele Orchideenarten wuchsen. Dort erfuhr ich, dass man eine Art mit einer anderen kreuzen kann, um eine ganz einzigartige Orchidee für jemanden zu züchten. Ich dachte an Dora, die ich so schmerzlich vermisste, da ich allein reiste, dass ich nichts lieber getan hätte, als eine Orchidee nur für sie zu züchten.

Nach Venezuela begann ich auch andere Länder zu besuchen. Ich reiste nach Brasilien, Kolumbien, Guatemala, Äthiopien und Kenia und knüpfte Kontakte zu den dortigen Exporteuren. Und zu den Kaffeebauern. Zu der Zeit begann meine Suche nach den interessantesten Kaffeesorten. Wenn Leah nicht gewesen wäre, hätte ich diesen besonderen Appetit womöglich nie entwickelt und jene wertvollen Kontakte nie geknüpft. Wer weiß, ob unsere Firma dann so erfolgreich geworden wäre?

In den folgenden Jahren kehrte ich immer wieder nach Venezuela zurück. Und bei jeder Reise saß ich bei laufendem Taxameter vor Leahs Haus. Selbst als sie älter geworden war und sicher schon längst nicht mehr dort wohnte, fuhr ich noch hin. Und kein einziges Mal wagte ich mich hinein. Ich ließ Geld da. Manchmal auch einen Brief.«

Ich war müde. Also atmete ich tief durch und sagte noch einen letzten Satz: »Die Jahre. Sie vergingen. Das Geschäft wuchs und ich reiste weniger. Ich arbeitete sehr viel, denn die Branche ist hart und ich wollte die Zukunft meiner Familie sichern. Während meine eigene Familie wuchs, schrumpfte mein Verlangen, den Kontakt zu Leah wiederherzustellen. Sie nicht in meinem Leben zu haben, gehörte irgendwann zu meinem Leben dazu. Ich fand mich damit ab, wie man sich mit Haarausfall abfindet.«

Hat sich mit Leahs Abwesenheit abgefunden.

18

Heimlich rief ich also den Verkäufer der Videokamera an. Ich kam mir vor wie ein Flüchtiger, der sich leise und verstohlen durch Zeit und Raum manövriert. Der Verkäufer freute sich, von mir zu hören. Ich merkte das, weil er sagte: »Mr. Hertzmann, wie schön, von Ihnen zu hören.« Wie nett, so etwas zu sagen. Und das noch zu einem fast Fremden. Ich hatte großes Glück, an ihn geraten zu sein.

»Sie wissen, dass Sie im Internet beliebt sind, nicht wahr? Fast schon berühmt.«

Ich? Berühmt? Dieser Mann sagte hin und wieder lustige Sachen. Kameras hatten ein Gedächtnis, und ich war fast berühmt. Ich kicherte und sagte: »Gut«, weil mir nichts anderes zu sagen einfiel. Und »gut« zu sagen, hat sich als nützlich erwiesen. In fast jeder Lage. »Also«, fuhr ich fort, »wie kann ich erfahren, *wer* mein Video angesehen hat?«

»Gar nicht.«

»Aber ich muss es wissen.«

Ich spürte, dass Dora sich dem Wohnzimmer näherte. Egal, wie weit entfernt sie von mir war, ich fühlte ihre Gegenwart. Wir kommunizierten mit unseren Körpern. So wie die Ameisen. Dank ihrer Pheromone finden sie immer wieder den Weg nach Hause. So wie Dora und ich. Wir wissen immer, wie wir zueinander zurückfinden. »Könnten Sie bitte eine Minute warten«, sagte ich zu dem Verkäufer, als Dora eintrat. »Ich habe vergessen, meine Tennis-Wii ins Schlafzimmer mitzunehmen«, erklärte sie. Wozu das denn, fragte ich mich.

Als Dora gegangen war, sagte ich: »Ich bin wieder da.«

»Ich weiß ja, es geht mich nichts an«, sagte der nette Verkäufer, »aber ich muss Ihnen zwei Dinge sagen. Erstens, ich finde es sehr mutig von Ihnen, Ihr persönliches Leid in die Öffentlichkeit zu tragen, und zweitens«, jetzt sprach er so vorsichtig, wie man spricht, wenn man gerade beim Zahnarzt war, »vielleicht wäre Ihren Kindern geholfen, wenn sie erfahren, was Ihnen und Ihrer Schwester zugestoßen ist?«

»Das Weltbild von Menschen wird hauptsächlich geprägt von den Fehlern der anderen«, entgegnete ich hastig. »Aber im Großen und Ganzen lernen wir nicht aus Fehlern. Nicht aus den Fehlern der anderen. Und schon gar nicht aus unseren eigenen. Wenn überhaupt, neigen wir dazu, die falschen Schlüsse zu ziehen.«

»Ich weiß nicht … vielleicht haben Sie Recht. Was aber viel wichtiger ist: Wissen Sie noch, wie ich Ihnen erklärt habe, dass YouTube so etwas wie ein privater Fernsehkanal ist?«, fragte er. »Ich wollte Sie darauf aufmerksam machen, dass Ihre Kinder im Internet möglicherweise auf Ihre Videos stoßen.«

»Das wäre möglich?«

»Aber sicher.«

Darüber musste ich nachdenken. Ich hatte mir vorgestellt, dass meine Videos die Person erreichten, die am weitesten weg war. Nie hatte ich an jene gedacht, die mir am nächsten sind. Seltsam, was einem so durch den Kopf geht. Nicht wahr?

»Ich muss mich entschuldigen, ich hätte Sie vielleicht schon früher darauf hinweisen sollen.«

Ich atmete aus, ruhig und nicht so leise. »Das ist eine interessante neue Wendung.« *Gam zu le'toyveh*, dachte ich mir, auch das wird nur zum Guten sein. Wahrscheinlich.

»Wenn Sie nicht riskieren möchten, dass Ihre Kinder die Videos sehen, sollten Sie vielleicht damit aufhören, sich zu filmen. Oder«, sagte er, »ich poste Ihre Videos nicht mehr auf YouTube. Die bereits hochgeladenen Videos könnte ich entfernen, damit sie der breiten Öffentlichkeit nicht länger zugänglich sind.«

Aber Leah, dachte ich mir, wie soll ich mit ihr kommunizieren, wenn nicht über meinen privaten Fernsehkanal? Die Vorstellung, meinen Sendebetrieb einzustellen, schmeckte mir genausowenig wie schwarzer Tee. Ich *musste* weitermachen, ihretwillen und auch meinetwillen. Also sagte ich nur: »Ich werde darüber nachdenken. Vielen Dank fürs erste. Vielen Dank.«

Also brach ich zu meinem Morgenspaziergang auf. Es war ein kühler und windiger Frühlingstag. Und merkwürdigerweise gab es nur wenig Verkehr und Lärm. Ich schlenderte zur Bäckerei und kaufte ein Vollkornbrot. Dann kaufte ich zweimal die Tageszeitung, und an einem Obststand konnte ich nicht widerstehen und kaufte Erdbeeren. Als ich an einer Schule vorbeikam, in deren Hof Kinder spielten, musste ich an die Zeit zurückdenken, als wir noch in Berlin lebten und unsere Kinder dort zur Schule gingen. Wir schickten sie mit Ledermappen und einem Apfel auf den Weg. Immer mit einem Apfel. Nicht nur, weil Äpfel so gesund sind, sondern weil einer unserer Kunden uns in Äpfeln bezahlte. Ein Mensch, dachte ich mir, lebt so viele verschiedene Leben.

Auf dem Weg nach Hause fragte ich mich, ob es für meine Kinder gut oder schlecht wäre, die Videos zu sehen. Ich war mir nicht sicher. Und so schloss ich die Augen und versuchte, auf mein Bauchgefühl zu hören. Aber das versteckte sich irgendwo tief unten. Vielleicht unter dem Essen von gestern Abend.

Als ich die Wohnung betrat, verspürte ich den Drang, Dora die Wahrheit zu erzählen. So wie ein durstiger Mann Wasser trinken muss. Oder Kaffee. Dora stand am Küchentresen und brühte unseren indonesischen Kaffee auf. Sein Aroma stieg mir in die Nase, und schon meinte ich, den erdigen Geschmack auf der Zunge zu spüren. Ich trank ihn nicht einmal und wünschte doch schon, er würde nie aufhören.

»Meine Dorale, ich muss dir etwas beichten.«

»Was?«, fragte sie, und im selben Moment klingelte das Telefon. Also nahm ich den Hörer ab. »Du wirst nicht glauben, was mir passiert ist. Oder glaubst du es mir?«

Ich wusste, das war nicht wirklich als Frage gemeint. »Was werde ich nicht glauben?«, fragte ich Jasmin. Ich stand auf und verließ die Küche. Ich wollte nicht, dass Dora dies mithörte.

»Daddy, als ich gestern Nachmittag zu meinem Anwalt ging und in der Lobby auf den Aufzug warten musste, liefen zwei Männer, breit wie Schränke, in mich hinein. Sicher waren das Freunde oder Leibwächter von Leonard, Eliot oder Benjamin, was weiß ich. Ich habe total das Gleichgewicht verloren, und meine drei Babies sind mir vom Arm gerutscht, auf den Boden. Die Männer haben sie gepackt, und dann haben sie mir Fiffi, Rexi und Lalli zugeworfen, einfach so, ist das zu glauben? Wie kann jemand meinen zuckersüßen Hundeschätzchen so etwas antun?«

Jasmin war vieles, aber eine Lügnerin war sie nicht. Und meine Söhne wiederum würden nie jemanden anheuern, der in ihrem Namen gewalttätig ist. Aber warum war sie auf dem Weg zu einem Anwalt? »Vielleicht war es …«, sagte ich und überlegte kurz, aber Jasmin fiel mir gleich ins Wort: »Es bringt nichts, deine Söhne zur Rede zu stellen, denn sie werden es einfach abstreiten, aber trotzdem, danke für gar nichts, Daddy!«

Genau *deswegen* wollte ich das Filmen nicht aufhören. Wenn ich in die Kamera sprach, lehnte mich niemand ab. Niemand vermittelte mir das Gefühl, nutzlos und unwichtig zu sein. Die Kamera interessierte sich für mich. Ebenso die Leute, wer immer sie waren, von denen der Verkäufer gesprochen hatte, die meine Videos ansahen. Sie respektierten mich, so wie ich die Regeln von Angebot und Nachfrage respektiere.

» – Jasmin – «

» – Lass das mit Jasmin! Falls du dich fragst, was ich bei meinem Anwalt wollte, nun ja, Portland's Finest hat das Angebot erhöht und ich habe einen Optionsvertrag unterschrieben, es ist also nur eine Frage der Zeit, bis ich meine Anteile überschreibe, es sei denn … Außerdem, nur zu deiner Information, ich habe einen Privatdetektiv eingestellt, und Eliot ist ständig stoned.«

»Wie bitte? Stoned? Ein Privatdetektiv? Wovon sprichst du?«

»Genauso wie ein Alkoholiker seinen nächsten Drink braucht …« Und sie legte einfach auf. Also tat ich es ihr gleich. Und beschloss: Das war's. Von nun an würde ich nicht mehr ans Telefon gehen. Und soweit ich es beurteilen kann: Dies war ein guter und solider Plan. Aber dann dämmerte es mir. Oh nein. Nein. Nein. Nein. Benjamin. Ich muss Benjamin sprechen. Also wählte ich seine Nummer, und in dem Moment, da er sich meldete, fragte ich: »Portland's Finest hat dir ein fantastisches Angebot gemacht. Stimmt's?« Benjamin hatte viele gute Seiten, aber leider war er käuflich.

»Dad, hier ist es mitten in der Nacht.«

»Entschuldige. Also. Stimmt es?«

»Sie haben mir doppelt so viel geboten wie Leonard und Jasmin. Portland's Finest *braucht* meine Anteile. Und sie wissen, dass ich auf den Verkauf nicht angewiesen bin.«

Ich schüttelte ungläubig den Kopf.

»Das bedeutet, dass du und Eliot mit einer Minderheitsbeteiligung in der Firma bleiben würden, die dann mit Portland's Finest zusammenginge…«

»Ich weiß, was das bedeutet, Benjamin.« Es bedeutete, dass ich in meiner Firma ein Anteilseigner ohne jedes Mitspracherecht wäre. In meiner Firma, die ich aufgebaut hatte, um sie eines Tages meinen Kindern zu übergeben. Nennt man das Ironie? Oder ist das einfach nur traurig?

»Übrigens, Dad, du solltest Eliot überzeugen, seinen komischen Coffeeshop-Laden in Amsterdam zu verkaufen. Nur für alle Fälle.«

Ihr hättet alle *zusammenarbeiten* sollen, dachte ich mir. Aber stattdessen seid ihr damit beschäftigt, euch hemmungslos selbst zu beweihräuchern – und wir alle sind am

Ende wie in einer tragisch absurden Komödie. »Wie konntest du so etwas nur tun?«

»Bis jetzt habe ich noch nichts unternommen, Dad. Aber die Frage ist doch nicht, was ich tue, sondern was Leonard und Jasmin tun. Die Firma war mir immer egal. Sie ist eine von mehreren Firmen, an denen ich Anteile habe.«

Wir haben immer exzellente Erklärungen für unser eigenes Verhalten, dachte ich mir und sagte: »Aber mir ist sie nicht egal. Mir nicht.«

In der Küche wartete schon eine Tasse Kaffee auf mich. Dora saß am Tisch und las Zeitung. Also setzte ich mich zu ihr und trank einen Schluck. Er schmeckte so widerlich wie nie.

»Stimmt etwas nicht?« Dora hatte sich hinter der Zeitung verschanzt. Sie hielt sie in die Höhe, so dass ich der Titelseite gegenübersaß. Dora konnte mich nicht sehen. »Ich kann dir vom Gesicht ablesen, dass etwas nicht stimmt. Aber wenn du es mir nicht erzählen willst, ist es auch in Ordnung.« Sie bewegte weder ihren Kopf noch die Zeitung. Nur ihre Hand. Ihre Hand tanzte jetzt über die Tischplatte auf mich zu. Ihre Finger bewegten sich wie die Beine einer Varietétänzerin. Wir verschränkten unsere Hände ineinander. »Yankele, wolltest du mir eben nicht etwas beichten?«

»Oh ja. Ja. Ich. Ich. Ich wollte dir sagen. Ich wollte dir sagen, dass ich dich beim Tennis manchmal gewinnen lasse.«

»Nein, das machst du nicht.«

»Doch, ganz ehrlich, das mache ich.«

»Aber Yankele«, sagte sie, »manchmal lasse ich dich gewinnen.«

Unsere Hände waren immer noch ineinander verknotet. Sie waren verschränkt und verflochten, stärker als jedes Seil, jede Schnur und jede Kette es sein konnten.

»Konfliktlösung«, las ich die Headline. Und weiter: »Konfliktlösung wurde auch an Primaten studiert. Innerhalb von Familienverbänden und Gruppen lässt sich ein gesteigertes Aggressionspotenzial beobachten. Nach einem aggressiven Zwischenfall gehen die Primaten jedoch vertraulicher miteinander um. Sie pflegen einander vermehrt das Fell.« Als wäre der Artikel nur für mich gedruckt worden. »Anzeichen für Stress – wie erhöhter Puls – legen sich nach einer zuwendungsvollen Geste wie dem Pflegen des Fells wieder.«

Ich zeigte Dora den Artikel. »Wenn wir schon über Tiere sprechen«, sagte sie und fing laut zu lachen an. »Was machen Affen?« Ich verstand diesen Witz nicht. Kichernd stieß sie hervor: »Sie sagen … *Oy*, ich hab's vergessen …« Vermutlich, war das der Witz? Ich fand ihn nicht lustig, aber Doras Gesichtsausdruck und ihr Lachen ließen mich grinsen, und ich schätzte mich glücklich, der Mann dieser Frau zu sein. Also war ein unlustiger Witz immer noch besser als gar keiner.

19

Jetzt musste ich handeln. Also verließ ich die Wohnung. Ich spazierte über die Park Avenue und träumte davon, vor der Kamera zu sitzen. In mir war dieses sensationelle Wiedererlebnis, gefilmt zu werden, und die Liebe des Publikums umschloss mich wie der warme Beutel einer Känguruhmutter. *Das* ist sie, dachte ich mir, die unglaubliche Kraft der Gedanken. Irgendwo sein zu können, wo man nicht ist.

Da der Bruch verheilt und der Castverband abgenommen war, wunderte der Doktor sich, mich zu sehen. Und er war erst recht verwirrt, als er meine Bitte hörte. »Aber wir haben ihn eben erst entfernt«, sagte er. »Ich weiß«, antwortete ich.

Dann fragte er dreimal: »Yankele, Sie wollen, dass ich Ihrem gesunden Arm einen Verband anlege?«

Und jedes Mal antwortete ich: »Ja, unbedingt.«

Wir saßen uns an seinem Schreibtisch gegenüber. Ich hatte die bessere Aussicht. Ich sah die Bäume, die die Avenue schmückten. Sie tanzten und bewegten sich, wie der Wind es ihnen befahl.

»Das lässt meine Integrität als Arzt nicht zu.«

»Ich brauche ihn. Ich hätte nicht zulassen dürfen, dass er entfernt wird. Es war zu früh.«

»Zu früh wofür?«

Ich schämte mich zu sehr, um ihm zu erzählen, dass meine Kinder eine Neigung zu übertriebenen Skandalen hatten. Also sagte ich: »Ich kenne Sie seit vierzig Jahren. Ich war einer Ihrer ersten Patienten, als Sie Ihre Praxis eröffnet haben. Als Sie aus der Praxis Ihres Vaters ausgestiegen sind.« Ich konnte ihm unmöglich sagen, dass ich meine Kinder überlisten wollte. Mit einer List, die eigentlich keine war. Es war doch zu ihrem Besten. Und ich konnte ihm nicht sagen, dass ich die Schuldgefühle meiner Kinder nähren wollte, denn Schuldgefühle sollte man nie unterschätzen.

Der Doktor sah mich verständnisvoll an.

»Habe ich Sie jemals um etwas gebeten, was unnötig war?«

»Natürlich nicht.«

»Glauben Sie mir, mein Leben hängt davon ab«, sagte ich und dachte: Ich *muss* so verletzt wie möglich erscheinen, sollten meine Kinder die Videos sehen. Ich *muss* verletzt erscheinen, weil nicht jeder weiß, dass die meisten Verletzungen unsichtbar sind. Ich bin alt, aber nicht *zu* alt, um diesen *groysen oyber-chuchems, die meinen, die Weisheit mit Löffeln gefressen zu haben*, die eine oder andere Lektion zu erteilen.

»Yankele, es wäre nicht gut für Ihren Arm.«

»Bitte.«

Der Doktor ereiferte sich. »Und nicht gut für Ihre Knochen, Gelenke, Muskeln, Nerven, Haut, Blutgefäße – «

» – Bitte«, sagte ich und dachte: Ich muss verletzt aussehen.

Also. Der Doktor atmete tief ein und zögerte den Moment der Entscheidung hinaus. Es war ein Moment ungeduldigen Wartens, wie der Moment, wenn man auf die Ergebnisse einer Blutuntersuchung wartet.

Dann fiel das Urteil.

»Hören Sie. Ich werde es tun. Ich mache es. Aber nur, weil Sie es sind. Wenn jemand Sie fragt, sagen Sie einfach, ich hätte den Knochen gerichtet. Man nennt das *Reposition*. Und sagen Sie, der Vorgang sei extrem schmerzhaft gewesen.«

»Wie kann ich Ihnen danken?«

»Das ist nicht nötig, Yankele. Ich freue mich, Ihnen helfen zu können. Aber bitte, lassen Sie ihn so bald wie möglich wieder abnehmen, ja? Versprechen Sie mir das?«

»Auf jeden Fall«, sagte ich und schüttelte entschlossen seine Hand.

Mit jeder Schicht Glasfaser, die um meinen Arm gelegt wurde, dachte ich über die Schichten meines Lebens nach. Ich dachte an Leah und an die Firma. An Berlin und an meine Kinder. Früher sind sie miteinander ausgekommen. Nicht? Oder war ich all die Jahre blind gewesen, geblendet von väterlicher Liebe? Während die Fasern aushärteten, dachte ich darüber nach, wie Kinder – Brüder und Schwestern – einander bekämpfen, weil jeder einzelne glaubt, er würde nicht den gleichen Anteil Zuneigung erhalten wie der oder die andere. Dabei habe ich keines meiner Kinder mehr geliebt als die anderen. Nie. Ich habe sie nur auf unterschiedliche Weise geliebt. Wie auch nicht? Es sind unterschiedliche Menschen, die verschiedene Arten von Liebe brauchen.

Ich schloss die Wohnungstür auf und trat ein. Ich bewegte mich wie einer, der nach dem Tennisturnier auf das Siegerpodest steigt. Dora kam mir im Flur entgegen und musterte mich. Erst mein Gesicht. Dann meinen Arm. Und dann wieder mein Gesicht. Minutenlang sah sie aus wie diese Frauen, die sich zu heftig liften lassen und irgendwie mit dem Starren nicht aufhören können. So sah meine Dorale aus, als ich mit meinem neuen Castverband in Lila vor ihr stand.

»Was hast du getan?«

»Ich habe mich für diese Farbe entschieden, weil sie so gut zu meiner Krawatte passt«, sagte ich und deutete auf meinen Hals.

»Yankele, was ist das?«

»Ich kann es erklären.«

»Bitte!«

Spontan sagte ich: »Lass uns weglaufen.« Ich weiß selbst nicht, was ich mir dabei gedacht habe. Denn ich wollte gar nicht weglaufen. Ich bin – während des Krieges – genug für ein ganzes Leben weggelaufen. Ich wünschte mir einfach nur, stark und geschickt genug zu sein, um selbst wieder über all die Dinge bestimmen zu können, über die ich früher bestimmt hatte. Und weit weg zu sein von allem, was lief und was schieflief.

»*Oy*, mein Yankele. Ich glaube, manchmal vergisst du, wie alt du bist.« Dora kam mir ein paar Schritte entgegen wie eine Braut ihrem Bräutigam. Nun trennte uns nur noch ein einziger Schritt.

»Manchmal.« Ich legte meine Hand, die an dem Arm, der nun wieder in einem Verband steckte, auf Doras und sagte: »Unser Innenleben und unser Außenleben gehen nicht immer Hand in Hand.«

Dora lächelte herzerwärmend. »Jetzt«, sagte sie, »erzähl.«

Ich führte Dora ins Wohnzimmer, als schickten wir uns an, einen Joropo zu tanzen. Obwohl ich den venezolanischen Walzer nur ein Mal gesehen hatte, konnte ich mich noch gut erinnern, wie anmutig das Tanzpaar die Bühne betreten hatte. Im Wohnzimmer setzten wir uns hin.

Auf dem Sofa berührten sich unsere Seiten – Schultern, Oberarme, Hüfte, Schenkel. Unsere Gesichter schauten geradeaus in Richtung Fensterbank. Viele Blumentöpfe standen da. Dahinter lag der Central Park mit seinen kräftigen und doch zierlichen Ulmen. »Ich habe mich nachts davongeschlichen.«

Ich drehte mich zu Dora um. »Also. Ich habe die Nächte in meinem Arbeitszimmer verbracht, um zu reden. Über meine Vergangenheit. Über mein Leben. Unser Leben.« Das Profil meiner Dorale war wie erstarrt. Ich konnte nicht erraten, was sie dachte. Seit sechs Jahrzehnten waren wir Mann und Frau, aber niemals war sie so wütend auf mich geworden, wie ich es nun erwartete, fürchtete.

»Ich habe mich gefilmt. Und der Verkäufer – bei dem ich deine Grand Slam Tennis Wii gekauft habe – hat es irgendwie so eingerichtet, dass ich im Computer meinen eigenen Fernsehkanal habe. Da werden meine Videos gezeigt. Ich hatte gehofft, Leah würde sie sehen. Aber nun wünsche ich mir, dass unsere Kinder sie sehen.«

Doras Gesicht war immer noch wie erstarrt, eisig.

Ich kannte diese Frau so gut, wie ich Kaffee kannte. Kaffee muss zu Beginn der Regenzeit gepflanzt werden. Eine Kaffeepflanze trägt erst nach drei bis fünf Jahren Früchte. Das erste Kaffeehaus Europas eröffnete 1645 in Venedig. Eine Kaffeekirsche enthält fast immer zwei Bohnen, ausgenommen die Perlbohne, eine Anomalie, bei der nur ein Samen reift. Findet man eine Frucht mit drei Bohnen, bringt das Glück. Und doch konnte ich Doras Gesichtsausdruck nicht deuten.

»Ich weiß nicht, wie man die Probleme löst. Ich sage mir: Wenn ich ihnen doch nur Verstand und Verständnis eintrichtern könnte. Die Schuld – sie falsch erzogen zu haben –, ist mit Enttäuschung vermischt. Aber sie sind erwachsen, sollten sie es nicht besser wissen?«

Dora blickte mich an. Unsere Gesichter waren einander so nah wie der lila Verband meinem Arm. Sie sprach sanft, langsam, leise: »Die Menschen müssen sich für ihre eigenen Wege entscheiden.«

»Aber ich *weiß*, wie es sich anfühlt, eine Schwester zu verlieren. Sie nicht. Und ich hoffe, dass sie diese Erfahrung nie machen müssen. *Niemals.*«

Dora legte den Kopf schief, und ihre hellen Augen schauten jetzt direkt in meine. »Bist du mir böse?«, fragte ich. Sie rückte noch näher heran. Sie presste ihre Lippen an meine Wange. Sie fühlten sich trocken und liebevoll an, und dann sagte sie: »Nein.«

»Bist du enttäuscht?«

»Nein.«

»Bist du verletzt?«

»Nein.«

Bei jedem Nein spürte ich ihren warmen Atem auf meiner Haut.

»Bist du wütend? Beleidigt? Gekränkt?«

Dora lehnte den Kopf an meine Schulter.

»Nein. Nein. Nein.« Nun blies ihr Atem gegen meinen Hals. Und auf einmal klang sie anders.

»Nicht einmal ein bisschen? Ein kleines bisschen von allem?«

»Ich habe nur Angst«, sagte sie mit der Stimme, mit der sie früher gesprochen hatte, vor sechzig Jahren.

» – Angst? Aber – «

»Kein *aber*«, sagte Dora und hob die Hand und legte mir ihren Zeigefinger an die Lippen. Meine Lippen waren ein Minuszeichen, aber nun, da ihr Finger darauf lag, ergab es ein Plus. »Kein aber. Ich weiß, dass außergewöhnliche Probleme außergewöhnliche Lösungen erfordern.«

Ich konnte sie nicht sehen. Aber ich stellte mir ein gütiges Lächeln auf Doras Lippen vor, als sie das sagte. Diese Frau, dachte ich mir, diese großartige Frau an meiner Seite überrascht mich noch immer. Dass Menschen, egal wie alt, immer wieder für eine Überraschung gut sind, erschien mir so erstaunlich wie der erste Schluck Kaffee am Morgen. Ich küsste ihren Finger, der mich zum Schweigen gebracht hatte, und dachte: Man darf Menschen nie unterschätzen.

Nach einer langen Weile des Schweigens kratzte Dora sich an der Nase und sagte: »Endlich habe ich etwas über die Liebe gelernt.« Sie berührte ihr Gesicht und fuhr sich mit beiden Händen über die Wangen. »Die Art, wie man seine Geschwister liebt, ist die Art, wie man seine Partner liebt.« Und dann veränderte sich ihre Miene schlagartig. Auf einmal wirkte sie verwirrt, bestürzt, als hätte der Doktor ihr zu viele Tabletten verschrieben und als wüsste sie nicht, wann sie welche einnehmen müsste. »Da ist nur noch eines, was ich nicht verstehe«, sagte sie mit fester Stimme. »Warum habe ich es nicht bemerkt? Wo ich doch kaum schlafe. Ich schlafe nie. Die meisten Nächte liege ich wach. Wie konnte mir das entgehen?«

Wie Dora dies für wahr halten konnte, verstand ich nicht. Sie schlief sehr wohl. Sie schien sogar sehr gut zu schlafen. Wann immer ich nachts wach war, war sie es nicht.

»Ich sage es dir nur ungern, Dora, aber du schläfst.«

»Nein, ich schlafe nicht. Ich döse höchstens für eine halbe Stunde ein. Ich schlafe nicht. Ich würde es doch wissen, wenn ich schliefe, oder?«

Ich wollte ihr nicht widersprechen. Also sagte ich: »Du hast natürlich Recht. Was kann ich sagen? Ich bin halt auf leisen Sohlen unterwegs.«

20

Dora schnarchte neben mir. Ihr Schnarchen war so zart wie sie selbst. Und ebenso anmutig. Die dunkle Nacht und die unlogische, doch verlockende Vorstellung, dass alle außer mir schliefen, versetzte mich in Aufregung. Selbst wenn ich es gekonnt hätte, ich hätte nicht schlafen wollen. Denn ich hatte was zu erledigen. Und Schlaf war nichts als Zeitverschwendung.

Also stieg ich aus dem Bett und ging mit dem Gebiss in der Hand ins Badezimmer. Was für gesund aussehende Zähne! Ich putzte Zähne und Zahnfleisch besonders gründlich. Heute Nacht musste ich gut aussehen, denn mein Publikum war nicht mehr gesichtslos. Und dazu gehörten auch perfekt aussehende Zähne.

Frisch und wach – so fühlte ich mich. Voller Hoffnung und bereit, meine Aufgabe anzugehen. Ich sagte laut einen Spruch auf, den ich mal zufällig gehört hatte: »Gelegenheit kommt oft getarnt!« Ein Spruch so stark wie Selbstmitleid.

Ich habe keine Zeit zu verlieren. Zeit ist so wertvoll wie Kaffeeverkostung – eine ständige Selbstprüfung. Also ließ ich mich in meinen Sessel sinken. Ich stellte mir vor, wie meine Kinder mein Video ansahen, und sagte: »Zunächst möchte ich euch, ihr lieben Unbekannten, erklären, warum ich wieder einen Castverband trage. Ich war beim Doktor, und er hat mir gesagt, dass der Knochen gerichtet werden muss. Er sagte: ›Mr. Hertzmann, es führt kein Weg daran vorbei!‹ Und glaubt mir, wenn ich sage, dass die Behandlung extrem schmerzhaft war. Genauso schmerzhaft wie die Fraktur des

Knochens selbst.« Soweit ich es beurteilen konnte, war ich ein überzeugender Schauspieler. Ich fuhr mit der Hand streichelnd über den lila Verband. Und dann machte ich den *Hundeblick* in der Hoffnung, Mitleid zu erregen. »Der Doktor sagte auch, dass Menschen mit Verband besonders nachsichtig behandelt werden müssen. Also. Ihr lieben Unbekannten« – ich blinzelte einmal, zweimal – »seid bitte nachsichtig mit mir. Und geduldig. Und sanft.«

Im Central Park rührte sich nichts. Seine Dunkelheit war weitläufiger und üppiger als sonst. Seine Bäume waren schwarz wie Lakritz und sahen aus wie übergroße Menschengestalten. »Also«, sagte ich, »zurück zu unserer Geschichte.

Die Geschäfte in Deutschland liefen blendend. Wir verfeinerten unsere Röstmethoden. Ich unterhielt Kontakte zu Kaffeeexporteuren auf der ganzen Welt, weshalb wir hochwertige Kaffeesorten im Angebot hatten, an die kein anderer Röster herankam. Ich verkaufte Kaffee in ganz Europa – Skandinavien, Schweiz, Österreich, Holland, England und Irland. Sogar in Frankreich und Italien – Länder, die für ihren Kaffee berühmt sind – hatte ich Kunden. Also fühlte ich mich wie ein Sieger. Ich hatte eine gesunde, wachsende Familie, ich reiste, lernte die Welt kennen und verdiente meinen Lebensunterhalt. Anders als heute waren Unternehmertum und Gier noch trennbar.

Auf meinen Reisen nach Zentral- und Südamerika legte ich einen Zwischenstopp in den Vereinigten Staaten ein und erkannte das Potenzial. Um 1972 beschloss ich: Ich werde es dort schaffen. Ein kluger und attraktiver Mann hat einst gesungen: ›Wenn ich es dort schaffe, schaffe ich es überall‹ –

und das war genau das, was ich mir dachte. Das Risiko war hoch, aber mein Bauchgefühl sagte mir, dass eine Investition sich lohnen würde. Dora riet mir natürlich dasselbe. Und sie riet es mir als Erste.

Also schlossen wir unsere Läden in Deutschland und zogen mit unseren Marken in die Vereinigten Staaten. Dort beschloss ich, mich auf den Großhandel zu konzentrieren. Marktanteil und Qualität – die herausragende wie die preiswerteste –, darauf kam es mir an, der Rest würde schon folgen, da war ich mir sicher. Kurze Zeit später stieg Leonard in die Firma ein. Und dann Jasmin. Benjamin war nicht mitgekommen, er war in Berlin geblieben. Eliot ging damals noch zur Schule. Hrrrmm.« Ich räusperte mich. »Hrrrmm. Soll ich das weiter ausführen? Soll ich private Geschichten von Manipulation und Genusssucht erzählen? Von fehlgeleitetem Stolz und scheinheiligen Angeboten?«, fragte ich und blinzelte verschlagen in die Kamera. »Da gibt es so viele Geheimnisse«, murmelte ich.

Ich warf einen Blick auf meine Uhr. Es war halb drei. Ich spürte die Brille weit unten an meiner Nasenspitze. Wieso verrutschte sie immer? Ich schob sie nach oben. »Also. Bei jeder Reise legte ich einen Zwischenstopp in Venezuela ein. Selbst, wenn ich dort nichts zu erledigen hatte. Ich besuchte Leah, ohne sie zu besuchen, denn ich betrat nie ihr Haus. Ab und zu sah ich sie von weitem, und es beruhigte mich zu wissen, dass es ihr gut ging. Ich glaube, das sagte ich bereits. Manchmal rief ich in Venezuela an. Und im Lauf der Jahre schickte ich auch Briefe – an Leah und an die nette Frau. Die freute sich immer, von mir zu hören, Leah aber nie. Ich schreibe nicht gut, weil ich nie richtig zur Schule gegangen bin. Der Krieg war dazwischengekommen. Aber wenn es sein muss, bekomme ich es hin. Meistens hat meine Sekretärin die Briefe für mich geschrieben. Ich habe diktiert, und sie hat getippt.

Leah antwortete auf meine Briefe nur ein Mal. Ungefähr zehn Jahre, nachdem sie Deutschland verlassen hatte. Sie schrieb, dass es ihr gut gehe und dass sie jeden Tag ein neues Leben anfange, um zu versuchen, das alte hinter sich zu lassen. *Ein Brief, ein Lebenszeichen, sie wünscht sich Kontakt mit mir*. Ihre Worte machten mich glauben, dass sie sich erinnert hatte. Aber nach diesem Brief kam nur noch Schweigen. Ich antwortete einmal, zweimal, dreimal, ich antwortete wieder und wieder, ich schrieb und schrieb, aber ich hörte nie wieder von ihr.

Sie zu vermissen, war frustrierend, und manchmal setzte es mir noch mehr zu als die Verzweiflung über den Verlust meiner Familie. Ich vermisste so viele Menschen, aber die waren umgekommen. Sie lebte. Und sie schien unerreichbarer als die anderen.« Ich murmelte: »Wie schrecklich unerreichbar scheinbar erreichbare Menschen sein können.«

»Frau Schneider schickte mir ab und zu Briefe, in denen sie Grüße von Leah ausrichtete. Ich nahm immer an, dass sie die Grüße erfand. Vermutlich wollte sie nur höflich sein. In ihren Briefen hielt sie mich über Leahs Entwicklung auf dem Laufenden. Ich erfuhr, dass Leah studierte und den Abschluss machte. Ich erfuhr von dem einen oder anderen Freund, wann sie ihren ersten Tag als Lehrerin hatte. Ich erfuhr, wann sie heiratete – einen Venezolaner, der genau wie sie Lehrer war – und wann sie ihre Söhne bekam, Alejandro und José-Rafael. Ich erfuhr, wann ihre Kinder eingeschult wurden. Dann kamen die Briefe seltener. Und irgendwann kamen sie gar nicht mehr. Die gute Frau musste gestorben sein. Inzwischen weiß ich, dass sie im Sterben lag, als sie mich dieses eine Mal anrief.

»Es tut mir leid«, sagte sie mit einer Stimme so zittrig wie eine Cellosaite.

»Das muss es nicht«, sagte ich.

»Danke.«

»Nein«, sagte ich, »*ich* muss mich bedanken.«

»Wie kann ich Ihnen dafür danken, uns all die Jahre unterstützt zu haben?«

»Wie kann ich Ihnen dafür danken, meine Schwester gerettet zu haben?«

»Sie hat begonnen, sich zu erinnern.«

»Danke«, sagte ich noch einmal.

»Nein«, sagte sie, »ich danken *Ihnen*.«

Manchmal lässt die verstreichende Zeit dich mehr vermissen, manchmal weniger. Sie ist flatterhaft, was das angeht. Sie kann dich jemandem entfremden, aber auch enger an jemanden binden. Meistens macht sie beides. Zur gleichen Zeit.

Nach dem Krieg war ein Loch in der Welt. Im Laufe der Jahre füllte es sich allmählich. Aber da war stets eine Sache, die es davon abhielt, sich ganz zu schließen. Leah. So lange sie nicht bei mir war, kam mir die Welt unbevölkert vor.«

Dieser Moment war bittersüß. So wie Kaffee. So wie Tennis. So wie alle guten Dinge im Leben. Er war süß, weil er voll tiefer Freude war, und er war bitter, weil Kummer ihn durchdrang. Ich freute mich zu erzählen, es grämte mich zu erzählen. Ich spürte einen Knoten in meinem Hals. Ich wollte nicht weinen, aber in meinem Tränenkanal bildete sich eine Träne. Sie rutschte über mein Unterlid und tropfte auf meinen verbundenen Arm. Es war die erste von vielen. Mit Leahs Bild vor Augen ließ ich mich gehen. Meine Tränen waren vollgesogen mit meinem Leben, und jede Träne, die ich weinte, nahm einen Teil meines Lebens mit sich.

Es wäre gelogen zu sagen, dass ich mich nicht auch wegen meiner Kinder, die vielleicht zuschauten, gehenließ. Ich hoffte, meine Tränen würden deutlicher zu ihnen sprechen, als meine Worte es jemals konnten.

Ich wischte mir die Tränen mit meinem lila Castverband ab.

»Die Zeit vergeht wie das Leben. Sie zieht vorbei wie Blätter auf einem Fluss, wie Staub im Wind. Und das lernt jeder auf die harte Tour.« Ich hielt kurz inne und atmete ein. Ich wusste nicht mehr, ob ich von meiner Schwester oder von meinen Kindern sprach. So wie bei einer Kaffeemischung vermischten sich auch diese Geschichten. Ich schüttelte den Kopf. »Lernt es nicht auf die harte Tour. Lernt es nicht erst, wenn es zu spät ist. Denn mit Reue leben zu müssen, ist qualvoll für die Lunge und unerträglich für das Herz. Es tut so weh wie die Erkenntnis, dass der Mensch im Laufe der Geschichte hunderte von Foltermethoden ersonnen hat.«

Die Reue, dachte ich mir, ist wie viele Gefühle voller Variationen. Während mein Herz tonnenschwer mit Reue belastet ist, ist mein Kopf es nicht. Dennoch, ich musste sagen, was ich zu sagen hatte, meinen Kindern zuliebe – weil Angst überzeugend sein kann. Also blickte ich direkt in die Kamera – aufgeregt, nervös, mit einem Hauch Selbstbewusstsein und einer Spur von Verunsicherung – und sagte: »Außerdem, liebe Unbekannte, darf man eines nie vergessen: Die Welt ist rund, also kommt alles irgendwann zurück, um einen in den *tuchess* zu beißen. Verzeiht meine Ausdrucksweise. Aber so ist es. Immer.« Ich blinzelte schelmisch in die Kamera.

»Hrrrmm. Vor ungefähr fünfzehn Jahren flog ich wieder nach Venezuela. Es war so wunderschön und tropisch wie immer. Ich genoss die beeindruckende Küste und die prachtvolle Vegetation, und ich besuchte sogar einige Wasserfälle. Noch nie hatte ich so imposante Wasserfälle gesehen. Und ich besuchte Leah. Sie gab sich höflich und zurückhaltend. Sie sagte mir, sie wisse, warum ich gekommen war, und dass ihre Mutter, die zu dem Zeitpunkt schon gestorben war, ihr dasselbe erzählt habe.

›Selbst wenn du die Wahrheit sagst‹, sagte Leah sanft, ›habe ich kein Interesse, dir zu glauben. Es ist mir egal, und auf keinen Fall werde ich mit meinem Sohn darüber sprechen.‹

Ich verstand nicht, warum Leah von einem Sohn sprach und nicht von Söhnen, immerhin hatte die nette Frau mir von Leahs zwei Jungs erzählt. Aber ich fragte nicht nach.

Sie sagte: ›Ich bin zufrieden mit meinem schwierigen Leben.‹«

Wieder sammelten sich Tränen in meinen Augen. Ich konnte mir vorstellen, wie mein Gesicht sich verfärbte. Von rosa über rötlich hin zu knallrot.

»›Ich werde tun, was in meiner Macht steht, um dein Leben weniger schwierig zu machen.‹

›Das kannst du nicht, und es ist zu spät.‹

›Aber ich möchte es versuchen. Darf ich es wenigstens versuchen? Bitte.‹

›Ich habe keinen Platz für dich in meinem Leben.‹

›Wie kannst du so etwas sagen? Denk an unseren *taten*‹ Als Leah lächelte, sagte ich: ›Was für ein *klotz* er war!‹ Sie grinste breit. ›Und unsere *mame. Oy*, Leah, sie hat dich, ihre Jüngste, mehr geliebt, als zu lieben möglich ist.‹

›*Kimm mit mir*‹, bat ich sie, ›komm mit. Deine ganze Familie sollte mitkommen. Ich werde dir ein Haus kaufen, ich werde dir ein Zuhause einrichten. Ich werde deinem Mann und deinen Kindern Arbeit besorgen, sie können bei mir arbeiten, bitte, ich überschreibe dir Anteile meiner Firma. Leah, *kimm mit mir*. Bitte.‹

Sie wurde kalt. Ihr Lächeln war verschwunden. Und sie sagte: ›*Ich bin tsufridn*, ganz zufrieden. *Loz mich allein*, lass mich.‹

›Du sprichst Jiddisch‹, rief ich glücklich.

Aber sie wiederholte nur leise: ›*Loz mich allein*.‹

Nachdem ich von dieser Reise heimgekehrt war, schrieb ich weitere Briefe, die unbeantwortet blieben. Ich rief an, aber nie nahm jemand ab. Und das war's.«

Ich war müde. Meine Augen waren trocken, und ich war erschöpft. Mein Arm schmerzte, und mein Herz noch mehr.

Für heute Nacht ist es genug, dachte ich mir. Ich stellte mir die Gesichter der Menschen vor, die mir zugehört hatten. Oval und rundlich, kahl, mit Brille, mit Schnurrbart, mit breitem Hals. Mit einem Muttermal in der Form einer Erdbeere. Ich ging zur Kamera, und als ich sie ausschaltete, verschwanden die Gesichter, verwandelten sich in die Gesichter all derer, die mich bald sehen würden.

21

Neffe ruft an + kommt zu Besuch

Ich betrachtete die Pflanzen auf unserer Fensterbank. Die grünlila Flecken auf den Begonienblättern ähnelten verspritzten Wassertropfen. Warum war mir das noch nie aufgefallen? Da klingelte das Telefon. Mir kam der Gedanke, es könnte eines meiner Kinder sein, das anrief, um mich zu ärgern. In dem Fall würde ich einfach auflegen. Rums! Aber was, wenn es jemand anderes war? Ich konnte nicht widerstehen und nahm ab. Mit Schwung in der Stimme sagte ich: »Hallo?«

Die Person am anderen Ende der Leitung schwieg.

»Also. Hallo?«

»Ja. Hallo.«

Ich erkannte die Stimme nicht. »Ja?«, fragte ich.

»Hi.«

»Hallo«, sagte ich wieder. Ich hörte ein Knacken in der Leitung. Dora musste im Schlafzimmer den Hörer abgenommen haben, um zu lauschen.

»Dürfte ich bitte mit Mr. Herrtesmaan sprechen?« Der Mann redete Englisch mit Akzent. Er sprach meinen Namen falsch aus, aber bestimmt meinte er mich. »Am Apparat.«

Keine Antwort.

»Hallo? Hallo?«, fragte ich.

»Ja, ich bin hier.«

»Ja?« Ich schaute zu Boden. Nie zuvor war mir aufgefallen, dass die Muster in der Teppichbordüre wie Schildkröten aussahen. Wer hätte geahnt, dachte ich mir, dass es selbst in der eigenen Wohnung immer Neues zu entdecken gab? Es war, wie in die Wolken zu blicken und immer andere Gestalten zu erkennen.

»Hier spricht … *Yo*. Ich. Ich rufe aus Venezuela an. Mein Name ist, ich heiße, ich bin mir nicht sicher, ob ich die richtige …«

»Du hast die richtige Nummer.«

Dorale hustete. Wenn ich es nicht besser wüsste, würde ich denken, sie hätte sich an einer Erdnuss verschluckt.

»Es ist nur so. *Yo*. Ich …«

»Spreche ich mit Alejandro oder mit José-Rafael?«

Langes, langes Schweigen. Ich hörte es atmen. Schwere, tiefe, lange Atemzüge, die des Mannes und die von Dora.

»José-Rafael.«

Ich hörte dem Einatmen und dem Ausatmen zu, und dann dämmerte es mir. »Rufst du an, um mir zu sagen, dass sie gestorben ist?«

Dorale hustete wieder. Und José-Rafael sagte kein Wort.

Ich stand vom Sofa auf. Meine Beine schmerzten. Ich lief in einem kleinen Kreis durchs Wohnzimmer. Meine Leah.

Meine Leah. Ich hatte nicht einmal die Zeit und die Gelegenheit gehabt, mich zu verabschieden.

»Ich rufe an, um Ihnen zu sagen, dass sie sich weigert zu sterben.«

Ich seufzte. Mein Seufzen war so tief wie der Grund des Ozeans. So tief wie der tiefste Meeresgraben.

Ich hörte ein Klicken in der Leitung. Dora im Schlafzimmer musste aufgelegt haben.

»Vor zehn Wochen ist sie ins Koma gefallen; es ist einfach so passiert, von einem Tag auf den anderen«, erklärte José-Rafael. Sein Akzent war schwer, aber er drückte sich gut aus.

Vor zehn Wochen war Doras Geburtstag, dachte ich.

»Es hat sieben Stunden angedauert. Danach wachte sie auf, aber wenige Tage später fiel sie wieder ins Koma, in ein anderes. Sie ist nicht bewusstlos, aber sie ist schwach; sie weigert sich zu essen und sie weigert sich zu sprechen«, sagte er leise. Ich konnte es nicht glauben. Ich unterhielt mich mit Leahs Sohn, und seine Stimme klang so, wie sie klingen sollte – sie war mir vertraut, obwohl es die Stimme eines Mannes war, den ich nie getroffen hatte. »Das Alter hat sie verwundbar gemacht.«

Ich dachte: Das Leben hat sie verwundbar gemacht. Ich dachte: Das Leben macht uns alle verwundbar. »Also. Ich hätte nicht gedacht, dass jemand von euch von meiner Existenz weiß.«

»Niemand wusste etwas.«

Meine Beine taten immer noch weh. Was geschah mit meinem Körper? So stechende Schmerzen hatte ich sonst nur nach einem schlechten Tennismatch.

»Wie kamst du darauf, anzurufen?« Ich hatte so viele Fragen. Wie hat sie es dir gesagt? Wann? Warum? Und wo? Wie hat sie ausgesehen, als sie es dir gesagt hat, wie hat sie es genau formuliert, wie viel konnte man aus ihrer Miene lesen, wie war ihre Körpersprache, wie hat sie meinen Namen ausgesprochen, hat sie mich ihren Bruder genannt?

»Sie hat einen Brief geschrieben«, sagte José-Rafael.

»Was?«

»Mutters Pflegerin Maria hat ihn letzte Woche gefunden. Sie hatte ihn in der Kühltruhe versteckt.«

Was für eine Farbe hatte der Stift, mit dem sie den Brief an ihre Söhne verfasste, auf was für einem Papier hat sie ihn geschrieben, was für eine Handschrift hatte sie? Wie konnte ein Bruder nicht wissen, ob die Schrift seiner Schwester geneigt und fließend oder kantig und schwerfällig war?

Und wieder stand ich auf. Diesmal ging ich in die Küche, wo Dora Äpfel schälte. Sie warf mir einen beunruhigten Blick zu, und ich ging zurück ins Wohnzimmer.

»Wie hast du mich gefunden?«

»Nachdem ich ihren Brief gelesen hatte, habe ich das ganze Haus abgesucht und Ihre Briefe gefunden.« Wie er so sprach, versuchte ich, mir Leahs Haus vorzustellen und dann das von José-Rafael. Aber vor Augen hatte ich nur das Haus der netten Frau Schneider. »Ihre Briefe waren zusammengerollt, zusammengebunden mit einem Stück Schnur und versteckt in einem Paar Socken. Die Socken lagen in einem Schuhkarton in einem verschlossenen Koffer ganz oben auf ihrem Kleiderschrank. Danach habe ich nach Ihnen im Internet recherchiert.«

»Ich war im Internet drinnen? Was habe ich da gemacht?«

»Nicht Sie, Ihre Firma.« José-Rafael kicherte herzlich. Es war ein angenehmes Geräusch. Er war Leahs Sohn, keine Frage – aus seinem Kichern hörte ich das sanfte Knistern ihrer Stimme heraus. »Aber ich war mir immer noch nicht sicher, dass Sie es sind. Der Name auf den Briefen stimmte mit dem Firmennamen überein – aber handelte es sich wirklich um ein und denselben Mann?«

»Oh«, sagte ich.

»Maria hat dann auch Ihre Videos entdeckt. Wir haben sie uns angesehen. Da kam plötzlich alles zusammen.«

Ich setzte mich wieder aufs Sofa und legte meine Füße auf die Ottomane. Es hat also funktioniert, dachte ich mir. Mein Fernsehkanal ist in Venezuela ausgestrahlt worden.

»Also. Kann ich sie besuchen? Kann ich sie sehen? Kann ich kommen?«

»Da werde ich sie fragen müssen. Sie hat in den letzten Monaten nur ein einziges unverständliches Wort gesagt, ich bezweifle, dass sie antworten wird. Aber ich werde es versuchen.«

»Ich verstehe«, sagte ich. Aber in mir war nicht eine winzige Unze Geduld. »Also. Dann könnte ich dich in der Zwischenzeit besuchen, wir könnten uns treffen, uns kennenlernen, willst du mich kennenlernen?«

»Äh. Äh, *yo*, ich«, stammelte er.

»Ich komme nicht ohne deine Erlaubnis nach Venezuela. Aber besuchst du mich, kommst du nach New York? Ich werde einen Flug organisieren, Business Class, gleich morgen früh. Oder übermorgen. Oder einen Tag später. Du kannst noch am selben Tag zurückfliegen. Wäre das in Ordnung? Gib mir nur ein paar Stunden deiner Zeit.«

»Äh, ja, sicher doch. *Yo*, ich, ich bin. Ich glaube… sicher.«

»Ausgezeichnet.«

»*Sí*. Übermorgen wäre gut.«

»Ausgezeichnet«, wiederholte ich und legte behutsam den Hörer auf. Das Telefon klingelte sofort wieder. Ich musste den Hörer wohl falsch aufgelegt haben, also nahm ich ihn noch einmal hoch und legte ihn noch einmal auf. Jetzt war es gut. Ich erhob mich vom Sofa und war schon fast in der Küche, als ich das Telefon erneut klingeln hörte. Fünf Sekunden danach war ich am Apparat. »Hallo«, sagte ich.

»Ich wollte dir nur sagen, dass ich mich total freue, ich meine, ich bin jetzt schon mega aufgeregt.«

»Wer spricht da?«

»Ich bin es, Marc.«

»Wer?«

»Opi, ich bin es, Marc.«

»Oh. Natürlich.«

»Hast du vergessen, dass Robin und ich euch besuchen kommen?«

»Was? Nein.«

»Das ist es auch schon. Ich schwöre, ich wollte echt nur anrufen, um dir zu sagen, wie aufgeregt ich bin.«

Also. Ich ging in die Küche. Dora war immer noch dabei, Äpfel zu schälen. Die Schalen lagen als ebenmäßige Spiralen auf der Anrichte. »Er hat angerufen«, sagte ich.

»Ich weiß.«

»Und in einer Woche kommen Marc und Robin.«

»Ich weiß.«

»Das sind also zwei gute Nachrichten.«

»Besser als gut«, sagte Dora und zwinkerte mir zu.

»Das sind großartige Nachrichten«, sagte ich und blinzelte. In Momenten wie diesen wünschte ich wirklich, zwinkern zu können.

»Besser als großartig«, sagte sie, »wundervoll.«

»Besser als wundervoll.«

»Fantastisch.«

Und ich fragte mich: Was wäre noch besser als fantastisch?

Dora drehte sich zu mir um. Sie sah so zart aus und doch so stark. Auf ihrer Schürze stand KISS THE COOK und sie hielt einen Apfel in der einen und ein Messer in der anderen Hand. Ihre Augen waren unergründlich und blau und klar.

Also nahm ich ihr das Messer aus der Hand und den halb geschälten Apfel auch. Ich legte beides auf die Anrichte. »Ich habe eine zweite Chance bekommen.«

Dora nickte und sagte: »Ganz egal, was man im Leben erreicht hat – immer lebt man im Schatten seiner größten verpassten Gelegenheiten.«

Ich trat einen Schritt auf Dora zu und befolgte die Anweisung auf der Schürze. Ich umarmte sie mit aller Kraft. Ich umarmte sie, als gäbe es ein Gestern und ein Morgen und als gäbe es kein Gestern und kein Morgen.

22

Ich schlief noch, als die fröhliche Stimme wie die einer Radiomoderatorin an mein Ohr drang: »Heute kommt er.« Ich schlug sofort die Augen auf. Dora saß aufrecht neben mir und lehnte sich mit dem Rücken ans Kopfteil des Bettes.

Also setzte auch ich mich auf. »Was für ein Festtag.« Ich stand auf, wusch mich und zog mich an. Ich band eine gepunktete Krawatte um. Weil dieser besondere Anlass eine besondere Aufmachung verdiente. Abgesehen davon, war es eine der wenigen Krawatten, die ich noch hatte.

Wie immer verließ ich die Wohnung, um Brötchen zu kaufen. Und die Zeitung. Eine für Dora und eine für mich. Auf meinem Spaziergang dachte ich über die zuverlässige Unzuverlässigkeit des Wetters nach. Es war schon fast Sommer, und doch fühlte sich der Tag herbstlich an. Als ich nach Hause kam, setzten Dora und ich uns, um zu frühstücken und Kaffee zu trinken. Nach dem Frühstück nahm ich mir meine dritte Tasse. Brasilianisch, wie reinste Schokolade, gekrönt von einem feinen Nussaroma. Köstlich.

Dann ging ich meine persönlichen Sachen durch. Ich schredderte alle Kontoauszüge von vor 2006. Ich warf ein Döschen mit Vitaminpillen und ein paar Hausschuhe weg. Auch symbolische Geschenke, die ich erhalten hatte – ein Füllfederhalter, eine Vase in der Form eines Kaffeebechers, zwei venezianische Briefbeschwerer –, wollten entsorgt werden. So wie der Miniatureiffeltum und der beleuchtete Globus. Souvenirs, dachte ich mir, neigen dazu, wie Erinnerungen zu verfallen.

Im Schrank unter dem Fernseher fand ich Postkarten aus Havanna, Florenz, Ho-Chi-Minh-Stadt und New Jersey. Und Glückwunschkarten. Die Fotografie einer kolumbianischen Kaffeeplantage, ein Porträt von uns und den Kindern, aufgenommen 1965 in einem Berliner Fotoatelier. Ich tat alles in den Papierkorb.

Und ich fand Kopien der Briefe, die ich Leah geschrieben hatte. Ich hielt sie, wie ich meine Kinder als Babies in den Händen gehalten hatte. Lesen konnte ich sie aber nicht. Ich erkannte die getippten Buchstaben, doch meine Augen transportierten die Signale nicht an mein Gehirn weiter – als laste ein Fluch auf diesen Briefen. Sie konnten von mir nicht mehr gelesen werden. Das Papier war dünn, die Tinte mehr als vertrocknet. Es war wie eine plötzliche Begegnung mit warmem Regen, heißen Tränen, einer neuen Kaffeemischung – ich war zu Hause.

Um 11:35 meldete der Portier die Ankunft meines Gastes. Sofort wurde mein ganzer Körper heiß. Ein alter Mann sollte sich nicht dermaßen aufregen. Aber so war es nun einmal. Und es gefiel mir. Es gefiel mir, mich noch immer so aufregen zu können.

Es klingelte an der Haustür. Mit weit aufgerissenen Augen lief ich zur Tür, entriegelte das Schloss und riss sie auf. Vor mir stand ein gut aussehender Mann mit kantigen Schultern. Er war einen Kopf größer als ich. Über der Schulter trug er eine Tasche aus braunem Leder. Ich sah in ihm sofort meinen Vater – in den zu einem Dreieck hochgezogenen Augenbrauen und dem Grübchen am Kinn.

Er streckte mir eine Hand entgegen. Also schüttelte ich sie und sagte: »Willkommen.« Ich schüttelte sie noch eine Weile. »Tritt ein, tritt ein, tritt ein.« Ich hielt seine Hand fest, und händeschüttelnd gingen wir in die Wohnung. Ich versuchte mich an einen Satz zu erinnern, den mir einer unserer peruanischen Kaffeepflücker beigebracht hatte. Währenddessen schüttelte ich seine Hand immer weiter. »Einen Augenblick«, sagte ich. »Wie bitte?«, fragte er.

»Oh« – der Satz war mir eingefallen – »Herzlich willkommen. *Mi cassa essu cassa.*«

José-Rafael schmunzelte, dann grinste er breit. Ein charmantes Grinsen mit einer Spur von Schüchternheit. Als wir im Wohnzimmer standen, ließ ich endlich seine Hand los. Also. Ich zeigte auf das Sofa und sagte: »Da, bitte sehr, nimm Platz.«

»*Sí* … ja. Okay.«

Ich setzte mich ihm gegenüber. José-Rafael hatte ein sympathisches, attraktives Gesicht und ein Muttermal unter dem rechten Auge. Ich erinnerte mich an einen Satz, den ich einmal gehört hatte. Muttermale entstehen aus unerfüllten Sehnsüchten der werdenden Mutter. Das von José-Rafael hatte die Form eines Herzens. Es hatte die Form meines Gesichts. Ich *wünschte* mir zu glauben, dass Leah sich damals nach mir gesehnt hatte. »Also«, sagte ich.

»*Sí?*«

Dora kam schnellen Schrittes ins Wohnzimmer geeilt, als wären wir zwei Tennisbälle, die sie auf keinen Fall verfehlen durfte. Sie trug leuchtende Farben und sah wunderschön aus. José-Rafael stand auf.

»Das ist die berühmte Dora«, verkündete ich. Dora rollte mit ihren Augen wie ein schüchternes Mädchen, dem man Komplimente macht »Und dies ist der ebenso berühmte José-Rafael«, fügte ich hinzu, als Dora schon neben ihm stand.

José-Rafael beugte den Oberkörper vor und schüttelte ihre Hand. Ich konnte sehen, wie vorsichtig er das tat. Ich mochte ihn schon jetzt.

»Bitte, nimm Platz. Ich werde euch einen köstlichen Kaffee kochen« – und mit einem Blick, der nur José-Rafael galt, fügte sie hinzu: »Wir haben den besten Kaffee der Welt.«

»Da bin ich mir sicher. Aber, bitte, bleiben Sie doch bei uns.«

»Nein. Nein. Zuerst werde ich Kaffee kochen«, beharrte Dora und ging hinaus. Als sie den Raum verließ, stand José-Rafael noch einmal auf. Was für ein höflicher Mann, dachte ich mir. Meine Schwester hat ihn gut erzogen.

»*Gracias para*; vielen Dank für … Es war sehr freundlich von Ihnen, mich einzufliegen. Sehr großzügig.«

»Aber natürlich. Du bist doch *Mischpoche*«, sagte ich. »Familie. Du gehörst zur Familie.« Wieder nickte José-Rafael.

In der Küche klapperten Töpfe. José-Rafael drehte den Kopf in Richtung des Lärms. Was tut meine Dorale da, fragte ich mich, aber dann sah ich sie mit einem Silbertablett ins Wohnzimmer zurückkommen. Auf ihm waren zwei Kaffeetassen, eine Zuckerdose, ein Milchkännchen und ein Teller mit einem Papierspitzendeckchen und Butterkeksen. José-Rafael stand auf, um ihr zu helfen, aber Dora lehnte die Hilfe ab. Langsam setzte sie das Tablett auf dem Sofatisch ab und drehte sich wieder herum.

»Bleib bitte hier«, bat ich.

»Ihr zwei habt eine Menge zu besprechen«, sagte sie und verließ den Raum so flink, wie sie gekommen war.

»Also?«, fragte ich lächelnd. Ich rückte mir die Brille dichter vor die Augen.

»*Sí?*«

Wir blickten einander an, wie ein Patient seinen neuen Arzt anblickt. Ich wusste nicht, wer von uns der Arzt war und wer der Patient. Ich denke, ich war beides. Ich denke, er war beides.

Ich wollte ihn mit Fragen zu Leah bombardieren. *Meine Leah.* Ich bin alt und fürchte manchmal, keine Zeit mehr zu haben. Aber die Dinge brauchen ihre Zeit. Also bezwang ich meine Ungeduld und sagte, ganz langsam. »Bitte, erzähle mir von deiner Familie.«

»Mutter *ist* meine Familie.«

»Erzähl mir von deiner Frau und deinen Kindern.« So ein gut aussehender, sanfter und angenehmer Mann musste eine wundervolle Familie haben. »Und erzähl mir bitte auch von Alejandro und seiner Familie.«

»Mutter ist meine Familie«, sagte José-Rafael und sah mich aufmerksam an. »Mutter ist alles.« Er nahm seine Kaffeetasse und hielt sie sich einen Augenblick unter die Nase, bevor er einen Schluck nahm. »Ich mache mir nicht viel aus Kaffee, *Mamá* auch nicht, aber der hier ist *muy*, sehr, *sí*, der ist *muy* gut, das merke ich.«

»Es braucht Jahre, um eine fast vollkommene Qualität zu kreieren«, sagte ich stolz. Und Sekunden, um alles zu zerstören, dachte ich mir und spürte, wie meine Stimme in meinem Hals erstarb.

Ich betrachtete José-Rafael und wünschte, dass Leah hier mit mir sitzen, dieselbe Luft wie ich einatmen würde. Dass sie es wäre, mit der ich unsere gemeinsame Vergangenheit nachgehen könnte. Ein helles Lilagrau hatte den Himmel überzogen. Er goss jetzt seine Lichtstrahlen auf die Amerikanischen Ulmen. Seine Farbe war ganz ungewöhnlich und der Anblick außerordentlich. Er passte perfekt zur Situation.

José-Rafael setzte seine Tasse zurück auf die Untertasse. »Der Arzt sagt, *Ma* sei nur wegen einer nicht abgeschlossenen Angelegenheit noch am Leben. Ich dachte, er macht einen Witz. Die Medizin ist schließlich eine Wissenschaft, *no*?«

Das mochte eine rhetorische Frage gewesen sein. Aber ich antwortete trotzdem. »Ich verstehe nichts von der Wissenschaft. Nur von der Wissenschaft der Kaffeeröstung.«

»Als ich Mutters Brief las, war ich schockiert. Mir wurde übel. Nie. Nie. Nie hätte ich mir das vorstellen können; wie hätte ein Mensch sich so etwas vorstellen können? Ich fühlte mich betrogen. Wie hatte meine geliebte Mutter mir all die Jahre dies verheimlichen können? Mein ganzes Leben lang!«

José-Rafael tat mir leid. Ich wollte ihn umarmen, denn manchmal lässt sich nicht in Worte fassen, was man jemandem sagen möchte. Aber ihn zu umarmen wäre äußerst unpassend gewesen. Also sagte ich nur: »*Oy*.«

»Es ist eine Menge. Es ist viel. Zu viel. Ich weiß überhaupt nicht, was ich damit anfangen soll.«

Menschen erfahren ständig Neues über sich, dachte ich mir. Und von einem Augenblick zum nächsten sind sie nicht mehr die Person, für die sie sich immer gehalten haben. Krank. Adoptiert. Verwaist. Ein Flüchtling. Und es ist immer zu viel.

»Lügen haben ein Gewicht«, sagte José-Rafael. »Sie wiegen viel. Aber es geht hier nicht um mich; es geht um *Mamá*.«

»Im Jiddischen sagen wir: *Gam zu le'toyveh*. Weißt du, was das bedeutet?«

»Nein, keine Ahnung.«

»Es bedeutet, dass alles, was geschieht, zu unserem Guten ist. Auch das Schlechte. Es ist nicht immer leicht, daran zu glauben. Eigentlich ist es schwer. Aber ich versuche es. So gut ich kann.«

José-Rafael nickte. »Eine schöne Philosophie.«

»Philosophie, *Schmilosophie*. Was weiß ich schon von Philosophie?« Ich kenne nur, was mein tollpatschiger *tate* immer gemurmelt hat.

»Weißt du, *Ma* blieb immer bis nach Schulschluss, um Schülern mit Lernschwierigkeiten zu helfen«, sagte José-Rafael. »Einmal sagte sie mir: ›Die anderen reden nur. Ich höre zu. Dafür mögen die Schüler mich.‹ Sie ist eine gute Frau und eine gute Mutter. Etwas ruppig manchmal, aber immer herzlich. Ich werde nie vergessen, wie aufgelöst sie war, als ich eines Tages später als sonst von der Schule nach Hause kam, und genauso wenig werde ich vergessen, wie sie mich stolz mit Lob überschüttet hat, als ich zum ersten Mal den Forscherpreis gewann. *Mamá* ist eine furchtbare Tänzerin«, sagte er, und ein lautes Lachen platzte aus ihm heraus, »und sie geht nie ohne einen Regenschirm aus dem Haus. Einen Regenschirm. Kannst du das glauben?«

Ich kannte meine Schwester nicht, dachte ich mir. Nicht als Mutter und als Großmutter, nicht als Ehefrau und Kollegin. Ich kannte sie nur als Kind. Lange bevor diese ungerechte Welt sie verändert hat.

»Vor einigen Jahren begann Mutter kühler zu werden. Ich schob es auf das Alter und auf« – José-Rafael biss sich auf die Zunge und beendete den Satz nicht. »Inzwischen glaube ich, es waren die Folgen der Vergangenheit, die sie einholen wollten. Und an dem Tag, an dem sie ins Koma fiel, hatte die Vergangenheit es endlich geschafft.«

Ich nickte und sagte nachdenklich: »Dann stimmt es, was die Leute sagen: Man kann verstecken, aber man kann nicht sich verstecken.«

Zum Mittagessen lud ich José-Rafael zu meinem Lieblingsitaliener ein, wo ich immer Ricotta Ravioli in einer Sauce aus getrockneten Tomaten bestelle. Ich halte mich an das, was gut ist. Und das, wenn Sie mich fragen, ist Philosophie.

Als wir uns gesetzt hatten, fragte José-Rafael nach meinem Castverband. Also sagte ich: »Unfälle passieren, wenn man nicht aufpasst.« Er sagte: »Auch wenn man aufpasst, passieren sie.«

Wir sprachen über unsere jeweiligen Passionen. José-Rafael sprach über Geologie – »es ist so spannend, Geschichte freizulegen« –, ich über Kaffee – »es ist so spannend, Geschichte zu machen.«

»Es ist faszinierend zu verstehen, welche Prozesse *in* der Erde ablaufen«, sagte er, und ich ergänzte: »Und ebenso faszinierend ist es, die Prozesse *auf* der Erde zu verstehen.«

Wir sprachen über aktuelle Themen. Ich sagte ihm, ich mache mir Sorgen über die venezolanische Politik, woraufhin er eilig versicherte, sich Sorgen über die amerikanische Wirtschaft zu machen. »Hohe Privatgewinne stehen hier hohen öffentlichen Verlusten entgegen«, sagte ich, also sagte er:

»Daheim haben wir zu hohe öffentliche Gewinne und hohe private Verluste.« So drückten wir beide aus, was uns in der Welt bedrückte.

»Die Nachrichten machen mich so traurig«, bekannte ich. »Und sie verwirren mich. Sie sind so real geworden.« Vielleicht, dachte ich plötzlich, sind die Nachrichten gemeint, wenn die Leute von Reality Shows sprechen. Und er sagte: »Das Leben an sich scheint realer geworden zu sein.« Wir tranken Cabernet Sauvignon und sprachen über alles, was uns in den Sinn kam, und bald hörte ich mich meinem Neffen sagen, was ich meinen Kindern nicht sagen konnte.

»Dora war das Hirn, das hinter jeder gelungenen Geschäftsoperation steckte«, sagte ich, worauf er antwortete: »Der weiblichen Intuition ist immer mehr zu trauen als der männlichen Logik.« Also sagte ich: »Ich habe immer auf meine Intuition vertraut und auf die Vernunft meiner Frau.« José-Rafael erklärte, dass er meine Sendungen in meinem Privatsender verfolgt hatte und dass meine Schilderungen, wie ich Dora umgarnt hatte, ihn daran erinnerten, wie herrlich es war, einer Frau leidenschaftlich den Hof zu machen. »Manchmal habe ich das Gefühl, ich werbe bis heute um sie«, gestand ich. Und schon erzählte er von einer vergangenen Liebe. »Da ist immer dieser eine Mensch, der einem entglitten ist«, sagte er nachdenklich und verträumt. »Carla«, murmelte er, »*Carlita.*« Sein *R* rollte wie die Zeile eines Gedichts. Wenn er sprach, sah ich wieder meinen Vater in ihm, in seinen hochgezogenen Augenbrauen und dem Grübchen am Kinn.

Als es Zeit war, sich zu trennen, sagte ich: »Nach dem Krieg, als ich deine Mutter gefunden habe. Wie sie mich angesehen hat. Das war ein Moment, den ich nie vergessen werde. Er ist in der Zeit erstarrt. Die Welt stand auf dem Kopf.«

»Die Erinnerung ist schon seltsam«, sagte er. »Manchmal tragisch, manchmal auch komisch.« Er nickte und kniff dabei Ober- und Unterlippe zusammen.

»Auf Wiedersehen«, sagte ich. Ich wusste, dass dies kein richtiger Abschied war. Ich würde ihn bestimmt wiedersehen. Und dann fügte ich noch hinzu: »Meine Schwester hat dich zu einem anständigen und klugen Mann erzogen.« Also sah mich José-Rafael freundlich an.

»Bitte«, sagte ich, »bitte, versuch es. Ich möchte sie sehen. Ich möchte, dass sie mich sieht. Ich möchte, dass wir uns sehen. Gib mir ein Zeichen, und ich fliege sofort nach Venezuela.«

»Ich halte dich auf dem Laufenden «, sagte José-Rafael. Mitgefühl war in seiner Stimme. In seinen Augen. Und in der Art, wie er meine Hand schüttelte.

Letzter Brief an den Sohn

1. April 2012

Mein allerliebster José-Rafael,
ich wollte es dir nie erzählen. Ich wollte *es* mit in die Erde nehmen oder in den Himmel, aber dann kündigte der Tod sich an und veränderte alles … So ist der Tod. Man sagt, dass man am Tod eines Menschen etwas über dessen Leben ablesen kann – aber ich denke, man kann alles daran ablesen, wie er versucht hat, ihm zu entgehen … und versuchen wir alle nicht mindestens einmal im Leben, dem Tod zu entgehen? Mein Sohn, nur weil ich bereit war, mein Geheimnis mit meinem Leben zu schützen, ist es nicht richtiger, es zu verbergen.
Mit meinem ganzen, von Reue erfüllten Herzen hoffe ich, dass dieser Brief dich nicht verletzt, aber falls doch … *perdón, perdón, perdón* … kann ich mich jemals genug entschuldigen, damit du mir verzeihst? Ich habe versucht, dir zu zeigen, wie tief Mitgefühl gehen kann, und nun hoffe ich, dass dein Mitgefühl groß ist, groß genug auch für mich …

Ich schreibe diesen Brief im selben Zimmer, in dem ich dich, meinen Sohn, zur Welt gebracht habe. Früher habe ich in dein Babygesicht geschaut und gedacht: Nur ich verstehe wirklich, was du brauchst. Es war die Überzeugung einer Mutter. So falsch und doch so wahr …
Ich habe es dir nicht erzählt, weil ich … weil ich dich beschützen wollte. Ich wollte mich selbst schützen. Ich sollte aufhören, mich so zu winden, und zum Punkt kommen … *pero*, aber … wie soll ich zum Punkt kommen, wenn eben dieser Punkt so scharf wie eine Messerklinge ist?
Madre mia, raus damit:
Ich war früher jemand anderes … *Dios mio!* Ich war die Tochter einer Frau, die Hebamme war und deswegen die beliebteste Frau im ganzen Viertel, und eines Mannes, der Gamaschen für Schuhe herstellte. Er war so tollpatschig, als hätte Gott ihm zwei linke Hände gegeben. Ich hatte zwei Schwestern und einen Bruder, und mein Name war: Leah. Leah Hertzmann.
Meine Schrift verrät dir, dass meine Hände zittern … mein Körper gehorcht mir schon lange nicht mehr. *Bueno, ahora*. Nun denn. Lange konnte ich mich an nichts aus meiner Vergangenheit erinnern. *Nada!* Aber dann eines Tages kam ich in *La Carlota* an einem Handtaschenladen vorbei, und der Geruch des Leders überwältigte mich. Ich lief weiter, aber er verfolgte mich wie ein Taschendieb. Der Körper erinnert sich …
In der Nacht hatte ich einen Albtraum. Ich sah eine fremde Familie, und ich gehörte dazu. Wir waren in einer Scheune. Sie stand in Flammen. Es war heiß … sehr

heiß … *muy muy caliente* … und das Feuer kam immer näher … ich hielt zwei andere junge Mädchen an den Händen … die Luft stank entsetzlich nach Qualm. Meine Familie brach einer nach dem anderen bewusstlos zusammen, nur ich stand noch … und überlegte, ob ich die Hände meiner Schwestern loslassen sollte …
Am nächsten Tag ließ mich das Gefühl nicht los, die Leute aus dem Traum zu kennen. Ich erinnerte mich, dass die Mutter immer nach Karamell gerochen hatte, der Vater immer nach Leder … genauso, wie ich es am Vortag gerochen hatte.
Monatelang fühlte ich mich verfolgt, so wie die verlorene Seele des *Silbón* … Und dann fing ich ganz langsam an, mich zu erinnern … Als ich meine Mutter danach fragte, fing sie zu weinen an. Ich nahm sie in den Arm. Sie hat gesagt, sie habe mir die Wahrheit immer schon erzählen wollen, aber die Wahrheit habe ihre eigene Zeit … Wir saßen auf der Terrasse, die nach Norden und auf den Garten hinausgeht. Die Sonne schien hell und warm. Als meine alte Mutter zu mir sagte: »Deine Familie wurde ermordet«, fühlte ich *nichts*. Wir tranken Limonade, und in der Luft hing der süße Duft der umstehenden Pflanzen.
Sie sagte folgendes: Als der Krieg ausbrach, brachten meine Eltern mich zu einem Arzt, der versuchen wollte, mich zu retten. Während meine Mutter mir das erzählte, erinnerte ich mich an ihn. Er trug immer ein Stethoskop um den Hals, und wenn er zu uns nach Hause kam, ließ er uns unsere Herzschläge hören. Der Herzschlag meiner Mutter unterschied sich von unseren Herzschlägen,

denn neben dem gleichmäßigen Pochen konnte man ein Geräusch wie einen Luftzug hören, der durch ein offenes Fenster rauscht.

Als der Doktor mich von Zuhause abholte, wusste ich nicht, dass der Abschied endgültig sein würde. Er nahm mich bei der Hand und erklärte mir, dass Jiddisch, die einzige Sprache, die ich kannte, eine Geheimsprache sei, die ich von nun an nie wieder sprechen dürfe. *Nie.* Andernfalls würde etwas Schlimmes geschehen … Komm, wir spielen ein Spiel, sagte er, wenn du die Sprache geheim halten kannst, und zwar für immer und ewig, bekommst du das schönste aller Geschenke … Ich nickte gehorsam und fing sofort zu spielen an.

An der Hand des Doktors betrat ich ein Nonnenkloster. Schweigend hörte ich zu, wie er einem Mann und einer Frau erklärte, ich sei stumm. Ich betrachtete das riesige Gemälde, das vor mir an der Wand hing. Ein so riesiges Bild hatte ich noch nie gesehen … es zeigte eine schöne Frau. Sie hielt den Kopf nach links geneigt und schaute auf ihr Kind hinunter. Später erfuhr ich, dass sie *la Virgen Maria* hieß.

Er brachte mich in einen anderen Raum, einen Saal mit vielen Betten. Er führte mich zum letzten Bett in der letzten Reihe. Ich muss jetzt gehen, sagte er … Ich spielte schon das Spiel, deswegen sagte ich kein Wort, als er mir übers Haar strich und mir eine Kette um den Hals legte. Daran hing ein Anhänger mit der schönen Frau von dem Wandgemälde. Ich fuhr auch dann mit meinem Schweigen fort, als er ging und mich allein zurückließ.

Ich weiß nicht mehr viel, aber ich weiß noch, dass es mir nichts ausmachte, stumm zu sein. Ich hatte nichts zu sagen, und ich hatte niemanden, dem ich etwas hätte sagen wollen … Auch Jahre später, als ich längst Deutsch gelernt hatte, blieb ich stumm. Bis ich das Spiel eines Tages aufgab … die Nonnen haben geglaubt, dass in ihrem Kloster ein Wunder geschehen war … Das stumme Mädchen hatte plötzlich zu sprechen angefangen. Kurz nach diesem Wunder wurde ich weggegeben. Die Nonnen dachten, dass ich woanders sicherer wäre. Bei einer Frau, die sie gut kannten … deiner Großmutter.

Als ich mit meiner Mutter sprach, an jenem Nachmittag vor zwanzig Jahren, warnte sie mich davor, dich deiner Geschichte zu berauben, aber ich fragte mich: Ist es immer das Beste, alles zu wissen? Nein, fand ich, aber du, mein lieber José-Rafael, wirst es anders sehen, denn auch das hat meine Generation deiner beigebracht.
Kurz darauf starb dein Vater, und dann meine Mutter. Mit ihrem Tod musste meine Erinnerung zu mir zurückgefunden haben, denn die Albträume und Visionen stellten sich häufiger ein, wurden lebhafter, greifbarer, ernster. Weil ich so verzweifelt versucht hatte zu vergessen, erinnerte ich mich nun umso intensiver. Brennendes Haar, meine Mutter, wie sie mir das Hemd zuknöpft, meine toten Geschwister, die mit mir darum ringen, wer die Hand der Eltern halten darf, mein Ehemann, der meine Zwillingsschwester heiratet, meine Schwestern, wie sie mir beim Anziehen der Strumpfhose helfen, Alejandro, Alejandro, Alejandro …

Ich wurde bestraft. Alles ergab einen Sinn … Alejandros entsetzlicher Tod, die plötzliche Krankheit meiner Mutter, der Schlaganfall deines Vaters … Ich wurde bestraft, denn ich hatte es nicht besser verdient. Das dachte ich damals. Inzwischen glaube ich einfach nur, dass irgendwann an die Oberfläche bricht, was zu lange unterdrückt wurde … Mein geliebter Sohn, anscheinend müssen auch unsere Gefühle, Gedanken und Ängste den Gesetzen der Natur gehorchen.

»Dein Bruder hat überlebt«, sagte Mutter an jenem sonnenhellen Tag zu mir. Ich wusste sofort, von wem die Rede war, denn da war dieser Mann, der sich immer wieder bei uns meldete und mir Geschichten erzählte, *cuentos locos,* und *wie* verrückt sie waren! Ich hielt ihn für einen Fall für die Irrenanstalt.
Etwa fünf Jahre später besuchte mich der Verrückte, er hieß Yankele, in Venezuela. Die Welt ist damit beschäftigt, immer neue Waffen zu erfinden … weiß sie denn nicht, dass die tödlichste und komplexeste von allen seit Jahrtausenden in Gebrauch ist? Sie kam in die Welt, als sich Tiergeräusche zu Menschenworten entwickelten. Ich wehrte ihn mit Worten ab, ich benutzte zum ersten Mal seit einem halben Jahrhundert meine abgelegte, vergessene Geheimsprache …

Mijo, ich sagte dir immer: »Seine Freunde sucht man sich aus, in eine Familie wird man hineingeboren.« In diesem Satz steckt mehr Wahrheit als in der gesamten Geschichtsschreibung. Du hast dir Alejandro nicht ausgesucht. Er wurde dir bei deiner Geburt wie ein Geschenk gegeben… und er wurde mir entrissen wie durch einen Fluch. Der Schmerz einer Mutter, die ihr Kind begraben muss, ist unendlich… Es ist das schlimmste Versagen und der schmerzlichste Verlust. Ich bezweifle nicht, dass dein Schmerz, der Schmerz des Bruders, ebenfalls so tief ist wie ein Abgrund … *Mijo*, es gibt einen anderen Bruder da draußen, der dasselbe fühlt, und wenn die Erde ihn noch nicht verschluckt hat, fühlt er es immer noch. Womöglich ist er so verrückt, wie ich immer dachte, und seine Familie ist es vielleicht auch … aber sie ist auch deine Familie, José-Rafael. Es ist zu spät für einen Neuanfang, aber es ist noch nicht zu spät für ein neues Ende.

Deine *Mama*
Magdalena

P.S.: Hiermit vermache ich dir meinen Anhänger mit *la Virgen* Maria. Ich habe ihn an dem Tag bekommen, als ich fortgeschickt wurde, und ich habe ihn seither nicht abgelegt. Bitte halte ihn in Ehren, *mijo, por favor*, liebe ihn von Herzen, denn er hat mir das Leben gerettet.

23

»Ich habe Ihrem Portier die Chips zurückgegeben«, sagte der Verkäufer und fügte sogleich hinzu: »Diese kleinen Plastikteile, die Sie für mich hinterlegt haben.«

»Aber sie sind gebraucht. Was soll ich damit? Außerdem, was noch viel wichtiger ist: Ich hätte gerne, dass meine Kinder die Videos sehen.«

»Haben Sie die Mailadressen für mich?«

»Ja. Einen Moment. Ich muss im Telefonverzeichnis nachschauen.«

Ich hörte Dora niesen. Also fragte ich: »Belauschst du mich?«, und noch bevor sie antworten konnte, sagte ich zu dem Verkäufer: »Darf ich Ihnen meine wunderschöne Frau Dora vorstellen, die sich gerade zu uns gesellt hat?« Ich stellte mir vor, wie Dora im Zimmer nebenan stand. In unserem Schlafzimmer. Und sich mit den Händen durch ihr toupiertes Haar fuhr.

»Nein. Nein. Ich würde nie lauschen. Ich habe den Hörer nur abgenommen, weil ich selbst telefonieren wollte. Yankele, ich habe die Mailadressen unserer Kinder.«

»Du? Woher?«

»Du bist nicht der einzige, der Geheimnisse hat.«

»Darf ich Sie etwas fragen?«, sagte der Verkäufer. »Haben Sie Ihre Videos je gesehen?«

»Wozu sollte ich?«

»Wollen Sie sich selbst nicht sehen?«

»Aber ich weiß doch, wie ich aussehe«, antwortete ich, als Dora einwarf: »Auf einmal will mein Mann berühmt werden. Wie ein Filmstar.«

»Will ich nicht.«

»Ich wollte dich nur ein bisschen ärgern«, sagte sie. »Wenn die Jungen nur wüssten. Wenn die Alten nur könnten.«

»Das hast du schon einmal gesagt.«

»Die Wahrheit kann ohne Ende wiederholt werden, oder?«

»Aber Dora«, sagte ich neckisch, »willst du damit sagen, *ich* könnte nicht?«

»Ich will damit sagen, dass *sie* nicht wissen.«

»Andere brauchen ein Leben lang, um weise zu werden«, sagte ich zu dem Verkäufer. »Und das Alter ist ein hoher Preis, der dafür gezahlt werden muss. Aber nicht Dorale, die war schon immer so. Scharfsinnig und klug und weise.«

»Yankele, nun werde ich rot.« Obwohl sie im Nebenzimmer war, konnte ich fühlen, wie Doras klarblaue Augen mich umarmten.

»Vielleicht sollte ich Sie beide allein lassen«, sagte der Verkäufer, also bedankte ich mich bei ihm – ganz ausdrücklich. Zweimal. Und dann noch einmal.

»Gern geschehen, gern geschehen, gern geschehen«, antwortete er, und ich dachte mir: Die Freundlichkeit eines Menschen ist viel wert. So viel, dass sie nicht gemessen oder gewogen werden kann. »Also, tschüss für heute«, sagte er und legte auf.

»Also«, sagte ich zu Dorale.

»So«, sagte sie.

»Nun sind nur wir beide übrig.«

»Nur du und ich.«

»Nur wir zwei.«

»Du und ich und niemand sonst.«

In der Leitung ertönte ein lästiges Tuten und unterbrach meine Unterhaltung mit Dora.

»Also dann«, sagte ich. Es war schwierig, sich von ihr zu trennen.

»Dann ist dies, vermute ich, der Abschied?«, sagte Dora vom Nebenzimmer aus.

»Das vermute ich auch«, sagte ich und legte so langsam auf, wie das Dreizehenfaultier sich bewegt.

Nach diesem produktiven Telefonat machte ich meinen Morgenspaziergang. Ich war voller Energie. In der Bäckerei kaufte ich vier Vollkornbrötchen, drei Schokoladencroissants und ein Baguette. Ich schlenderte gemütlich durch die Straßen und kaufte vier Ausgaben der Zeitung und dunkelrote Trauben. Ich schlenderte und tagträumte und schlenderte weiter. Und in der Sekunde, als ich die Wohnungstür aufschloss, fiel mich Dora wie ein Bengalischer Tiger an. »Wo warst du? Ich habe mir Sorgen gemacht.«

»Ich war spazieren, wie immer«, sagte ich fröhlich.

»Aber Yankele, du warst so lange weg.«

»Wirklich?« Wir standen immer noch in der Tür. »Dorale, ich fühle mich spitze. So spitze, dass ich, wenn mein Arm nicht in diesem bunten Verband stecken würde, drei Tennismatches spielen könnte. Es ist Zeit, den Arm durchzuschwingen und den Platz unsicher zu machen. Nicht?«

Doras Augen weiteten sich vor Überraschung. »Es ist, als würde ein junges Du im Körper deines alten Du stecken.« In ihrer Stimme mischten sich Stolz und Angst. »Aber komm herein in die Wohnung. Die Jungs sind da.«

Also gingen Dora und ich hinein. Als Robin und Marc sahen, dass wir uns näherten, sprangen sie auf und eilten auf uns zu. Sie waren so groß. Das Tempo, in dem diese Kinder wuchsen, erstaunte mich. Ich umarmte sie. Und umarmte sie noch einmal. Als Marc an meiner einen Seite stand und Robin an meiner anderen, fühlte ich mich wie die Milchschicht in einem Cappuccino zwischen – Espresso und Schaum.

»Wie geht es dir?«, fragte Robin, und dann fragte auch Marc: »Ja, wie geht es dir?«

»Gut, gut, gut. Warum stellen alle stets diese Frage?«, sagte ich und sah die beiden aufmerksam an. Robins Schultern waren breiter geworden. Und Marc wuchs nun ein Flaum auf der Oberlippe. Aber wie immer waren Robins Lippen zart und Marcs Gesicht herzförmig. Ihre Augen leuchteten immer noch so warm und waren immer noch so rund wie Jackenknöpfe.

»Sieh dir das an«, sagte Marc, »ich meine, wie cool. Ich schwöre, ich habe mir immer einen Gips oder so einen coolen Verband gewünscht.«

»Lasst uns das Ritual dieses Hauses pflegen«, sagte ich. Also. Die drei gingen ins Wohnzimmer und ich in die Küche, um für unsere jungen Gäste einen Mokka zuzubereiten. Und für uns auch. Ich mahlte die Bohnen, roch an ihnen, atmete ihr Aroma tief ein. Ich schäumte Milch in einem Edelstahlbehälter auf, und als sie cremig war, gab ich Kakaopulver dazu und schäumte noch ein bisschen weiter. Ich ließ den Schaum ruhen und goss vier perfekte Espressi in vier Becher. Vorsichtig gab ich die Kakao-Milch dazu und trug die Becher ins Wohnzimmer, wo Dora und die Jungen lachten. Der Klang ihres Lachens war unschuldig wie das von Babies, die gekitzelt werden. Manche Töne dürften nie enden. Ich setzte mich aufs Sofa und richtete den Blick geradeaus auf die Blumen auf der Fensterbank. Dora saß dicht neben mir. Unsere Körper berührten sich leicht, und sie legte mir eine Hand aufs Knie.

Den ersten Schluck tranken wir vier gleichzeitig. Ich konnte sehen, wie sehr Dora und Robin das Getränk genossen. Dies zu beobachten, war rührend. Nur Marc wirkte plötzlich irritiert.

»Phänomenal«, lautete Doras Urteil, noch bevor sie den Becher abgesetzt hatte.

»Ich bin total deiner Meinung«, sagte Robin und stürzte sein Getränk hinunter. Marc nippte bedächtig an seinem. Wie vernünftig von ihm. Anders als die meisten jungen Leute, die in großer Eile trinken, nahm er sich Zeit für das köstliche Getränk. So wie wir es tun. Die Alten. Wir kosten jeden Geschmack aus, denn nicht alles ist ein Tennismatch. Manches ist nur eine Trainingseinheit. Beim Anblick meiner zufriedenen Lieben überfiel mich unsagbarer Stolz. Es ist die Freude, dachte ich mir, die ein Mann aus seinem Meisterwerk zieht.

Wir knabberten Trockenfrüchte und Nüsse, dunkle Schokolade und Haferkekse mit Rosinen, die Dora selbst gebacken hatte. Der Geschmack war kräftig, der Teig fast cremig.

»Ich habe im Internet dieses Mädchen kennengelernt«, sagte Robin. »Ihretwegen wollte ich nach New York kommen.« Marc verdrehte die Augen.

»Deine Freundin?«, fragte ich.

»Nein. Ich glaube nicht. Noch nicht. Vielleicht nie. Ich weiß nicht.«

»Sie wäre dumm, wenn sie nicht deine Freundin sein wollte.«

»Das sagst du nur, weil du meine Großmutter bist.«

»Natürlich sage ich das nur, weil ich deine Großmutter bin.«

Robin kicherte und auch Marc. Ich wusste nicht, warum. Ganz klar sagte Dora, was sie sagte, weil sie seine Großmutter war. Und als seine Großmutter wusste sie, dass ein Mädchen, das nicht seine Freundin werden wollte, dumm sein musste.

Am Nachmittag verließen wir die Wohnung. Wir schlenderten gemütlich durch die Straßen. Es war erfrischend, Zeit mit jungen Leuten zu verbringen. Ihr Leben war wie Freilichttheater. Unser Leben spielte sich nur noch in geschlossenen Räumen ab. Als schrumpfte der Raum, der uns in dieser Welt zugestanden wird, proportional zu unserem Alter.

Wir liefen auf der Central Park South, als eine Taube auf der Steinmauer direkt neben mir landete. Sie starrte mich an. Also starrte ich zurück. Sie fing zu gurren an. Also wollte ich zurückgurren. Aber ich wusste nicht, wie man diesen meditativ beruhigenden Laut erzeugt, und gab auf. Ich beobachtete Robin und Marc. Ich hörte ein leises: »Lass mich los, hab ich gesagt!« Robins Arm lag um Marcs Schulter. Eine scheinbar liebevolle Berührung. Zwei Brüder, die gut miteinander sind, dachte ich mir. Mein Sohn war erfolgreich gewesen, wo ich gescheitert war.

Als wir den Park betraten, sagte Marc unvermittelt: »Zu Hause habe ich so ein paar Dinge aufgeschnappt. Ich meine, ich verstand nicht, was los ist, aber ich hoffe, du findest eine Lösung, Opi.« Als er sprach, wirkte er verändert. Vertrauter. Sein Gesicht sah erwachsener aus. Als gehörte ihm das eher, als ihm sein Jungengesicht je gehört hatte. »Ich weiß, die Dinge sind nie so einfach, aber vielleicht gibt es für jedes Problem im Leben eine Lösung – so wie für jedes Puzzle.«

»Marc, mein Lieber«, sagte Dora und machte einen Schritt auf ihn zu. Ein plötzlicher Windstoß bauschte ihr Haar auf. »Das Leben hat zu viele unberechenbare Teile, um ein Puzzle zu sein. Ich weiß, das zu akzeptieren ist schwer, ganz besonders für jemanden in deinem Alter, aber manchmal gibt es keine Lösung.«

Wie immer war Dora der Kopf und ich das Herz. »Es ist trotzdem besser, naiv zu sein als zynisch«, sagte ich, als wir auf der Gapstow Bridge standen. Dora kam näher und flüsterte mir ins Ohr: »Ein Zyniker ist ein naiver Mensch, nur einer mit Fakten.« Und ich flüsterte zurück: »Ich mag es, wenn du mir ins Ohr flüsterst.«

Das Wasser unter uns war dunkelgrün und hellbraun und bewegte sich scheinbar nicht. Aber es musste sich bewegen. Denn nichts ist statisch.

Es war spät. Dora und ich lagen im Bett, als das Telefon klingelte.

»Daddy, ich bin es, Jasmin. Es tut mir ja so leid.«

Ich wusste nicht, was genau ihr so leid tat. Aber ich fragte nicht. Manchmal ist es besser, die Dinge einfach zu halten.

Auch auf die Gefahr hin, dass etwas unklar bleibt. »Gut«, sagte ich. »Also. Du kommst morgen zum Brunch?«

Nachdem ich aufgelegt hatte, rief Leonard an. »Ich habe die Videos gesehen. Wir müssen reden.«

»Gut«, sagte ich. »Also. Du kommst morgen zum Brunch?«

Nachdem ich aufgelegt hatte, rief ich Eliot an. Ich sagte ihm, was ich den anderen gesagt hatte.

»Für morgen bereite ich nur Nachspeisen vor«, verkündete Dora heiter, »alles soll so süß wie möglich sein!«

»Also. Ich habe nachgedacht.« Ich drehte mich um und blickte Dora an. »Wollen wir es filmen? Ich könnte die Kamera in eine Ecke stellen und sie einfach laufen lassen.«

»Du willst uns heimlich filmen? Wie bei der *versteckten Kamera*?«

»Verstecken. In die Ecke stellen. Ist doch dasselbe.«

»Das ist gemein.«

»Nein. Kann sein. Ja.« Ich hob meinen – nicht gebrochenen – gebrochenen Arm und kratzte mir die Stirn. »Wenn unsere Kinder sich benehmen, werden wir nichts mit dem Video anstellen. Aber wenn sie sich nicht benehmen, werden wir drohen, es in meinem privaten Fernsehkanal zu senden!«

»Das ist Erpressung!«

»Musst du das so nennen?«

»Es gibt dafür kein anderes Wort. *Oy*, Yankele, das Leben hier hat sich auf einmal in einen Film verwandelt.«

»Das Leben ist überall wie ein Film«, sagte ich, »es ist nur eine Frage des Genres.«

24

Am Morgen rief ich José-Rafael an. »Also. Sicher brauchst du keine zusätzliche Person, die sich Sorgen um dich macht. Sei unbesorgt, ich mache mir keine Sorgen. Ich mache mir nur Gedanken. Ich wollte mich nur überzeugen, dass du gesund und munter nach Hause zurückgekehrt bist.« Ich setzte mich in meinen Sessel und legte den nicht gebrochenen Arm auf meinen Schoß.

José-Rafael zögerte. Nach einer Weile fragte er: »*Qué?* Wie bitte?« Wieder zögerte er. Schließlich sagte er: »Das ist sehr freundlich von dir.«

Ich atmete tief durch. »Wie geht es ihr? Will sie mich sehen? Kann ich nach Caracas kommen und sie besuchen?« Ich hörte, wie die Schiebetür geöffnet wurde. Marc betrat mein Arbeitszimmer, also legte ich den Zeigefinger an meine Lippen und bedeutete ihm ein stummes »Pssst.«

Marc schlich auf Zehenspitzen in die Ecke, wo sein Gepäck lag. Er klappte den Kofferdeckel auf. Er zog einen Rucksack heraus und fing an, Sachen hineinzustopfen – einen Laptop, ein Sweatshirt, ein Buch, ein Puzzle, einen schwarzen Stift, ein Mobiltelefon, eine zylinderförmige Spraydose. Bei dieser Ausrüstung konnte man meinen, er plante heute noch, den Mount Everest zu besteigen. Aber selbst wenn, wäre ihm keine seiner Sachen dabei von Nutzen.

»Es tut mir leid«, sagte José-Rafael entschuldigend. »*Mamá* will dich nicht sehen.« Er atmete tief ein. »Aber sie hat gesprochen. Zum ersten Mal seit Monaten hat sie gesprochen. Ich konnte es nicht glauben. Sie hat mir tatsächlich auf meine Frage geantwortet. Kannst du das glauben? Ihre Lunge, ihre Lippen, ihre Zunge, ihr Kiefer haben ein Geräusch gemacht; sie hat gesprochen. Ich habe Mutters Stimme seit *Monaten* nicht gehört, aber endlich hat sie gesagt: ›*No lo veo, pero voy a hablar con el*; ich möchte ihn nicht sehen, aber ich werde mit ihm reden.«

Es verschlug mir die Sprache. Ich brachte keinen Satz, kein Wort, nicht einmal einen einzigen Buchstaben heraus.

»Hallo?«, fragte José-Rafael.

Zeit vergeht immer. Manchmal langsam, manchmal schnell. Wenn man leidet, vergeht sie in Zeitlupe. Ansonsten nimmt sie an einem Wettrennen teil. Aber jetzt tat die Zeit etwas anderes. Etwas, das sie sonst nie tut. Sie blieb stehen.

Schließlich sagte ich also: »Sie will mich nicht sehen, aber sie will mit mir sprechen?«

»*Sí.*«

»Das kann nicht alles sein. Bitte, versuche es noch intensiver.«

»*Perdón*. Es tut mir leid.«

»Aber das *kann* nicht das Ende unserer Geschichte sein. Das *sollte* nicht das Ende sein.«

»*Perdón*«, sagte José-Rafael, »*perdón*. Haben denn nicht die meisten Geschichten das falsche Ende? Es tut mir leid. Wirklich leid.«

»Mir auch«, sagte ich und legte den Hörer langsam auf. Sehr langsam. In der Hoffnung, dass, je langsamer ich auflegen würde, umso mehr Zeit dafür bliebe, dass sich noch etwas veränderte. Und ich versuchte mir einzureden: *Gam zu le'toyveh.* Es *muss* zum Guten sein. *Gam zu le'toyveh.* Aber ich glaubte nicht daran. Kein einziges winziges kleines bisschen.

Ich ging mit schweren Schritten zum Safe und öffnete ihn. Ich holte meine wunderbare Kamera heraus. In so vielen einsamen Nächten war sie bei mir gewesen. Ich drückte sie mir an die Brust. »Also. Was machst du?«, fragte ich Marc, der immer noch an seinem Rucksack hantierte.

»Ich muss gleich los. Ich will mir das Metropolitan Museum anschauen, ja, ich will ins Metropolitan und nirgendwo anders hin. Und du, was tust du da mit der Kamera?«

»Nichts«, sagte ich hastig.

»Wegen dem Telefonat«, sagte Marc mit zittriger Stimme, »ich konnte nicht anders und habe gehört, dass es jemanden gibt, der dich nicht sehen will, aber mit dir reden möchte. Willst du diese Person wirklich sehen? Ich meine, geht es denn darum?«

»Mehr als alles in der Welt.« Ich spürte, dass Marc die Last dessen, was ich gerade gesagt hatte, verstand. Die Last, verzweifelt etwas zu wollen. Und ich stellte mir vor, wie sein Herz, als er mir zuhörte, ein kleines bisschen größer wurde, als es sonst war.

Ich verließ mein Arbeitszimmer und war überrascht zu sehen, wie majestätisch unser Esstisch aussah. Ein elfenbeinfarbenes Tischtuch mit Goldstickereien bedeckte ihn. In der Tischmitte stand eine Porzellanschüssel voller Erdbeeren. Ich suchte das Zimmer ab, so konzentriert, wie ein Adler ein Feld nach Beute absucht. Ich ging zu den Blumen auf der Fensterbank und stellte die Kamera zwischen unsere Prunkwinde und unsere Anthurie. Ich zupfte an den Blättern, bis die Kamera gut versteckt war. So ist es gut, dachte ich mir.

Dann ging ich in die Küche. Dora und Robin bereiteten etwas zu. Es roch himmlisch. Als Dora mich bemerkte, sagte sie: »Wir backen einen Himbeer-Käsekuchen mit weißer Schokolade und eine Schokoladen-Tarte. Aber du entscheidest, welchen Kaffee wir den werten Gästen anbieten.«

Die ersten hatten unsere Wohnung erreicht und klingelten. Also blickte ich durch den Spion. Ich sah Jasmins Auge. Vergrößert. Ich öffnete die Tür und Jasmin kam herein, zusammen mit ihren Hunden. Sie trug Schwarz. So dass ich mich fragte, ob sie wusste, dass Schwarz in Japan die Farbe der Ehre war. Sie wollte mich wohl ehren.

»Daddy, deine Videos, ich kann es nicht glauben.« Der honiggelbe Fiffi und der sirupbraune Rexi hatten mir offenbar dringend etwas zu sagen. Denn sie hörten nicht zu bellen auf. »Du solltest dir die Kommentare durchlesen. Abgesehen von ein paar antisemitischen Sprüchen, lieben dich die Leute!«

Dora reckte den Kopf aus der Küchentür. Das Gesicht einer Mutter, die ihre Tochter erblickt, ist in der Geschichte wohl immer gleich geblieben. Ein Gesicht, geprägt von bedingungsloser Liebe.

Ich hörte ein Klopfen an der Tür, gefolgt von drei kurzen und drei schnellen Klopfzeichen. Es war, als wollte der Mensch hinter der Tür mir etwas morsen. Höchstwahrscheinlich, dass er hinein wollte. Also öffnete ich die Tür. Es war Leonard. Er linste in den Flur und fragte: »Was macht die denn hier?«

»Und was will der? Wer ist er überhaupt?«

»Das ist mein Anwalt, Dad.«

»Tut mir leid, heute nur Familie«, sagte ich entschieden. »Nur Familie.« Ich blieb kopfschüttelnd in der Tür stehen und versperrte den Weg. »Jasmin ist hier, weil ich euch beide sehen wollte. Und Eliot ebenfalls.«

»Und was du willst, wird gemacht, oder wie?«

»Diesmal schon.«

»Weißt du was?«, sagte Leonard verärgert. »Gut, okay. Aber nur dieses eine Mal.«

Ich blinzelte meinen Sohn wohlwollend an. Und während sein Anwalt sich davonmachte, gingen wir zwei ins Wohnzimmer. Dora stand am Tisch und aß eine Erdbeere, die aussah wie das wunderschön gemalte Bild ihrer selbst. Robin und Marc standen rechts und links von ihr. Als sie Jasmin und Leonard sahen, stürmten sie los, um sie zu umarmen. Ich nahm eine Serviette vom Tisch und tupfte an Doras Mundwinkel, in dem sich ein kleiner Erdbeerfleck abgesetzt hatte. Ich war noch dabei, als Marc zu mir kam. »Ich muss jetzt los«, sagte er.

Er beugte sich hinunter, um Dora zum Abschied zu küssen. Dann küsste er mich. Seine und meine Haut waren so verschieden. Meine alte Wange rieb sich an seiner jungen. Sie war weich – noch nicht vom Leben gezeichnet – und ich versuchte mir vorzustellen, wie rau ich mich für ihn anfühlen musste.

Endlich kreuzte Eliot auf. Die Wohnungstür musste unverschlossen gewesen sein, denn er kam hereinspaziert wie ein Hauptdarsteller aufs Filmset. Sein Auftritt brachte alle zum Schweigen. Es war deutlich zu hören und füllte das ganze Wohnzimmer aus. Also standen Dora und ich da und beobachteten, was passierte. Oder vielmehr, was nicht passierte. Es war wie in einem Horror-Stummfilm. Dora hielt mir ihre angebissene Erdbeere vor den Mund. Ich biss hinein. Sie schmeckte wässrig. Ich flüsterte ihr sanft ins Ohr: »Was meinst du, hätte José-Rafael, wäre er noch hier, bemerkt, dass etwas nicht stimmt?«

»Selbst ein Tauber hätte das gespürt.«

25

Ich fühlte mich wie ein Dirigent, der dabei war, die Vorstellung seines Lebens zu geben. Und als Dirigent war es meine Aufgabe, die vielen Musiker des Orchesters zu führen. Aber das hier war keine Vorstellung. Das war das wirkliche Leben. Und trotzdem war eine Kamera zwischen den Blumen versteckt. Also, lass die Show beginnen. »Hrrrmm. Hrrrmm.« Dora strich über den fliederfarbenen Verband meines scheinbar gebrochenen Armes. Es fühlte sich an wie ein sanfter Luftzug.

»Hrrrmm. Warum setzen wir uns nicht?«, fragte ich laut und schob meine Brille den Nasenrücken hinauf. Jasmin und Leonard nahmen am Tisch Platz. Zwischen ihnen blieb ein Stuhl frei, auf den Robin sich setzte. Eliot setzte sich ein paar Stühle entfernt – ans Kopfende des Tischs. Alle außer Robin blickten starr geradeaus.

»Also, ich habe euch nicht eingeladen, um über Probleme zu reden. Probleme sind nichts anderes als Herausforderungen.«

»Daddy, dafür ist es zu spät«, bemerkte Jasmin heftig.

»Unterbrich nicht deinen Vater«, ging Eliot ebenso deutlich dazwischen.

»Erzähl ihr nicht, was sie zu tun hat«, sagte Leonard in einem Tonfall, der noch einen Hauch grimmiger war.

» – Erzähl *mir* nicht, was zu tun ist – «

»Dorale«, bat ich, »bitte, komm näher zu mir.« Also nahm ich ihre Hand in meine. Und küsste sie. Die Hand meiner Geliebten, meiner Partnerin, die Hand meiner lebenslangen Freundin.

Ich hatte so viel zu sagen. Ich wollte die Faust ballen. Die Faust, die zu dem verbundenen Arm gehörte. Und ich wollte rufen: Mit den Herausforderungen können wir fertig werden. Warum? Weil in der Geschichte der Menschheit schon viel größere Herausforderungen bewältigt worden sind. Ich wollte sie anschreien, dass die Lage außer Kontrolle sei, und dass wir es nur schaffen könnten, wenn wir einander verstünden. Denn Menschen lieben nur, was sie verstehen, und sie retten nur, was sie lieben. Aber ich sagte nichts. *Nichts*.

Wie ein Australischer Laubfrosch, der Sauerstoff über seine Haut aufnimmt, hatte ich das Gefühl, durch Doras Haut zu atmen, als wir Hand in Hand dastanden und sie alle beobachteten.

» – Fang nicht schon wieder damit an!«, schrie Jasmin.

»Erzähl mir nicht, was ich zu tun habe!«

»Du lässt dir von deinem Dienstmädchen morgens Milch auf die Cornflakes gießen – «

» – und du hast ins Bett gemacht, bis du acht Jahre alt warst!«

Eliot stellte sich auf seinen Stuhl und brüllte: »Wie jemand Messer und Gabel hält, ist euch wichtiger, als welche Gedanken er in seinem Kopf hat!«

Ich wollte ihnen sagen, dass ich mich so lebhaft daran erinnerte, wie mein Gefühl war, als ich mich das erste Mal gefilmt habe. Wie ich auf einmal wieder etwas bedeutete. Wie ich wieder eine Stimme hatte. Obwohl ich alt war. *Weil* ich alt war. Ich wollte ihnen verraten, dass ich sie filmte und dass ich ihr peinliches Benehmen der ganzen Welt zeigen würde – in meinem privaten Fernsehkanal. Oder in einer Talkshow. Stattdessen stand ich stumm vor ihnen. Dora drückte meine Hand noch fester.

» – *Ich* muss wenigstens nicht immer Recht bekommen – «

» – Klar, das liegt daran, dass du nie Recht hast – «

»Genau das meine ich.«

»Nein, das meine *ich*.«

»Ich habe es zuerst gesagt.«

»Es geht nicht darum, wer was zuerst gesagt hat, sondern darum, was wahr ist.«

»Trotzdem, ich habe es zuerst gesagt – « Ich hörte eine Tür knallen und sah, wie Marc ins Wohnzimmer rannte. Er war außer Atem, als hätte er gerade einen Triathlon hinter sich. »Ich muss mit dir reden«, keuchte er, »ins Metropolitan Museum kann ich auch morgen noch gehen, ich meine, *so* wichtig ist es mir gar nicht mehr, denn mir ist eben etwas klargeworden über Angst und Mut, ich schwöre.«

Ich stand da und wollte meinen Kindern sagen, dass sie sich erinnern müssen, sich immer erinnern müssen, dass wir nichts Wertvolleres haben als die Liebe und den Namen, den wir miteinander teilen. Das und noch viel mehr wollte ich sagen. Aber stattdessen drehte ich mich zu Marc um und fragte: »Was ist denn?«

»Opi, bitte komm mit mir kurz in dein Arbeitszimmer.«

Als wir in meinem Arbeitszimmer waren, sagte Marc: »Bitte, ruf sie an, ich meine diese Person, mit der du heute Morgen telefoniert hast.«

Ich fragte ihn nicht, warum. Ich rief José-Rafael an und reichte Marc den Hörer. Sie tauschten ein paar Worte aus und legten dann auf. Ich war verwirrt. Und auch froh, nicht mehr im Wohnzimmer zu sein.

Marc zog einen Computer aus seinem Rucksack. Er war unglaublich dünn, und Marc hielt ihn mit einer Hand, während er mit der anderen auf der Tastatur herumtippte. Und dann geschah ein Wunder. Leah war da! Sie war auf dem Computerbildschirm. Sie lag im Bett, unter einem weißen Baumwolllaken mit roter Blumenstickerei.

»Sie kann dich nicht sehen«, erklärte Marc, der neben mir stand. »Aber sie kann dich hören. Los, sag etwas zu ihr.«

Leah war im Computer. Ihr Bild war auf dem Schirm. Sie hatte abgenommen seit unserer letzten Begegnung. Viele Jahre war das her. Ihr Gesicht war jetzt ovaler, ihre Gesichtszüge klarer und feiner. José-Rafael stand an ihrem Bett. Seine Hand ruhte vorsichtig auf ihrer Schulter. Diese Hand, dachte ich mir, habe ich vor wenigen Tagen noch geschüttelt.

Sie sah wunderschön aus. Wie Berge mit unberührtem Schnee. Wie die endlose Schwärze des Wüstenhimmels. Wie die glasklaren Wasser des Pazifiks. »Hallo?«, sagte ich.

»Hallo«, antwortete Leah. Ihre Stimme war nicht so streng, wie ich es von früher im Ohr hatte. Sie schloss kurz die Augen, dann konzentrierte sie sich wieder auf mich. Ich wusste, sie konnte mich nicht sehen, trotzdem schien es so, als könnte sie es, als könnte sie sogar durch mich hindurchschauen.

»Hi«, sagte ich noch sanft. Wo findet man in sich selbst die wichtigsten aller Wörter?

»Hi«, antwortete sie.

Ich konnte sehen, wie ihr Brustkorb sich – unter der Bettdecke – hob und senkte. Hob und senkte. Sie sah weder verängstigt noch bekümmert aus. Sie sah friedlich aus.

»Magdalena Leah«, sagte ich in einem Atemzug, »meine Schwester.«

Sie nickte und sah José-Rafael an. Auch José-Rafael nickte. Ich wusste nicht, warum, aber Marc wusste es. »Opi«, sagte er, »ich schalte jetzt die Videokamera ein. Bald kann Leah dich sehen.«

Also drückte Marc einige Tasten, und ein Bild von mir erschien auf dem Schirm. Es war von einem kleinen schwarzen Rahmen umschlossen und heftete an Leahs größerem Bild. Wir waren einander so nah.

Wir sahen uns und sahen hinter die Bildschirme, hinter die Zimmer und die Häuser und die Städte und die Grenzen, die zwischen uns standen, und – »*Yankele*«, sagte sie, und sprach meinen Namen so aus, wie meine Mutter es getan hatte. Konnte sich ein verwaister Bruder etwas Schöneres wünschen?

Ich nickte. Meine Schwester nickte auch.

Wir nickten langsamer. Ich berührte den Bildschirm. Fast berührte ich ihr Gesicht.

Wir nickten und sahen weiter einander an. Und irgendwann sagte sie: »Darf ich dich morgen sehen?«

Ich seufzte tief. Tief. Tiefer. Am tiefsten. Und sogar noch tiefer als das.

Marc klappte den Computer zu wie ein Buch und sagte: »Danke dir.« Ein simples *danke dir*. Zwei Wörter. Acht Buchstaben. Es fühlte sich gut an. So gut. Wer hätte wissen können, dass ein kurzer Dank so gut tun kann. Also küsste ich ihn auf die Stirn. Auf sein drittes Auge. Dorthin, wo der Verstand sitzt. Dorthin, wo unsere Erinnerungen liegen.

Das Leben ist nicht wie ein Puzzle!

Ich schob die Tür auf, und schon fiel mir die Welt da draußen wieder ein. Das Wohnzimmer. Ich hörte Dora dreimal mit der Faust auf den Esstisch schlagen. Es waren hohl tönende Schläge. Und sie sagte mit sanfter, fester, aufrichtiger, leidenschaftlicher Stimme: »Leben ist genau das: Leben. Es ist vieles, aber keiner hat es bislang verstanden. Deswegen benutzen die Leute Analogien, wenn sie darüber sprechen. Aber lasst mich euch eines sagen: Das Leben ist *nicht* wie ein Puzzle. Man kann die Teile nicht einfach wieder zusammensetzen, wenn man sie auseinandergerissen hat. So wie verdorbene Kaffeebohnen, die in der Hitze und im Licht gelegen haben, *niemals* mehr gute Bohnen werden.«

Und dann ging sie hinaus. Sie holte mich an der Tür zum Arbeitszimmer ab, und zusammen marschierten wir ins Schlafzimmer. Ich hielt Doras Hand fester denn je. Es war erst Mittag, aber ich war müde und erledigt wie ein Champion nach einem Match bei den U.S. Open. Während wir uns zurückzogen, konnte ich die Stimmen unserer Kinder im Hintergrund hören. Redeten sie endlich wieder miteinander, wie gute Geschwister es tun? Oder bildete ich mir das ein?

Also ging ich hinüber zu unserem Fenster und zog die Vorhänge zu. Irgendein Vandale hatte zwei große Puzzleteile auf den Bürgersteig gegenüber gemalt. Sie waren sich zugewandt – filigran, geradezu poetisch. Sie brauchten sich wie wertvolle Geschwister, die sich mögen, ohne miteinander zu verschmelzen. Ich nahm die Eleganz des Ganzen war, aber es war immer noch Vandalismus. Neben den Puzzleteilen stand etwas geschrieben. Die Schrift war verschwommen. Ich strengte mich an, so gut es ging, aber alles, was ich entziffern konnte, war **ANGST, MUT, SCHULD**. Oder stand da **HENGST, WUT, SCHUND**?

Ich zog die muschelgrauen Vorhänge zu und legte mich vollständig bekleidet aufs Bett. Wie auch Dora. Ich fühlte mich ganz leer. Wir lagen im Dunkeln. Ich war erschöpft. Ich nahm meine Brille ab und drehte mich auf meine Seite. Ich schob meinen Körper, der sich schwer anfühlte, an Dora heran. Ihre Hände suchten mich. Wie eine Blinde tastete sie meine Nase, meine Ohren, meine Lippen ab.

Mein Körper fühlte sich schwer an wie Vulkangestein.

»Nach all den schlaflosen Nächten musst du endlich reif sein für den Schlaf.« Ihre Stimme sickerte durch meine Haut in mich ein.

»Du liest mich wie ein Buch«, sagte ich müde.

»Mein Yankele, ich lese keine Bücher.«

»Mach die Augen zu«, sagte ich und schloss meine Augen. Ich konnte fühlen, dass auch Dora die Augen geschlossen hatte. Ich tastete also mit der rechten Hand nach ihrem Arm. Und als ich ihn gefunden hatte, schrieb ich ein Wort darauf. Ich öffnete die Augen ein Stück weit und sah, wie Dora sich auf ihre Seite drehte.

Ich schrieb ›Schwester‹ in ihre Armbeuge.

Sie schrieb ›Bruder‹ auf mein Handgelenk.

Ich schrieb ›Familie Kaffee Hoffnung‹ der Länge nach auf den Arm.

Sie schrieb ›Heim Zukunft Sicherheit‹ in einer Zeile auf meine Haut.

Es gab nichts außer uns – keine Kinder, kein Geschäft, keine Probleme –, nur uns auf unserem Bett, die wir einander schrieben, Wörter und Sätze, die wir richtig und falsch buchstabierten.

Sie schrieb die Geschichte von harter Arbeit, und ich die Geschichte vom Aufziehen der Kinder. Sie schrieb die Geschichte einer großen Familie, die auseinanderbricht, und ich schrieb die Geschichte einer kleinen Familie, die sich selbst erneuert. Sie schrieb die Geschichte von Geschwisterrivalität und ich die von Geschwisterliebe. Wir beide schrieben Geschichten von Verlust, und zusammen schrieben wir unsere Geschichte auf unsere Körper, schrieben wir die Geschichte von einer ersten und einzigen Liebe.

Channah Trzebiner

Die Enkelin

oder Wie ich zu Pessach die vier Fragen nicht wusste

»Channah Trzebiners sensible Einblicke in die Gefühlswelt der Dritten Generation haben mich berührt, bewegt und tief beeindruckt. Absolut empfehlenswert, unbedingt lesen!« Dieter Graumann

»Ein bewegendes und ehrliches Buch. Es hilft zu verstehen, weshalb die überlebenden des Massenmordes ihr Trauma in einer Weise verarbeiten, die Fremde mitunter irritiert.«
Peter Lückemeier, Frankfurter Allgemeine Sonntagszeitung

»Wer wissen will, was es heißt, auch noch als Teil der Dritten Generation vom Holocaust betroffen zu sein, erfährt das aus Channah Trzebiners autobiographischer, literarisch anspruchsvoller Erzählung eindringlicher als aus jeder wissenschaftlichen Studie.« Micha Brumlik

»Dieses radikal subjektive, bemerkenswerte Buch macht deutlich, wie es sich anfühlen kann, im Schatten der Katastrophe aufzuwachsen.«
Christoph Schröder

»Weniger ein Roman, denn oral history. Man muss Trzebiners Mut loben, Stellung zu beziehen, sich öffentlich zu äußern.«
Eugen El, Faust Kultur

Roman
Geb., 242 Seiten
978-3-86337-028-2
weissbooks.com

weissbooks.w

Vanessa F. Fogel
Hertzmanns Coffee
Roman
Aus dem Amerikanischen von Eva Bonné
unter Mitarbeit von Vanessa F. Fogel

Konzept Design
Gottschalk+Ash Int'l

Satz
Publikations Atelier, Dreieich

Umschlaggestaltung
Julia Borgwardt, borgwardt design
unter Verwendung eines Motivs von
© Charles W. Cushman, The Charles W. Cushman Collection
Indiana University/University Archives

Foto Vanessa F. Fogel
© Meirav Basson

Druck und Bindung
CPI Clausen & Bosse, Leck

Printed in Germany
Erste Auflage 2014
ISBN 978-3-86337-043-5

Dieses Buch ist auch als eBook erhältlich
ISBN 978-3-86337-057-2

vanessafogel.com
weissbooks.com

Dieses Buch wurde auf FSC®-zertifiziertem Papier gedruckt. FSC® (Forest Stewardship Council) ist eine nichtstaatliche, gemeinnützige Organisation, die sich für eine ökologische und sozialverantwortliche Nutzung der Wälder unserer Erde einsetzt.

MIX
Papier aus verantwortungsvollen Quellen
FSC® C083411